« PAVILLONS »
Collection dirigée par Claire Do Sêrro

DU MÊME AUTEUR

MARGARET ATWOOD

LES TESTAMENTS

roman

traduit de l'anglais (Canada)
par Michèle Albaret-Maatsch

Robert Laffont

Titre original : THE TESTAMENTS
© 2019 by O.W. Toad, Ltd.
Traduction française : Éditions Robert Laffont, S.A.S., Paris, 2019

ISBN 978-2-221-24311-4
(édition originale : ISBN 978-0-385-54378-1, Nan A. Talese/
Doubleday, a division of Penguin Random House LLC, New York)
Dépôt légal : octobre 2019

Note de la traductrice

Trente-deux ans ont passé depuis la publication en français de *La Servante écarlate*. Durant un tel laps de temps, la société et sa façon de s'exprimer changent. Le lecteur remarquera donc certaines modifications linguistiques par rapport à *La Servante écarlate*. En revanche, pour les termes bibliques, j'en suis revenue aux terminologies classiques.

Voici en outre la liste des termes que j'ai cru bon de retraduire pour mieux restituer les tonalités de la langue originale :

- « Adoravagances » pour « Prayganzas » ;
- « Dilacération » pour « Particicution » ;
- « Galaad » pour « Gilead » ;
- « Jour natal » pour « Jour de naissance » ;
- « L'Œil » pour « Les Yeux » ;
- « Malbébé » pour « Nonbébé » ;
- « Natalomobile » pour « Natomobile ».

« À chaque femme est censée correspondre la même grille de principes, sinon c'est un monstre. »

George ELIOT, *Daniel Deronda*

« Quand on se regarde l'un l'autre, pas plus toi que moi ne regardons seulement un visage haï – non, c'est nous que nous voyons dans un miroir... Ne te reconnais-tu vraiment pas en nous ? »
Lieutenant-colonel (*Obersturmbannführer*) Liss au vieux bolchevik Mostovskoy.

Vassili GROSSMAN, *Vie et Destin*

« La liberté est une lourde charge, un immense et étrange fardeau à assumer pour l'esprit... Ce n'est pas un cadeau que l'on reçoit, mais un choix, et le choix est parfois difficile. »

Ursula K. LE GUIN, *Les Tombeaux d'Atuan*

I.

Statue

Le Testament olographe d'Ardua Hall

1.

Seuls les morts ont droit à une statue, mais on m'en a élevé une de mon vivant. Me voici pétrifiée avant l'heure.

Cette statue constituait un modeste témoignage de reconnaissance pour mes multiples contributions, pour reprendre la citation qu'a lue Tante Vidala à haute voix. Cette tâche que nos supérieurs lui avaient confiée était loin de lui plaire. J'ai remercié Tante Vidala avec toute l'humilité que j'ai pu mobiliser, puis j'ai tiré sur la corde et dégagé le drap qui me dissimulait; il est tombé à terre en tourbillonnant, et je me suis dressée devant tous. Ici, à Ardua Hall, nous ne pratiquons pas les acclamations, mais j'ai eu droit à quelques applaudissements discrets. J'ai incliné la tête en guise de salut.

Ma statue est plus grande que nature, c'est souvent le cas chez les statues, et me représente plus jeune, plus mince et en meilleure forme que je ne le suis depuis quelque temps. Je me tiens droite, les épaules rejetées en arrière, et mes lèvres affichent un sourire assuré mais bienveillant. J'ai les yeux fixés sur un point de référence cosmique censé incarner mon idéalisme, mon indéfectible attachement à mon devoir, ma détermination à aller de l'avant en dépit des obstacles. Placée comme elle l'est au milieu d'un triste bouquet d'arbres et d'arbustes plantés à côté du chemin qui passe juste devant Ardua Hall, ma statue ne risque pourtant pas de voir quoi que ce soit dans le ciel. Nous, les Tantes, ne devons pas nous montrer trop présomptueuses, même dans la pierre.

Agrippée à ma main gauche, une petite fille de sept ou huit ans m'enveloppe d'un regard confiant. Ma main droite repose sur la tête d'une femme voilée accroupie à mon côté ; ses yeux levés vers moi affichent une expression où l'on pourrait lire soit de la veulerie soit de la gratitude – c'est une de nos Servantes –, et derrière moi une de mes Perles s'apprête à partir pour son œuvre missionnaire. Accroché à ma ceinture, mon taser. Cette arme me rappelle mes manquements. Si j'avais été plus efficace, je n'aurais pas eu besoin d'un tel accessoire. La persuasion de ma voix aurait suffi.

Ce groupe statuaire n'est pas une grande réussite, il est trop chargé. J'aurais préféré davantage d'emphase sur ma personne, mais j'ai l'air saine d'esprit, c'est déjà ça. Il aurait très bien pu en être autrement, dans la mesure où, pour mieux refléter la pieuse exaltation de ses sujets, la vieille sculptrice – une fervente croyante aujourd'hui décédée – avait tendance à leur coller des yeux exorbités. Son buste de Tante Helena a l'air fanatique, celui de Tante Vidala paraît affligé d'un goitre et celui de Tante Elizabeth à deux doigts d'exploser.

Lors du dévoilement, la sculptrice était crispée. M'avait-elle rendue de manière suffisamment flatteuse ? Est-ce que j'appréciais le résultat ? Me verrait-on l'apprécier ? J'ai joué avec la possibilité de prendre une mine renfrognée pendant que le drap tombait, mais me suis abstenue : je ne suis pas dépourvue de compassion.

« Très ressemblant », ai-je dit.

C'était il y a neuf ans. Depuis, ma statue a subi quelques dégradations : des pigeons m'ont décorée, de la mousse a poussé dans mes interstices les plus humides. Des adorateurs déposent des offrandes à mes pieds : des œufs pour la fertilité, des oranges pour évoquer la plénitude de la grossesse, des croissants en référence à la lune. J'ignore tout ce qui est pain – souvent, ça a pris la pluie –, mais j'empoche les oranges. C'est tellement agréable, les oranges.

J'écris ces mots dans mon sanctuaire privé, au sein de la bibliothèque d'Ardua Hall – une des rares encore debout après les autodafés enthousiastes qui ont embrasé tout le pays. Il fallait éliminer les traces de doigts corrompus et tachés de sang du passé afin d'aménager un espace propre pour la génération moralement pure sans doute tout près de poindre. En théorie.

Cependant, ces empreintes sanglantes comptent aussi les nôtres, et celles-ci ne s'enlèvent pas si facilement que ça. Moi qui ai enterré bien des choses au fil des années, j'aurais aujourd'hui tendance à les déterrer – ne serait-ce que pour ton édification, mon lecteur inconnu. Si tu me lis, c'est au moins que ce manuscrit aura survécu. Mais peut-être que je me fais des idées, peut-être que personne ne me lira jamais. Peut-être que je ne ferai rien d'autre que parler aux murs, ou à un mur, allez savoir.

Assez d'écriture pour aujourd'hui. J'ai mal à la main, au dos, et ma tasse de lait chaud du soir m'attend. Je vais fourrer ce laïus dans sa cachette en évitant les caméras de surveillance – je les ai installées, je sais où elles sont. En dépit de ces précautions, j'ai bien conscience du risque que je cours : il peut être dangereux d'écrire. Qui sait quelles trahisons, quelles dénonciations m'attendent éventuellement ? Il en est plusieurs à Ardua Hall qui adoreraient mettre la main sur ces pages.

Patience, leur conseillé-je en silence : il y aura pire.

II.

Fleur précieuse

Transcription des déclarations du témoin 369A

2.

Tu me demandes de te raconter comment j'ai vécu les années où j'ai grandi à Galaad. Tu dis que ce sera utile, et j'ai sincèrement envie de me rendre utile. J'imagine que tu t'attends à de pures horreurs, mais en réalité, des tas d'enfants étaient aimés et chéris à Galaad comme ailleurs, et des tas d'adultes étaient gentils quoique faillibles à Galaad comme ailleurs.

J'espère aussi que tu n'oublieras pas qu'on éprouve tous un peu de nostalgie pour la gentillesse qu'on nous a témoignée enfants, même si, pour d'autres, le cadre de cette enfance est bizarre. Comme toi, je pense que Galaad doit disparaître – il abrite trop de mal, trop d'hypocrisie et trop de choses qui vont sûrement à l'encontre des desseins de Dieu –, mais accorde-moi aussi la possibilité de pleurer la perte de tout ce qui a pu être bien.

Dans notre école, le rose était pour le printemps et l'été, le lie-de-vin pour l'automne et l'hiver, le blanc pour les occasions spéciales : dimanches et célébrations. Bras couverts, cheveux couverts, jupes au genou jusqu'à l'âge de cinq ans, et après à cinq centimètres maximum au-dessus de la cheville, parce que les pulsions des hommes étaient de terribles choses qu'il fallait réprimer. Les yeux des hommes, toujours à se balader ici et là, comme ceux d'un tigre, ces yeux fouisseurs avaient besoin d'être protégés de notre pouvoir de séduction ô combien aveuglant – de nos jambes, grosses, maigres ou fuselées, de nos bras, boudinés, noueux ou gracieux, de nos peaux, constellées de taches ou veloutées, des boucles entrelacées de nos cheveux brillants, de nos grossières crinières, de nos tresses maigrichonnes et pareilles à de la paille, peu importait. Quels qu'aient été nos silhouettes et nos traits, nous représentions bien involontairement des pièges et des appâts, nous étions les causes innocentes et irréprochables qui, de par notre nature même, pouvaient susciter chez l'homme un désir enivrant qui le faisait tituber, chanceler et basculer pardessus bord – le bord de quoi? nous demandions-nous, d'une falaise? –, d'où il dégringolait, auréolé de flammes, telle une de ces boules de soufre brûlant lancées par la main furieuse de Dieu. Nous étions les gardiennes d'un inestimable trésor qui existait en nous, caché aux regards; nous étions des fleurs précieuses qu'il fallait préserver sous serre de crainte qu'un guet-apens ne permette à des prédateurs rôdant peut-être à chaque coin de rue, dans ce vaste monde acéré où le péché régnait en maître, de nous arracher nos pétales, de dérober notre trésor, de nous mettre en pièces et de nous piétiner.

C'était le genre de chose que Tante Vidala, perpétuellement enchifrenée, nous répétait à l'école pendant qu'on faisait de la broderie au petit point pour mouchoirs, repose-pieds et tableaux encadrés – vase de fleurs, compotier de fruits représentaient les motifs de prédilection. Mais Tante Estée, notre prof préférée, affirmait que Tante Vidala exagérait, qu'il n'y avait aucune raison de nous insuffler cette peur bleue, dans la mesure où une telle aversion risquait d'avoir une influence néfaste sur nos vies de femmes mariées.

«Tous les hommes ne sont pas comme ça, mes petites, disait-elle pour nous réconforter. Les meilleurs sont des natures supérieures. Certains font montre d'une honorable maîtrise de soi. Et lorsque vous serez mariées, vous verrez les choses de manière bien différente et elles ne seront pas du tout aussi effrayantes. »

Ce n'était pas qu'elle y connaissait grand-chose, puisque les Tantes n'étaient pas mariées ; elles n'en avaient pas le droit. C'est pour ça qu'elles avaient accès à l'écriture et aux livres.

« Le moment venu, vos pères et mères et nous vous choisirons un bon mari, ajoutait Tante Estée. Donc inutile d'avoir peur. Bornez-vous à apprendre vos leçons et faites confiance à vos aînés pour arranger les choses au mieux, et tout se déroulera comme il se doit. Je prierai pour. »

Cependant, en dépit des fossettes et du sourire affectueux de Tante Estée, c'était la version de Tante Vidala qui l'emportait. Elle se matérialisait dans mes cauchemars : la serre volait en éclats, puis venait la mise en pièces, le piétinement des sabots et des morceaux de moi, roses, blancs et lie-de-vin, éparpillés sur le sol. La perspective de grandir – d'être assez grande pour le mariage – me terrorisait. Je n'avais pas confiance dans les choix judicieux des Tantes : je craignais de finir mariée à un bouc enflammé.

Le rose, le blanc et le lie-de-vin étaient de règle pour les enfants spéciales que nous étions. Les enfants ordinaires des familles Écono portaient la même tenue toute l'année – de vilaines blouses grises à rayures multicolores, pareilles aux habits de leurs mamans. Elles n'apprenaient même pas la broderie au petit point ni le crochet ; pour elles, c'était juste des travaux de couture simples, des fleurs en papier et autres corvées du même ordre. Contrairement à nous, elles n'étaient pas préchoisies pour être mariées aux meilleurs partis – aux Fils de Jacob, aux autres Commandants ou à leurs fils. En grandissant, il arrivait néanmoins qu'elles soient choisies, si elles étaient suffisamment jolies.

Ça, personne ne le disait. On n'était pas censées se vanter d'être belles, c'était prétentieux, ni remarquer le physique avantageux des autres. Pourtant, nous, les filles, on n'était pas dupes : il valait mieux être jolie que laide. Même les Tantes accordaient plus d'attention à celles qui étaient jolies. Maintenant, si tu étais déjà préchoisie, ce n'était pas si important.

Je ne louchais pas comme Huldah, je n'avais pas la mine congénitalement renfrognée de Shunammite ni les sourcils à peine visibles de Becka, mais je n'étais pas finie. J'avais un visage large et mou, un peu comme les biscuits que Zilla, ma Martha préférée, me confectionnait tout spécialement, avec des yeux en raisins secs et des dents en graines de courge. Mais, même si je n'étais pas spécialement jolie, j'étais très, très choisie. Doublement choisie : non seulement pré-choisie pour épouser un Commandant, mais avant tout choisie par Tabitha, ma mère.

C'est ce que Tabitha me répétait régulièrement. «En allant me promener en forêt, je suis arrivée devant un château enchanté où étaient enfermées des tas de petites filles auxquelles de méchantes sorcières avaient jeté un sort. Aucune d'elles n'avait de maman. Je possédais une bague magique qui a ouvert le château, mais je ne pouvais délivrer qu'une seule petite fille. Je les ai donc toutes regardées attentivement et puis je t'ai choisie, toi, entre toutes.

— Et les autres, qu'est-ce qu'elles sont devenues? Les autres petites filles?

— D'autres mamans les ont délivrées.

— Elles avaient une bague magique, elles aussi?

— Bien sûr, ma chérie. Pour devenir maman, il faut avoir une bague magique.

— Elle est où, la bague magique? Maintenant?

— Là, à mon doigt», disait-elle en me montrant le troisième doigt de sa main gauche.

Le doigt du cœur, selon elle.

« Mais elle n'était bonne que pour un seul vœu, et je m'en suis servie pour toi. Donc, à présent, c'est juste une bague de maman, une bague de tous les jours. »

À ce stade de la discussion, elle me permettait d'essayer la bague, un anneau d'or avec trois diamants : un gros entre deux petits. On aurait vraiment juré qu'elle avait eu des pouvoirs magiques avant.

« Tu m'as soulevée de terre et emmenée ? demandais-je. Pour sortir de la forêt ? »

Je connaissais l'histoire par cœur, mais j'aimais qu'elle me la répète.

« Non, ma chérie, tu étais déjà trop grande. Si je t'avais portée, j'aurais toussé, et les sorcières nous auraient entendues. »

Ça, c'était vrai, je m'en rendais compte : elle toussait pas mal.

« Alors, je t'ai prise par la main et on est sorties du château sur la pointe des pieds pour ne pas que les sorcières nous entendent – toutes les deux, on faisait *chut, chut*, et, là, elle portait le doigt à ses lèvres, et je l'imitais, et je refaisais *chut, chut* avec délice –, et après il a fallu traverser la forêt à toutes jambes pour échapper aux méchantes sorcières parce que l'une d'elles nous avait vues franchir la porte. On a couru, puis on s'est cachées dans un arbre creux. C'était très dangereux ! »

Je gardais en effet un vague souvenir d'une course à travers une forêt où quelqu'un me tenait par la main. Est-ce que je m'étais cachée dans un arbre creux ? Il me semblait bien m'être cachée quelque part. Donc c'était peut-être vrai.

« Et après, qu'est-ce qui s'est passé ? demandais-je.

— Après, je t'ai amenée dans cette belle maison. Tu n'es pas heureuse ici ? On t'aime tant, tous autant qu'on est ! N'est-ce pas qu'on a de la chance, toutes les deux, que je t'aie choisie ? »

Elle passait le bras autour de mon épaule, je me blottissais tout contre elle et, la tête nichée contre son corps frêle, je devinais ses côtes saillantes. L'oreille pressée contre sa poitrine, j'entendais son cœur qui cognait à tout rompre – de plus en plus vite, pensais-je, comme si elle attendait que je dise quelque chose. J'avais conscience du pouvoir de ma réponse : je pouvais la faire sourire ou pas.

Que dire sinon oui et oui ? Oui, j'étais heureuse. Oui, j'avais de la chance. De toute façon, c'était vrai.

3.

Quel âge avais-je à l'époque ? Six ou sept ans peut-être. J'ai du mal à le savoir, vu que je n'ai pas de souvenirs clairs des années qui ont précédé.

J'aimais énormément Tabitha. Elle était belle malgré son extrême minceur et passait des heures à jouer avec moi. On avait une maison de poupée qui ressemblait à notre maison, avec un salon, une salle à manger et une grande cuisine pour les Marthas, ainsi qu'un bureau de papa avec une table de travail et des étagères. Les pages de tous les petits livres factices étaient vierges. J'ai demandé pourquoi il n'y avait rien dessus – j'avais la vague impression qu'il aurait dû y avoir des signes – et ma mère m'a répondu que les livres étaient là pour décorer, comme les vases de fleurs.

Les mensonges qu'il lui a fallu raconter pour mon bien ! Pour me protéger ! Mais elle en avait les moyens. Elle avait un esprit très inventif.

On avait de grandes chambres ravissantes au premier étage de la maison de poupée, avec des rideaux, du papier peint et des tableaux – de jolis tableaux, de fruits et de fleurs –, de plus petites chambres au deuxième et cinq cabinets de toilette en tout, mais il y en avait un qui était juste un cabinet – on l'appelait une *powder room*, un endroit pour se remettre de la poudre, mais c'était quoi, la poudre ? –, plus un cellier.

Pour la maison de poupée, on avait toutes les poupées qu'il nous fallait : une maman poupée vêtue de la robe bleue des Épouses de Commandant, une petite fille poupée avec trois robes – une rose, une blanche et une lie-de-vin, pareilles que les miennes –, trois Marthas poupées en vert terne et tablier, un Gardien de la Foi avec casquette pour conduire la voiture et tondre la pelouse, deux Anges campés à côté du portail avec leurs armes miniatures en plastique pour que personne ne vienne nous faire du mal et un papa poupée dans son uniforme impeccable de Commandant. Il ne disait jamais grand-chose, mais circulait beaucoup dans la maison, puis s'asseyait au bout de la table à manger où les Marthas lui apportaient des trucs sur des plateaux, et après il retournait dans son bureau et fermait la porte.

Pour ça, le Commandant poupée était comme mon père, qui me souriait, me demandait si j'avais été sage, puis disparaissait. À la différence près que je voyais ce que le Commandant poupée faisait dans son bureau, où il était assis à sa table avec son ordinaphone et une pile de documents, alors qu'avec mon vrai père je ne savais rien : il était interdit d'entrer dans son bureau.

Ce que mon père y faisait était paraît-il très important – c'était des choses importantes d'homme, trop importantes pour que les femmes s'en mêlent, parce qu'elles avaient des cerveaux plus petits totalement incapables de concevoir de grandes pensées, affirmait Tante Vidala qui nous enseignait la Religion. Ç'aurait été comme essayer d'apprendre le crochet à un chat, ajoutait Tante Estée, qui nous enseignait les Travaux manuels, et ça nous faisait rire, tellement c'était ridicule ! Les chats n'avaient même pas de doigts !

Bref, les hommes avaient dans la tête quelque chose qui ressemblait à des doigts, mais des sortes de doigts que les filles n'avaient pas. Ça expliquait tout, nous assurait Tante Vidala, et fini les questions. Sa bouche se refermait sèchement, histoire de boucler les mots qui auraient encore risqué de lui échapper. Je savais qu'il devait y en avoir car, déjà à cette époque, l'exemple du chat ne me paraissait pas approprié. Les chats n'avaient pas envie de faire du crochet. Et on n'était pas des chats.

Les trucs interdits laissent libre cours à l'imagination. C'était pour ça qu'Ève avait mangé le fruit de la connaissance, nous assurait Tante Vidala : trop d'imagination. Mieux valait donc ne pas tout savoir. Sous peine de voir ses pétales éparpillés.

Dans le coffret de la maison de poupée, on avait une Servante poupée avec une robe écarlate et un gros ventre, plus une coiffe blanche qui cachait sa figure, mais ma mère a dit qu'on n'avait pas besoin de Servante puisqu'on m'avait déjà, et qu'il ne fallait pas que les gens se montrent trop exigeants et cherchent à avoir plus d'une petite fille. On a donc emballé la Servante dans du papier de soie, et Tabitha a ajouté que je pourrais la donner à une autre petite fille qui n'avait pas une aussi belle maison de poupée et à qui la Servante poupée rendrait grand service.

Ça m'a fait plaisir de ranger la Servante dans le coffret, parce que les vraies Servantes me mettaient mal à l'aise. On les croisait lors des sorties scolaires, quand on marchait deux par deux en une longue file avec une Tante en tête et une autre en queue. Pour nos sorties, on allait à l'église ou sinon dans un parc, et soit on jouait à la ronde, soit on regardait les canards dans une mare. Plus tard, on serait autorisées à suivre des Rédemptions ou des Adoravagances, vêtues de nos robes blanches et de nos voiles blancs, et à assister à des mariages ou à des pendaisons, mais, pour Tante Estée, on n'était pas encore assez mûres.

Dans un des parcs, il y avait des balançoires, mais comme le vent risquait de soulever nos jupes, grimper dessus représentait une privauté inenvisageable. Seuls les garçons avaient le droit de goûter à cette liberté ; eux seuls avaient le droit de se balancer ; eux seuls pouvaient s'élever dans les airs.

Aujourd'hui encore, je ne suis toujours pas montée sur une balançoire. Ça reste un de mes grands désirs.

Quand on défilait dans la rue, on croisait les Servantes qui allaient deux par deux avec leur panier à provisions. Elles ne nous regardaient pas, ou pas beaucoup, ou pas franchement, et, nous, on ne devait pas les regarder parce que, d'après Tante Estée, c'était mal élevé de les dévisager, au même titre que dévisager des infirmes ou n'importe quelle personne qui n'était pas comme vous. Nous n'avions pas non plus le droit de poser de questions sur les Servantes.

« Vous apprendrez tout ça quand vous serez en âge de savoir », disait Tante Vidala.

Tout ça : les Servantes faisaient partie de *tout ça*. Un truc moche alors ; un truc qui te démolissait ou qui t'avait démoli, ce qui revenait peut-être au même. Les Servantes avaient-elles été comme nous avant, blanches, roses et lie-de-vin ? S'étaient-elles montrées négligentes, avaient-elles dévoilé une partie séduisante de leur personne ?

On ne voyait plus grand-chose d'elles à présent. On ne voyait même pas leur figure, à cause de leur coiffe blanche. Elles se ressemblaient toutes.

Dans notre maison de poupée, il y avait une Tante poupée, alors qu'en principe sa place n'était pas dans une maison mais dans une école ou bien à Ardua Hall, où les Tantes étaient censées habiter. Quand je jouais toute seule à la maison de poupée, j'enfermais la Tante poupée à la cave, ce qui n'était pas gentil de ma part. Elle martelait furieusement la porte de la cave en hurlant : « Laissez-moi sortir », mais la petite fille poupée et la Martha poupée, qui avait aidé la petite fille, ne s'occupaient pas du tout d'elle et parfois même elles rigolaient.

Je ne suis pas fière de relater cette méchanceté, même si elle ne s'adressait qu'à une poupée. C'est un côté vindicatif de ma nature que je n'ai jamais vraiment pu corriger, je dois le dire, à mon grand regret. Mais, dans un récit comme celui-ci, mieux vaut ne pas tricher quand il s'agit de ses erreurs et de tout ce qu'on a pu faire d'autre. Sinon personne ne comprendra pourquoi on a pris les décisions qu'on a prises.

C'est Tabitha qui m'a appris à être honnête avec moi-même, ce qui est plutôt cocasse, compte tenu des mensonges dont elle m'a abreuvée. Pour être juste, elle a probablement été honnête par rapport à ce qui la concernait, elle. Elle s'est efforcée – je crois – d'agir aussi correctement que la situation le lui permettait.

Le soir, après m'avoir raconté une histoire, elle me bordait avec ma peluche préférée, une baleine – Dieu a créé les baleines pour qu'elles jouent dans l'océan, il n'y avait donc pas de mal à jouer avec une baleine –, et ensuite on priait.

On récitait cette prière sous la forme d'une chanson qu'on fredonnait ensemble :

L'heure est venue de fermer les yeux
Et de prier le Seigneur pour qu'Il veille sur mon âme ;
Mais si je meurs dans mon sommeil heureux,
Je prie le Seigneur pour qu'Il emporte mon âme.

Quatre anges veillent autour de mon lit,
Deux aux pieds, deux à la tête ;
Il y en a un qui surveille et un qui prie,
Et deux pour emporter mon âme vers sa retraite.

Tabitha avait une belle voix, on aurait cru une flûte en argent. De temps à autre, la nuit, quand je glisse dans le sommeil, il me semble presque l'entendre chanter.

Il y avait dans cette chanson deux choses qui me dérangeaient. D'abord, les anges. Je savais que ce devait être des anges avec des chemises de nuit blanches et des plumes, mais ce n'est pas comme ça que je me les représentais. Je les voyais à l'image de nos Anges à nous : hommes armés avec des ailes en tissu cousues sur leurs uniformes noirs. Et je n'aimais pas l'idée d'avoir quatre Anges armés en faction autour de mon lit pendant que je dormais, parce que c'était des hommes, après tout, et va savoir quelles parties de mon corps risquaient de pointer de dessous les couvertures ? Mes pieds, par exemple. Est-ce que ça n'allait pas attiser leurs pulsions ? Sans aucun doute, pas moyen d'y échapper. Si bien que la perspective des quatre Anges n'avait rien d'apaisant.

Et puis ce n'était pas très réconfortant de prier sur le fait qu'on allait peut-être mourir dans son sommeil. Je n'y croyais pas trop, mais si ça arrivait quand même ? Et à quoi ressemblait mon âme – cette chose que les anges emporteraient ? D'après Tabitha, c'était l'esprit, la partie de toi qui ne mourait pas avec ton corps, ce qui était en principe réjouissant.

Et à quoi est-ce qu'elle ressemblait, mon âme ? Je me la représentais exactement comme moi, juste beaucoup plus petite : aussi petite que la petite fille poupée de ma maison de poupée. Elle était en moi, donc peut-être qu'elle était pareille à l'inestimable trésor sur lequel Tante Vidala nous demandait de veiller très soigneusement. Vous risqueriez de perdre votre âme, nous disait-elle en se mouchant, auquel cas elle basculerait par-dessus bord et entamerait une chute sans fin avant de s'enflammer, exactement comme les hommes boucs. C'était un truc que je tenais à éviter à tout prix.

4.

Au début de la période que je m'apprête à décrire, je devais avoir huit ans, ou peut-être neuf. Je me rappelle les événements mais pas mon âge exact. J'ai du mal à me rappeler les dates du calendrier, surtout parce qu'on n'avait pas de calendriers. Je vais cependant poursuivre du mieux que je peux.

À l'époque, je m'appelais Agnes Jemima. Agnes signifie « agneau », disait ma mère, Tabitha. Elle me récitait un poème :

Petit agneau, qui t'a fait ?
Sais-tu qui t'a fait ?

Le texte était plus long, malheureusement je l'ai oublié.

Quant à Jemima, ce prénom venait d'une histoire de la Bible. Jemima était une petite fille vraiment spéciale parce que, pour tester Job, le père de Jemima, Dieu l'avait accablé de malheurs, le pire étant qu'il avait fait périr tous ses enfants. Tous ses fils, toutes ses filles, tués ! Chaque fois que j'entendais ça, des frissons me saisissaient. Ça a dû être terrible, ce que Job a éprouvé quand il a appris la nouvelle.

Mais Job a réussi le test et Dieu lui a redonné d'autres enfants – plusieurs fils, et trois filles –, si bien que Job a retrouvé le bonheur. Et Jemima était une de ces fameuses filles.

« Dieu l'a donnée à Job, exactement comme Dieu t'a donnée à moi, résumait ma mère.

— Tu as eu des malheurs ? Avant de me choisir ?

— Oui, me répondait-elle en souriant.

— Tu as réussi le test ?

— Sans doute. Sinon je n'aurais pas pu choisir une petite fille aussi merveilleuse que toi. »

Cette histoire me plaisait beaucoup. Ce n'est que plus tard que j'y ai réfléchi : comment Job avait-il pu laisser Dieu lui refiler une fournée de nouveaux gamins et s'imaginer qu'il ferait comme si les morts ne comptaient plus pour lui ?

Quand je n'étais ni à l'école ni avec ma mère – et j'étais de moins en moins souvent avec elle, parce qu'elle passait de plus en plus de temps dans son lit, à l'étage, à se « reposer », comme disaient les Marthas –, j'aimais flâner à la cuisine pour regarder les Marthas faire le pain, des petits et des gros gâteaux, des tartes, des soupes et des ragoûts. On appelait Martha toutes les Marthas, parce que c'était leur fonction, et elles portaient toutes le même genre d'habit, mais chacune avait aussi un prénom. Les nôtres s'appelaient Vera, Rosa et Zilla ; vu que mon père était très important, on avait trois Marthas. Zilla était ma préférée, parce qu'elle parlait avec une grande douceur, alors que Vera avait une voix stridente et Rosa un air renfrogné. Ce n'était pourtant pas de sa faute, sa figure était juste comme ça. Elle était plus vieille que les deux autres.

« Je peux vous aider ? » je demandais aux Marthas.

Elles me passaient alors des bouts de pâte à pain pour que je puisse jouer, et je façonnais un bonhomme qu'elles mettaient au four avec leur ouvrage. Je faisais toujours des bonshommes, jamais des femmes parce qu'une fois cuits je les mangeais, ce qui me donnait le sentiment d'avoir un pouvoir secret sur les hommes. Je commençais à comprendre qu'autrement je n'en avais aucun, malgré les pulsions que, d'après Tante Vidala, j'attisais chez eux.

«Est-ce que je peux faire le pain du début à la fin ?» ai-je proposé un jour où Zilla sortait un récipient pour y mélanger les ingrédients.

Je les avais si souvent regardées faire que j'étais persuadée de savoir m'y prendre.

«Tu n'as pas besoin de t'embêter avec ça, m'a répondu Rosa, la mine encore plus renfrognée que d'habitude.

— Pourquoi ?»

Vera a lâché son rire strident.

«Tu auras des Marthas pour s'en charger, m'a-t-elle expliqué. Quand on t'aura choisi un bon gros mari.

— Il ne sera pas gros.»

Je ne voulais pas d'un gros mari.

«Bien sûr que non. C'est juste une façon de parler, a dit Zilla.

— Tu ne seras pas obligée non plus de t'occuper des courses, a ajouté Rosa. C'est ta Martha qui s'en chargera. Ou sinon ta Servante, en supposant qu'il t'en faille une.

— Peut-être qu'elle n'en aura pas besoin, a poursuivi Vera. Vu sa mère…

— Dis pas ça, l'a interrompue Zilla.

— Quoi ? me suis-je écriée. Qu'est-ce qu'il y a à propos de ma mère ?»

Je savais qu'il y avait un secret autour d'elle – ça avait forcément un lien avec leur façon de dire qu'elle se reposait – et ça me faisait peur.

«C'est simplement que ta maman a pu avoir son bébé, m'a expliqué Zilla d'un ton apaisant, donc je suis sûre que, toi aussi, tu peux. Tu aimerais avoir un bébé, non, ma puce ?

— Oui, mais je ne veux pas de mari. Je les trouve dégoûtants.»

Toutes les trois ont éclaté de rire.

«Pas tous, a protesté Zilla. Ton papa est un mari.»

Je n'avais rien à répondre à ça.

« Ils veilleront à ce qu'il soit bien, a continué Rosa. Ce ne sera pas le premier vieux mari venu.

— Il ont leur honneur à défendre, a dit Vera. Ils ne vont pas te marier à quelqu'un qui te sera inférieur, c'est certain. »

Je ne voulais plus penser aux maris.

« Et si j'ai envie ? ai-je insisté. De faire le pain ? »

J'étais blessée : on aurait cru qu'elles refermaient un cercle autour d'elles et m'en excluaient.

« Et si j'ai envie de faire le pain moi-même ?

— Là, bien sûr, tes Marthas seront obligées de s'incliner, m'a répondu Zilla. Tu seras la maîtresse de maison. Mais elles te mépriseront. Et elles auront l'impression que tu les dépossèdes de leur rôle légitime. De ce qu'elles savent le mieux faire. Tu ne voudrais pas qu'elles pensent ça de toi, non, ma chérie ?

— Ça ne plaira pas à ton mari non plus, a enchaîné Vera en lâchant encore une fois un de ses rires stridents. C'est mauvais pour les mains. Regarde les miennes ! »

Elle les a tendues vers moi : elle avait les doigts noueux, la peau rêche, les ongles courts avec des cuticules abîmées – rien à voir avec les mains fines et élégantes de ma mère et sa bague magique.

« Les gros travaux – ils sont tous mauvais pour la peau. Il n'aura pas envie que tu sentes la pâte à pain.

— Ou la Javel, a suggéré Rosa. Quand on brique quelque chose.

— Il voudra que tu te contentes de faire ta broderie et ainsi de suite, a précisé Vera.

— Le petit point », a ajouté Rosa.

Sa voix s'était teintée de dérision.

La broderie n'était pas mon fort. On me critiquait toujours pour mes points trop lâches et maladroits.

« Je déteste le petit point. Je veux faire du pain.

— On ne fait pas toujours ce qu'on veut, m'a gentiment dit Zilla. Même toi.

— Et des fois on est obligées de faire des trucs qu'on déteste, a insisté Vera. Même toi.

— Ben, me laissez pas alors! ai-je jeté dans un cri. Vous êtes méchantes!»

Et j'ai fui la cuisine en courant.

Je pleurais à présent. On m'avait priée de ne pas déranger ma mère, pourtant j'ai grimpé sans bruit à l'étage et j'ai pénétré dans sa chambre. Elle était couchée sous son ravissant couvre-lit blanc à fleurs bleues. Elle avait les yeux fermés mais elle avait dû m'entendre, car elle les a ouverts. Chaque fois que je la voyais, ils me paraissaient plus grands et plus lumineux.

«Qu'est-ce qu'il y a, mon poussin?»

Je me suis faufilée sous le couvre-lit et blottie contre elle. Elle était brûlante.

«C'est pas juste, ai-je sangloté. Je ne veux pas me marier! Pourquoi il faut?»

Elle n'a pas dit *Parce que c'est ton devoir*, ce qu'aurait dit Tante Vidala, ni *Le jour venu, tu le voudras*, ce qu'aurait dit Tante Estée. Au début, elle a gardé le silence, m'a serrée dans ses bras et caressé les cheveux.

«N'oublie pas que je t'ai choisie, entre toutes les autres.»

Mais j'étais trop grande à présent pour continuer à gober l'histoire du choix avec le château fermé, la bague magique, les vilaines sorcières, la fuite.

«Ce n'est qu'un conte de fées, ai-je protesté. Je suis sortie de ton ventre, comme les autres bébés.»

Elle n'a pas confirmé ma déclaration. Elle s'est tue. Va savoir pourquoi, ça m'a fait peur.

«C'est vrai, hein? Shunammite me l'a dit. À l'école. Pour les ventres.»

Ma mère m'a serrée encore plus fort.

«Quoi qu'il arrive, m'a-t-elle confié au bout d'un moment, je veux que tu n'oublies jamais que je t'ai aimée très fort.»

5.

Vous avez probablement deviné ce que je vais vous raconter maintenant, et ce n'est pas du tout gai.

Ma mère était mourante. Tout le monde le savait, sauf moi.

Je l'ai appris par Shunammite qui prétendait être ma meilleure amie. On n'avait pas le droit d'avoir une meilleure amie. Ce n'était pas bien de former des petits cercles, disait Tante Estée, sinon les autres petites filles se sentaient exclues, alors qu'il fallait qu'on s'entraide pour devenir les plus parfaites possibles.

Tante Vidala, elle, disait qu'être meilleures amies te poussait aux chuchotis, aux intrigues et aux secrets, qu'intrigues et secrets te poussaient à désobéir à Dieu, que la désobéissance te poussait à la rébellion, que les petites filles qui se rebellaient devenaient des femmes rebelles et qu'une femme rebelle était encore pire qu'un homme rebelle parce que les hommes rebelles devenaient des traîtres tandis que les femmes rebelles devenaient des femmes adultères.

C'est là qu'un jour Becka a pris la parole pour demander de sa voix de petite souris : « C'est quoi, une femme adultère ? » Nous, les filles, on a toutes été surprises, parce qu'il était très rare que Becka pose une question. Contrairement aux nôtres, son père n'était pas un Commandant, il n'était que dentiste ; le meilleur dentiste, et toutes nos familles allaient le voir, ce qui expliquait pourquoi Becka avait été acceptée dans notre école, mais du coup les autres la regardaient de haut et s'attendaient à ce qu'elle s'aplatisse devant elles.

Becka était assise à côté de moi – elle essayait toujours de s'asseoir à côté de moi si Shunammite ne la repoussait pas – et j'ai senti qu'elle tremblait. J'ai eu peur que Tante Vidala ne la punisse pour s'être montrée impertinente, mais n'importe qui, même Tante Vidala, aurait eu du mal à l'accuser d'impertinence.

De l'autre côté, Shunammite a murmuré à Becka : «Sois pas si bête !» Tante Vidala a souri, pour autant qu'elle en était capable, et a déclaré qu'elle espérait bien que Becka ne l'apprendrait pas d'expérience, car la femme adultère finissait lapidée ou pendue, un sac de jute sur la tête. Tante Estée a protesté qu'il était inutile d'effrayer indûment les petites ; puis elle a souri et dit que nous étions des fleurs précieuses, et qui avait jamais entendu parler d'une fleur rebelle ?

On l'a regardée en faisant des yeux ronds pour afficher notre innocence et en hochant la tête pour bien montrer qu'on était d'accord avec elle. Ici, pas de fleurs rebelles !

Chez Shunammite, il n'y avait qu'une Martha, alors que chez moi il y en avait trois, ce qui prouvait que mon père était plus important que le sien. Je réalise aujourd'hui que c'était pour ça qu'elle voulait que je sois sa meilleure amie. C'était une fille râblée avec deux tresses longues et épaisses que je lui enviais, vu que les miennes étaient maigrichonnes et courtes, et des sourcils noirs qui la faisaient paraître plus adulte qu'elle ne l'était. Elle était belliqueuse, mais uniquement dans le dos des Tantes. Quand on se disputait, il fallait toujours qu'elle ait raison. Si on la contredisait, elle se bornait à répéter ce qu'elle venait de dire, mais plus fort. Elle était impolie envers des tas d'autres filles, en particulier Becka, et j'avoue avec honte que j'étais trop faible pour me rebiffer. Dans mes relations avec des filles de mon âge, je manquais de caractère, alors qu'à la maison les Marthas disaient que j'avais la tête dure.

« Ta mère est mourante, hein ? m'a chuchoté Shunammite à l'oreille pendant un déjeuner.

— Non, pas du tout, ai-je chuchoté en retour. Elle a un problème, c'est tout ! »

C'était ce que disaient les Marthas : *Ta mère a un problème.* C'était ce problème qui l'obligeait à se reposer autant, et qui la faisait tousser. Ces derniers temps, nos Marthas lui montaient des plateaux à sa chambre, mais ces derniers redescendaient sans que rien ou presque ait été touché dans les assiettes.

Je n'avais plus trop le droit d'aller la voir. Quand j'y allais, sa chambre était plongée dans une semi-obscurité. Et elle n'était plus imprégnée de son odeur, douce et légère, qui rappelait celle des hostas à clochettes de notre jardin ; c'était comme si un vieil inconnu crasseux s'était discrètement introduit dans les lieux et se cachait sous le lit.

Je m'asseyais à côté de ma mère, recroquevillée sous son couvre-lit brodé de fleurs bleues, m'emparais de sa frêle main gauche avec la bague magique et lui demandais quand son problème serait fini, et elle me répondait qu'elle priait pour être vite délivrée de ses souffrances. Ça me rassurait : ça signifiait qu'elle allait se rétablir. Puis elle me demandait si j'étais sage, si j'étais contente, et je disais toujours que oui, alors elle me pressait la main et me proposait de prier avec elle, puis on chantait la chanson sur les anges en faction autour de son lit. Et elle disait merci, et c'était tout pour ce jour-là.

« Elle est vraiment mourante, a insisté Shunammite. C'est ça, son problème. C'est la mort !

— C'est pas vrai, ai-je murmuré trop fort. Elle va mieux. Bientôt, elle n'aura plus mal. Elle a prié pour ça.

— Les enfants, nous a lancé Tante Estée. À l'heure du déjeuner, nos bouches sont faites pour manger, on ne peut pas parler et mâcher en même temps. N'est-ce pas qu'on a de la chance d'avoir d'aussi bonnes choses à manger ? »

C'était des sandwiches aux œufs, et d'habitude je les aimais bien. Ce jour-là, pourtant, leur odeur me soulevait le cœur.

« C'est ma Martha qui me l'a appris, a poursuivi Shunammite dès que Tante Estée a été occupée à autre chose. Et c'est ta Martha qui lui a dit. Donc c'est vrai.

— Laquelle ? »

Je n'arrivais pas à croire qu'une de nos Marthas – même Rosa la grognon – ait pu avoir la malhonnêteté de prétendre que ma mère était mourante.

« Comment je pourrais savoir ? Ce sont que des Marthas », a répliqué Shunammite en rejetant en arrière ses tresses longues et épaisses.

Cet après-midi-là, quand notre Gardien m'a eu ramenée à la maison après l'école, je suis allée à la cuisine. Zilla était en train d'abaisser une pâte à tarte ; Vera découpait un poulet. Une casserole de soupe mijotait sur l'un des brûleurs arrière de la cuisinière : les morceaux de poulet en trop iraient dedans, ainsi que les restes de légumes et les os. Pour la nourriture, nos Marthas avaient l'esprit très pratique, et elles ne gâchaient pas les provisions.

Penchée au-dessus du grand évier double, Rosa rinçait les assiettes. On avait un lave-vaisselle, mais les Marthas ne s'en servaient pas, sauf quand on accueillait les dîners de Commandants chez nous, parce que ça consommait trop d'électricité, disait Vera, et, avec la guerre, on avait des pénuries. Parfois, les Marthas la surnommaient – mais entre elles seulement – la guerre de cent ans ou bien la guerre de la roue d'Ézéchiel, parce qu'elle ne menait à rien ni nulle part.

« Shunammite m'a dit que l'une d'entre vous avait raconté à sa Martha que ma mère était mourante. Qui a dit ça ? C'est un mensonge ! »

Toutes trois se sont interrompues, comme si je les avais pétrifiées d'un coup de baguette magique : Zilla, le rouleau à pâtisserie en l'air, Vera, une hache dans une main et un long et pâle cou de poulet dans l'autre, Rosa avec un plateau et un torchon. Puis elles se sont consultées du regard.

« On croyait que tu étais au courant, a dit Zilla avec douceur. On croyait que ta mère t'avait prévenue.

— Ou ton père », a ajouté Vera.

Ça, c'était stupide : quand aurait-il pu ? Ces temps-ci, il n'était quasiment jamais à la maison et, quand il l'était, soit il prenait son repas tout seul dans la salle à manger, soit il s'enfermait dans son bureau pour faire des trucs importants.

« On est vraiment désolées, a dit Rosa. Ta mère est une femme bien.

— Une Épouse modèle, a renchéri Vera. Elle a enduré son mal sans se plaindre. »

Effondrée à la table de cuisine, je pleurais maintenant, le visage enfoui dans mes mains.

« Nous devons tous accepter les maux qui nous sont infligés pour nous mettre à l'épreuve, a ajouté Zilla. Nous devons continuer à espérer. »

Espérer quoi ? ai-je pensé. Que puis-je espérer à présent ? Devant moi, je ne voyais que deuil et noirceur.

Ma mère est morte deux nuits plus tard, mais je ne l'ai appris qu'au matin. J'étais en colère contre elle pour ne pas m'avoir dit qu'elle était atteinte d'une maladie mortelle – alors qu'en un sens elle m'avait prévenue : elle avait prié pour être rapidement délivrée de ses souffrances et sa prière avait été exaucée.

Une fois ma colère passée, j'ai eu la sensation d'avoir été amputée d'une partie de mon cœur, lequel était sûrement mort lui aussi. Je me suis prise à espérer que les quatre anges autour de son lit aient été bien réels en fin de compte, qu'ils aient veillé sur elle et qu'ils aient emporté son âme, comme dans la chanson. J'ai essayé de les visualiser en train de l'emporter de plus en plus haut, de se perdre dans un nuage doré. Mais je n'y croyais pas vraiment.

III.

Chant

Le Testament olographe d'Ardua Hall

6.

La nuit dernière, en me préparant pour aller au lit, j'ai défait mes cheveux, ou ce qui m'en reste. Dans un de mes vigoureux sermons aux Tantes il y a quelques années, j'avais prêché contre la vanité qui, en dépit de nos règles strictes, nous anime subrepticement.

«La vie, ce n'est pas les cheveux», avais-je alors dit en ne plaisantant qu'à moitié.

C'est vrai, mais il est vrai aussi que les cheveux, c'est la vie. Ils représentent la flamme de la chandelle du corps et, lorsque celle-ci s'amenuise, le corps se ratatine et se désagrège. Autrefois, à l'époque des chignons hauts, j'avais suffisamment de cheveux pour un chignon haut; et pour une banane, à l'époque des bananes. Mais aujourd'hui ils ressemblent à nos repas à Ardua Hall : ils sont réduits à la portion congrue. La flamme de ma vie se rapetisse, moins vite que ne le souhaiteraient certaines personnes de mon entourage, mais plus rapidement qu'elles n'en ont peut-être conscience.

J'ai examiné mon reflet. L'inventeur du miroir n'a pas rendu service à la plupart d'entre nous : on était sûrement plus heureuses avant de savoir ce à quoi on ressemblait. Je me suis dit que ça pourrait être pire : mon visage ne trahit aucun signe de faiblesse. Il garde sa texture parcheminée, son caractère avec son grain de beauté sur le menton, ses lignes familières gravées à l'eau-forte. Je n'ai jamais été du genre petite mignonne, mais autrefois mon physique se remarquait; on ne peut plus en dire autant. Imposant est le meilleur qualificatif qu'on pourrait se risquer à avancer.

Comment vais-je finir? me suis-je demandé. Irai-je jusqu'au grand âge en cédant peu à peu au laisser-aller, en m'ossifiant par degrés? Deviendrai-je l'honorable statue de ce que je suis? Ou bien serons-nous renversés, le régime et moi, ainsi que mon effigie en pierre dans la foulée, déboulonnée et vendue comme curiosité, ornement de jardin, horrible bribe de kitsch?

Ou serai-je jugée comme monstre, puis fusillée par un peloton d'exécution et pendue à un lampadaire pour être exhibée aux yeux de tous? La populace me réduira-t-elle en charpie, plantera-t-on ma tête au bout d'une pique pour me promener à travers les rues au milieu des cris de joie et des huées? J'ai suscité bien assez d'hostilité pour ça.

Pour l'heure, j'ai encore le choix. Pas quant au fait que je vais mourir, mais du moment et de la façon. N'est-ce pas une forme de liberté?

Oh, et de ceux qui tomberont avec moi. Ma liste est prête.

J'ai bien conscience de la manière dont tu dois me juger, cher lecteur; si du moins ma réputation m'a précédée et si tu as réussi à deviner qui je suis, ou qui j'étais.

À l'heure actuelle, je suis une légende, vivante mais plus que vivante, morte mais plus que morte. Je suis une tête encadrée accrochée au fond des salles de classe, derrière des jeunes filles d'un rang suffisamment élevé pour fréquenter l'école – sourire sombre, reproche muet. Je suis un croquemitaine que brandissent les Marthas pour faire peur aux tout-petits : *Si tu n'es pas sage, Tante Lydia va venir te chercher!* Je suis également un modèle de perfection morale – *Qu'est-ce que Tante Lydia aime-*

rait que tu fasses? –, ainsi qu'un juge et un arbitre dans les brumes inquisitrices de l'imagination – *Qu'est-ce que dirait Tante Lydia?*

Le pouvoir a fait de moi un être boursouflé, c'est vrai, mais flou aussi – je suis sans forme, je m'adapte à toutes les situations. Je suis partout et nulle part : même dans l'esprit des Commandants, je projette une ombre dérangeante. Comment redevenir moi-même? Comment recouvrer ma taille normale, celle d'une femme ordinaire?

Mais peut-être est-il trop tard. On fait un premier pas et, pour échapper aux conséquences, un deuxième. En des temps comme ceux que nous vivons, il n'y a que deux options : soit on monte, soit on dégringole.

Aujourd'hui était la première pleine lune après le 21 mars. Ailleurs dans le monde, on tue les agneaux pour les manger ; on consomme également des œufs de Pâques pour des raisons liées aux déesses de la fertilité du néolithique, dont personne ne veut se souvenir.

Ici, à Ardua Hall, on fait l'impasse sur la chair de l'agneau, mais on a gardé les œufs. À titre exceptionnel, j'autorise qu'on les teinte en rose ou bleu pâle. Tu n'imagines pas le plaisir des Tantes et des Suppliantes rassemblées dans le réfectoire pour le souper! Notre alimentation est monotone et un peu de variation est bienvenue, même si ce n'est qu'une variation de couleurs.

Après qu'on a apporté et admiré les récipients remplis d'œufs pastel et avant de commencer notre frugal festin, j'ai récité le bénédicité – *Bénis ce repas qui nous est offert et garde-nous dans le droit chemin, Que le Seigneur ouvre* –, puis la Prière spéciale de l'Équinoxe de printemps :

> *Maintenant que l'année s'ouvre au printemps,*
> *puissent nos cœurs s'ouvrir ; bénis nos filles, bénis*
> *nos Épouses, bénis nos Tantes et nos Suppliantes,*

bénis nos Perles dans leurs œuvres missionnaires au-delà de nos frontières, que la Grâce du Père se déverse sur nos sœurs déchues, les Servantes, et que le sacrifice de leur corps et leur labeur les rachètent conformément à Sa volonté.

Et bénis Bébé Nicole que sa traîtresse de mère, la Servante, a enlevée et que des impies cachent maintenant quelque part au Canada. Et bénis tous les innocents qu'elle incarne, condamnés à être élevés par des dépravés. Nos pensées et nos prières les accompagnent. Prions pour que Bébé Nicole nous revienne ; puisse Sa Grâce nous la ramener.

Per Ardua Cum Estrus. Amen.

Je suis ravie d'avoir concocté une devise aussi ambiguë. *Ardua* renvoie-t-il à l'adversité ou au labeur de la femme en couches ? *Estrus* réfère-t-il aux hormones ou aux rites païens du printemps ? Les résidentes d'Ardua Hall n'en savent rien et ne s'en soucient pas davantage. Elles répètent les mots qu'il faut dans l'ordre qu'il faut, et elles sont donc à l'abri de tout problème.

Puis il y a Bébé Nicole. Pendant que je priais pour son retour, tous les yeux étaient rivés sur sa photo accrochée au mur derrière moi. Si utile, Bébé Nicole : elle soulève les fidèles, attise la haine envers nos ennemis, témoigne des possibles trahisons au sein de Galaad, ainsi que de la duplicité et de la fourberie des Servantes, auxquelles on ne peut jamais faire confiance. Et nous n'avons pas épuisé son utilité, me suis-je dit : entre mes mains – si tant est qu'elle s'y retrouve un jour –, Bébé Nicole serait promise à un brillant avenir.

Telles étaient mes pensées durant le chant d'envoi, harmonieusement interprété par trois de nos jeunes Suppliantes aux voix pures et claires. Le reste d'entre nous les avons écoutées avec une vive attention. En dépit de ce que tu penses peut-être, cher lecteur, la beauté

48

n'était pas absente de Galaad. Pourquoi n'en aurions-nous pas voulu ? Nous étions humains, somme toute.

Je note que je parle de nous au passé.

La musique était celle d'un vieux psaume, mais c'est nous qui avions écrit les paroles :

Sous Son Œil brillent nos faisceaux de vérité,
Nous voyons toute incartade,
Nous surveillons tes allées,
Tes venues et tes promenades.
D'entre chaque cœur nous extrayons le vice
Dans la prière et les larmes nous imposons le sacrifice.

Ayant juré d'obéir, l'obéissance nous ordonnons,
Et jamais ne fléchirons !
Aux durs devoirs, la main nous prêterons,
Servir, nous promettons.
Toute pensée oiseuse, tous plaisirs nous étoufferons,
Au soi, nous renonçons, au désintéressement, nous croyons.

Banales et dénuées de charme, ces paroles : je peux le dire, c'est moi qui les ai pondues. Mais elles n'ont aucune prétention poétique. Elles ne servent qu'à rappeler à celles qui les chantent qu'il leur en coûterait fort cher de s'écarter du droit chemin. Ici, à Ardua Hall, nous n'avons aucune indulgence pour les manquements des unes et des autres.

Après les chants, on a entamé le fricot festif. J'ai noté que Tante Elizabeth avait pris un œuf de plus que sa part et que Tante Helena en avait pris un de moins, en veillant bien à ce que tout le monde le remarque. Quant à Tante Vidala, qui reniflait dans sa serviette, ses yeux bordés de rouge allaient de l'une à l'autre, puis revenaient vers moi. Qu'est-ce qu'elle mijote ? Dans quel sens le vent va-t-il tourner ?

Après notre petite fête, j'ai fait mon pèlerinage à la bibliothèque Hildegard à l'autre bout du Hall en empruntant, dans le silence de la nuit, l'allée baignée de clair de lune et suis passée devant ma statue noyée de pénombre. Je suis entrée, j'ai salué la bibliothécaire de service et j'ai traversé la section générale où trois de nos Suppliantes, qui venaient d'apprendre à lire, bataillaient avec leur savoir tout neuf. J'ai ensuite franchi la salle de lecture, où sont exigées de plus hautes aptitudes et où les bibles, rayonnantes d'une mystérieuse énergie, ruminent dans l'obscurité de leurs coffrets fermés à clé.

Puis j'ai ouvert une porte et j'ai parcouru les Archives généalogiques des filiations avec leurs fichiers classifiés. Il est fondamental de noter les liens familiaux entre les uns et les autres, tant au plan officiel qu'au plan réel : en raison du système des Servantes, l'enfant d'un couple donné peut ne pas être biologiquement lié à sa mère – une mère appartenant à l'élite –, ni même à son père officiel, car une Servante désespérée risque fort de chercher à se faire imprégner par n'importe quel moyen. Nous avons le devoir de nous informer, afin de prévenir l'inceste : on a déjà bien assez de Malbébés comme ça. C'est aussi à Ardua Hall qu'il incombe de garder jalousement ce savoir : les Archives constituent le centre névralgique d'Ardua Hall.

J'ai fini par atteindre mon saint des saints, tout au fond de la section littérature mondiale mise à l'Index. Sur mes étagères privées, j'ai disposé ma sélection personnelle de livres proscrits, strictement interdits aux rangs subalternes. *Jane Eyre*, *Anna Karénine*, *Tess d'Urberville*, *Le Paradis perdu*, *Lives of Girls and Women* – quelle hystérie ils causeraient chez les Suppliantes, tous autant qu'ils sont, s'ils devaient circuler parmi elles ! Ici, je conserve aussi une autre série de dossiers, accessibles à très peu de gens seulement ; à mes yeux, ce sont les histoires secrètes de Galaad. Toute gangrène n'est pas or, il n'empêche qu'on peut en tirer profit de manière non financière : le savoir est pouvoir, surtout s'il est com-promettant. Je ne suis pas la première à m'en être aperçue ni à l'avoir capitalisé quand j'en ai eu la possi-bilité : les agences de renseignement du monde entier le savent depuis toujours.

Une fois isolée, j'ai sorti mon début de manuscrit de sa cachette, un rectangle découpé dans un de nos ouvrages censurés : *Apologia pro vita sua* («Défense de sa propre vie»). Personne ne lit plus ce gros ouvrage, le catholi-cisme étant considéré comme une hérésie proche du vaudou, de sorte que personne ne risque d'y jeter un coup d'œil. Mais si quelqu'un tombe dessus, j'aurai gagné une balle dans la tête ; une balle prématurée, car je suis loin d'être prête à partir. Au jour dit, je compte bien dégager dans un *bang* autrement plus retentissant.

J'ai choisi mon titre de manière fort avisée, car que fais-je ici sinon donner une justification à ma vie ? À la vie que j'ai menée. À la vie – me dis-je – que j'ai été obligée de mener. Dans le temps, avant l'avènement du régime actuel, je ne songeais absolument pas à la justi-fier. Ça ne me paraissait pas nécessaire. J'étais juge aux affaires familiales, poste auquel j'étais arrivée après des décennies de boulot éprouvant et une laborieuse ascen-sion professionnelle, et j'exerçais cette fonction aussi équitablement que je le pouvais. J'œuvrais pour l'amé-lioration du monde, telle que je la concevais dans les limites pratiques de ma profession. Je faisais des dons à des associations caritatives, je votais aux élections fédé-rales et municipales, j'avais des opinions respectables. Je supposais que mes mérites seraient un tant soit peu reconnus.

Mais j'ai compris combien je m'étais trompée là-dessus ainsi que sur bien d'autres choses le jour où on m'a arrêtée.

IV.

Le Chien habillé

7.

Il paraît que je garderai la cicatrice, mais ça va un peu mieux; donc oui, je pense être suffisamment solide pour me lancer là-dedans maintenant. Tu m'as dit que tu aimerais que je te raconte comment je m'étais retrouvée embringuée dans toute cette histoire, alors je vais essayer; mais c'est dur de savoir par quel bout la prendre.

Je vais remonter à juste avant mon anniversaire, du moins ce que je croyais être la date de mon anniversaire. Neil et Melanie m'avaient menti là-dessus, et ce pour les meilleures raisons qui soient, ils voulaient bien faire mais quand je l'ai appris, au début j'ai été très fâchée contre eux. J'ai quand même eu du mal à le rester, parce qu'à ce moment-là ils étaient déjà morts. Tu peux être fâché contre des morts, mais tu ne peux jamais discuter de leurs actes – ou bien t'as qu'un point de vue. En plus, je me sentais aussi coupable que fâchée, parce qu'ils avaient été assassinés et que je pensais alors que c'était de ma faute.

J'étais censée fêter mes seize ans. Ce que j'attendais avec le plus d'impatience, c'était d'avoir mon permis de conduire. Je me jugeais trop vieille pour une fête d'anniversaire, même si Melanie m'offrait toujours un gâteau et une glace et me chantait «*Daisy, Daisy, give me your answer true*», «Daisy, Daisy, donne-moi ta

réponse, vraiment», une vieille chanson que j'avais ado-
rée enfant, mais que je trouvais lourde maintenant. J'ai
bien eu le gâteau, plus tard – gâteau au chocolat, glace à
la vanille, ce que je préférais –, sauf que, là, j'ai pas pu le
manger, Melanie n'étant plus de ce monde.

Cet anniversaire a marqué le jour où j'ai découvert
que j'étais une imposteure. Enfin, pas une imposteure,
style mauvais magicien, mais plutôt un faux, comme
une fausse antiquité. J'étais une contrefaçon bien pensée. J'étais tellement jeune à l'époque – ça me paraît
remonter à juste une fraction de seconde –, mais je ne le
suis plus. Qu'est-ce qu'un visage peut changer rapidement : il se sculpte comme du bois, il se durcit. Fini les
grands yeux perdus dans les rêveries. Je suis devenue
plus dure, plus focalisée. Je suis devenue plus étriquée.

Neil et Melanie étaient mes parents; ils tenaient une
boutique qui s'appelait Le Chien habillé. Ils vendaient
essentiellement des vêtements usagés, mais Melanie parlait de «vêtements qu'on avait aimés», parce qu'«usagés»
ou «usés» signifiait «exploités». L'enseigne dehors
montrait un caniche rose souriant en *poodle skirt*, une
jupe des années cinquante frappée d'un caniche, avec un
nœud rose sur la tête et un sac à commissions. Dessous,
il y avait un slogan en italique entre guillemets :
«*Inimaginable!*» Façon de dire que ces vêtements
d'occasion étaient tellement bien qu'on n'aurait jamais
imaginé qu'ils étaient usagés, mais c'était pas vrai du
tout car la plupart étaient dégueulasses.

Melanie disait qu'elle avait hérité Le Chien habillé
de sa grand-mère. Elle disait aussi qu'elle savait que
l'enseigne était démodée, mais que les gens la connaissaient bien et que ç'aurait été leur manquer de respect
de la changer.

Notre boutique se situait sur Queen West, dans une
zone où, avant, selon Melanie, c'était partout le même
genre de corporations – textiles, boutons et passementerie,

tissus à bas prix et bazars bon marché. Mais là, ça montait en gamme : des cafés solidaires et bio ouvraient, des magasins de grandes marques, des boutiques prestigieuses. En réaction, Melanie avait accroché une pancarte en vitrine : *Art à porter*. Sauf que Le Chien habillé regorgeait d'une batterie de vêtements qu'on n'aurait jamais qualifiés d'art à porter. Il y avait un coin vaguement créateur, mais à la base aucun truc chérot ne se retrouvait à la boutique. Le reste, c'était juste du n'importe quoi. Et toutes sortes de gens allaient et venaient : des jeunes, des vieux en quête d'une bonne affaire, d'une trouvaille ou juste pour voir. Ou qui cherchaient à vendre : il arrivait même que des sans-abri essaient de gagner quelques dollars avec des T-shirts récupérés dans des vide-greniers.

Melanie travaillait au rez-de-chaussée. Elle portait des couleurs vives, de l'orange et du rose vif : d'après elle, ça créait une atmosphère positive et tonique, en plus elle était en partie bohémienne, au fond. Elle était toujours alerte et souriante, même si elle faisait gaffe à la fauche. Après la fermeture, elle triait et préparait des paquets : celui-ci pour telle association caritative, celui-là pour des chiffons, celui-là pour l'Art à porter. Tout en triant, elle fredonnait des extraits de comédies musicales – de vieilles mélodies. «Oh, What a Beautiful Morning» était l'une de ses préférées, ainsi que «When You Walk Through a Storm». Cette manie m'irritait ; aujourd'hui, je le regrette.

À certains moments, elle était débordée, accablée : il y avait trop de tissu, c'était un océan, des vagues d'étoffes déferlaient et menaçaient de l'engloutir. Le cachemire ! Qui allait acheter des cachemires vieux de trente ans ? Ils ne s'arrangeaient pas en vieillissant, clamait-elle, contrairement à elle.

Neil avait une barbe grisonnante pas toujours taillée et peu de cheveux. Même s'il ne ressemblait pas à un homme d'affaires, c'est lui qui gérait ce qu'ils appelaient le côté financier : factures, comptabilité, impôts. Son bureau était au premier étage, et on y accédait par un escalier recouvert d'un tapis en caoutchouc. Il y avait un ordinateur, un meuble de rangement et un coffre-fort, mais sinon cette pièce n'avait pas grand rapport avec un bureau : elle était aussi encombrée que la boutique, parce que Neil était un collectionneur. De boîtes à musique mécaniques, il en avait un paquet. D'horloges, il avait des tas de modèles différents. De vieilles calculatrices à manivelle. De jouets en plastique qui marchaient ou sautillaient par terre, des ours, des grenouilles ou des dentiers par exemple. Il possédait un projecteur pour diapos en couleurs, lesquelles ne se faisaient plus. Des appareils photo – il adorait les vieux appareils photo. Certains, selon lui, prenaient de meilleures photos que les appareils modernes. Il en avait une pleine étagère.

Un jour, il a laissé le coffre-fort ouvert et j'ai jeté un coup d'œil dedans. Au lieu des liasses de billets que je croyais trouver, il n'y avait qu'un minuscule machin en verre et métal que j'ai pris pour un jouet, du genre des dentiers sauteurs. Mais je n'ai pas réussi à voir comment le rembobiner et j'ai eu peur de le toucher, parce qu'il était vieux.

« Je peux jouer avec ? ai-je demandé à Neil quand il est revenu dans son bureau.

— Avec quoi ?

— Le jouet du coffre.

— Pas aujourd'hui, m'a-t-il répondu en souriant. Peut-être quand tu seras plus grande. »

Puis il a refermé la porte du coffre et j'ai oublié ce drôle de petit jouet jusqu'au moment où j'y ai repensé et où j'ai compris ce que c'était.

Neil essayait de réparer les différents objets, souvent sans succès car il ne trouvait pas les pièces détachées. Ils restaient donc là à ramasser la poussière, comme disait Melanie. Neil détestait jeter.

Sur les murs, il avait de vieilles affiches : *LOOSE LIPS SINK SHIPS*, ou « Langue trop bien pendue, navire perdu », slogan d'une lointaine guerre ; une femme en salopette jouant du biceps pour montrer que les femmes étaient capables de fabriquer des bombes – elle datait de la même période ; et une rouge et noir représentant un homme et un drapeau qui, d'après Neil, venait de Russie avant qu'elle ne soit la Russie. Toutes avaient appartenu à son arrière-grand-père, qui avait vécu à Winnipeg. Je ne savais rien de Winnipeg, sinon qu'il y faisait froid.

J'adorais Le Chien habillé quand j'étais petite : on aurait dit une caverne aux trésors. Je n'avais pas le droit de rester seule dans le bureau de Neil, parce que je risquais de « toucher des trucs », et après de les casser. En revanche, je pouvais jouer avec les jouets mécaniques, les boîtes à musique et les calculatrices, si quelqu'un m'avait à l'œil. Mais pas avec les appareils photo, ils coûtaient trop cher, disait Neil, et de toute façon il n'y avait pas de pellicule dedans, alors à quoi bon ?

On n'habitait pas au-dessus de la boutique mais très loin, dans un quartier résidentiel où il y avait quelques vieux bungalows et des bâtisses, plus grandes et plus neuves, qui avaient remplacé les habitations détruites. Notre maison n'était pas un bungalow – elle avait un étage, celui des chambres –, mais elle n'était pas neuve non plus. Elle était en brique jaune et très banale. Elle n'avait rien qui t'aurait incité à te retourner dessus. En y repensant, je me dis que c'est ce qu'ils voulaient.

8.

Le samedi et le dimanche, je passais beaucoup de temps au Chien habillé, parce que Melanie ne voulait pas que je reste seule à la maison. Pourquoi ? J'avais douze ans quand j'ai commencé à le lui demander. « Et s'il y avait un incendie ? » m'a répondu Melanie. De toute façon, la loi interdisait de laisser un enfant seul chez lui. Là-dessus, je rétorquais que je n'étais pas une enfant et elle soupirait en disant que je ne savais pas vraiment ce qu'était ou n'était pas un enfant, que les enfants représentaient une lourde responsabilité et que je comprendrais plus tard. Puis elle ajoutait que je lui collais mal à la tête, et on montait dans sa voiture pour aller à la boutique.

Là, j'avais le droit d'aider – à trier les T-shirts par taille, à reporter les prix dessus, à mettre de côté ceux qu'il fallait laver ou jeter. Ces tâches me plaisaient bien : assise à une table dans un coin au fond, au milieu d'une légère odeur de naphtaline, j'observais les gens qui entraient.

Ce n'était pas tous des clients. Certains d'entre eux étaient des sans-abri qui voulaient utiliser les toilettes du personnel. Du moment qu'elle les connaissait, Melanie ne s'y opposait pas, surtout en hiver. Il y avait un homme plus âgé qui venait souvent. Il portait des manteaux en tweed qu'il tenait de Melanie et des gilets en tricot. Quand j'ai eu treize ans, comme on avait eu un module sur les pédophiles à l'école, j'ai commencé à le trouver flippant. Il s'appelait George.

«Tu ne devrais pas laisser George utiliser les toilettes, j'ai dit à Melanie. C'est un pervers.

— Daisy! Ce n'est pas gentil. Qu'est-ce qui te fait penser ça?»

On était chez nous, dans la cuisine.

«C'en est un, c'est tout. Il passe son temps à traîner dans le coin. Il embête les gens devant la boutique pour avoir de l'argent. En plus, il te suit partout.»

J'aurais peut-être pu décréter qu'il me suivait, moi, ce qui aurait sérieusement inquiété Melanie, mais ce n'était pas vrai. George ne faisait jamais attention à moi.

Melanie a ri et répliqué :

«Non, ce n'est pas vrai.»

J'en avais conclu qu'elle était naïve. J'en étais à l'âge où les parents, qui jusque-là savaient tout, ne savent plus rien.

Il y avait une autre personne qui fréquentait beaucoup le magasin, mais ce n'était pas une sans-abri. Je lui donnais quarante ans, ou peut-être pas loin de cinquante : j'avais du mal à deviner l'âge des vieux. En général, elle portait un blouson de cuir noir, un jean noir et de grosses bottines; elle avait de longs cheveux noirs tirés en arrière et elle se maquillait pas. Elle avait un look de motarde, mais pas de vraie motarde – elle ressemblait plus à une motarde dans une pub. Ce n'était pas une cliente – elle entrait par la porte de derrière afin de récupérer des vêtements pour des associations caritatives. Melanie disait qu'elles étaient de vieilles amies, de sorte qu'elle pouvait pas trop refuser quand Ada lui demandait. De toute façon, Melanie soutenait qu'elle ne lui passait que des articles difficiles à écouler, et que c'était bien que des gens en aient l'usage.

À mes yeux, Ada n'était pas du genre charitable. Elle n'était ni douce ni souriante mais anguleuse, et elle marchait à grandes enjambées. Elle ne restait pas longtemps et ne partait jamais sans deux cartons de fripes qu'elle fourrait dans une voiture garée dans l'allée derrière le magasin. De ma place, je les voyais, ces bagnoles. Ce n'étaient jamais les mêmes.

Il y avait une troisième catégorie de personnes qui venaient au Chien habillé sans y acheter quoi que ce soit. C'étaient les jeunes femmes en longue robe argent et coiffe blanche qui se faisaient appeler les Perles et se présentaient comme des missionnaires chargées d'accomplir l'œuvre de Dieu pour Galaad. Elles étaient vachement plus effrayantes que George. Elles démarchaient le centre-ville, parlaient aux sans-abri, entraient dans les magasins et se rendaient insupportables. Certaines personnes les houspillaient grossièrement, mais Melanie jamais, elle disait que ça ne servait à rien.

Elles se pointaient toujours à deux. Elles avaient des colliers de perles blanches et souriaient beaucoup, mais c'étaient pas de vrais sourires. Elles offraient à Melanie leurs brochures imprimées avec des photos de rues nickel, des enfants heureux, des levers de soleil et des titres censés vous attirer à Galaad : « Déchu ? Dieu peut encore vous pardonner ! », « Privé de toit ? Un foyer vous attend à Galaad. »

Il y avait toujours au moins une brochure sur Bébé Nicole. « Rendez-nous Bébé Nicole ! », « Bébé Nicole appartient à Galaad ! » À l'école, on nous avait projeté un documentaire sur Bébé Nicole : sa mère était une Servante qui avait sorti clandestinement Bébé Nicole de Galaad. Le père de Bébé Nicole était un grand ponte de Commandant super méchant, ça avait donc déclenché un sacré tollé. Galaad avait demandé son extradition afin de la rendre à ses parents légaux. Le Canada avait traîné les pieds, puis avait cédé et déclaré qu'ils allaient déployer tous les efforts possibles, mais Bébé Nicole avait déjà disparu et on ne l'avait jamais retrouvée.

À présent, Bébé Nicole était la figure emblématique de Galaad. Chacune des brochures des Perles affichait la même photo d'elle. Elle avait l'air d'un bébé, sans rien de spécial, mais c'était quasiment une sainte à Galaad, nous avait dit notre prof. Pour nous aussi, c'était une icône : chaque fois qu'il y avait une manifestation anti-Galaad au Canada, on avait droit à sa photo et à des slogans du genre : BÉBÉ NICOLE ! SYMBOLE DE LIBERTÉ ! Ou bien : BÉBÉ NICOLE NOUS MONTRE LA VOIE ! Comme si un bébé pouvait nous montrer la voie dans quelque domaine que ce soit, me disais-je.

Je détestais foncièrement Bébé Nicole depuis que j'avais dû écrire un devoir sur elle. Je m'étais tapé un C, parce que j'avais sorti que les deux parties s'en servaient comme d'un ballon de football, et qu'une foule de gens seraient extrêmement heureux si on la rendait, point à la ligne. La prof avait déclaré que j'étais dure et que je ferais bien d'apprendre à respecter les droits et les sentiments des gens, et j'avais répondu que les gens de Galaad étaient des gens, et ne fallait-il pas respecter aussi leurs droits et leurs sentiments ? Elle s'était emportée et m'avait lancé que j'avais besoin de grandir, ce qui était peut-être vrai : j'avais délibérément enve-nimé les choses. Mais le C m'avait mise en pétard.

Chaque fois que les Perles débarquaient, Melanie acceptait leurs brochures et s'engageait à en garder une pile à côté de la caisse. Parfois, elle leur repassait même quelques vieux exemplaires : les Perles les récupéraient pour les recycler dans d'autres pays.

« Pourquoi tu fais ça ? lui ai-je demandé quand, à quatorze ans, j'ai commencé à m'intéresser davantage à la politique. Neil dit qu'on est athées. Tu ne fais que les encourager. »

À l'école, on avait eu trois modules sur Galaad : c'était un pays vraiment épouvantable où les femmes ne pouvaient ni travailler ni conduire une voiture, où les Servantes étaient obligées de se faire engrosser comme des vaches, sauf que les vaches s'en tiraient mieux. À moins d'être une sorte de monstre, comment pouvait-on être pour Galaad ? Surtout si on était une femme.

« Pourquoi tu leur dis pas qu'elles sont toxiques ?

— Ça ne sert à rien de discuter avec elles, m'a répondu Melanie. Ce sont des fanatiques.

— Alors c'est moi qui vais leur dire. »

À l'époque, je croyais savoir ce qui n'allait pas chez les gens, surtout chez les adultes. Je croyais pouvoir éclairer leurs lanternes. Les Perles étaient plus vieilles que moi, comment pouvaient-elles gober toutes ces bêtises ? C'étaient pas des gamines.

« Non, a déclaré Melanie d'un ton très sec. Ne te mets pas en avant. Je ne veux pas que tu discutes avec elles.

— Pourquoi pas ? Je suis capable de me débrouiller…

— Elles racontent des craques à des filles de ton âge pour tenter de les attirer à Galaad. Elles feraient appel à ton idéalisme.

— Je ne tomberais jamais dans ce piège ! ai-je protesté avec indignation. Je ne suis pas débile, bordel. »

Normalement, je ne jurais pas quand j'étais avec Melanie et Neil, mais des fois ça m'échappait.

« Surveille ton langage, m'a rappelé Melanie. Ça fait mauvais effet.

— Désolée. Mais je ne suis pas débile.

— Bien sûr que non. N'empêche, laisse-les tranquilles. Si je prends leurs brochures, elles s'en vont.

— Leurs perles, c'est des vraies ?

— C'est du toc. Chez elles, tout est du toc. »

9.

En dépit de tout ce qu'elle faisait pour moi, Melanie avait une odeur lointaine. Elle m'évoquait le savon fleuri pour invités d'une maison inconnue où j'aurais été de passage. Ce que je veux dire, c'est que, pour moi, son odeur n'était pas celle de ma mère.

Quand j'étais plus jeune, un de mes livres préférés à la bibliothèque de l'école racontait l'histoire d'un homme qui avait infiltré une meute de loups. Cet homme ne pouvait pas se laver parce que ça aurait effacé l'odeur de la meute et que les loups l'auraient rejeté. Pour Melanie et moi, c'était plus comme s'il avait fallu ajouter à cette couche odorante de meute un truc qui nous aurait marquées comme nous – nous ensemble. Mais ça n'est jamais arrivé. On n'a jamais trop fait dans les câlins.

En plus, Neil et Melanie ne ressemblaient pas aux parents des enfants que je connaissais. Ils prenaient trop de précautions avec moi, à croire que je risquais de casser. On aurait dit que j'étais un chat de concours dont ils auraient eu la responsabilité : ton chat, tu ne te poses pas de questions, t'es relaxe, mais le chat de quelqu'un d'autre, c'est une autre histoire, parce que si tu le perds, tu te sens coupable de manière totalement différente.

Un autre truc : les gamins à l'école avaient des photos d'eux – des tas et des tas de photos d'eux. Leurs parents avaient saisi chaque minute de leur vie. Il y en avait même qui avaient des photos d'eux en train de naître et ils les apportaient en classe pour qu'on en discute tous ensemble, dans le cadre des sessions *Show & Tell*. Personnellement, je trouvais ça dégueulasse – le sang, les grosses jambes boudinées avec, au milieu, la petite tête qui pointait. Et ils avaient des photos d'eux bébés, des centaines de photos. Ils pouvaient pratiquement pas roter sans qu'un adulte brandisse son appareil et leur demande de recommencer – comme s'ils vivaient leur vie deux fois, une en vrai et une pour le cliché.

Moi, ça ne m'était pas arrivé. La collection d'appareils anciens de Neil était chouette, mais chez nous les appareils photo en état de marche existaient pas. Melanie m'avait dit que toutes les photos de moi bébé avaient brûlé dans un incendie. Seule une idiote aurait gobé ce bobard, donc je l'ai gobé.

Maintenant, je vais te raconter le truc stupide que j'ai fait, et ses conséquences. Je ne suis pas fière de mon comportement : en y repensant, je mesure combien c'était bête. Mais sur le moment, j'étais infichue de m'en rendre compte.

Une semaine avant mon anniversaire devait avoir lieu une manifestation contre Galaad. Des images de nouvelles exécutions en série transférées clandestinement de Galaad avaient été diffusées aux informations : elles montraient des femmes pendues pour hérésie et apostasie, mais aussi pour avoir essayé de sortir des bébés de Galaad, ce qui, selon les lois du pays, relevait de la trahison. Les deux grandes classes de notre école avaient été dispensées de cours, pour qu'on ait la possibilité de participer à la manifestation au titre de la Conscience sociale universelle.

On avait préparé des pancartes : NON AU COMMERCE AVEC GALAAD ! JUSTICE POUR LES FEMMES DE GALAABAD ! BÉBÉ NICOLE, NOTRE MODÈLE ! Certains élèves avaient

ajouté des pancartes écolos : GALAAD, SCIENCE CLIMA-
TIQUE DE MENTEURS ! GALAAD CHERCHE À NOUS FAIRE
GRILLER ! avec des photos de feux de forêt, d'oiseaux,
de poissons et de gens morts. Plusieurs profs et quelques
parents volontaires allaient nous accompagner pour être
sûrs qu'on soit pas victimes de violences. J'étais survoltée parce que ça allait être ma première manif. Mais
voilà que Neil et Melanie ont décrété que je n'irais pas.

« Pourquoi ? Tous les autres y vont !

— Pas question, a dit Neil.

— Vous dites toujours qu'il faut défendre ses principes, ai-je protesté.

— Là, c'est différent. C'est dangereux, Daisy, m'a
répondu Neil.

— La vie est dangereuse, tu l'as dit toi-même. De
toute façon, des tas de profs y vont. Et on fait ça dans
le cadre de l'école – si je n'y vais pas, on me retirera
des points ! »

Cette dernière précision n'était pas totalement juste,
mais Neil et Melanie aimaient bien que j'aie de bonnes
notes.

« Peut-être qu'elle pourrait y aller, a suggéré Melanie.
Et si on demandait à Ada de l'accompagner ?

— Je suis pas un bébé, j'ai pas besoin de baby-sitter.

— Ça va pas ? a lancé Neil à Melanie. Ce truc va
grouiller de journalistes ! Ça passera aux infos ! »

Il s'arrachait les cheveux, du moins ce qui lui en restait – signe qu'il était inquiet.

« C'est le but », ai-je déclaré.

J'avais bidouillé une des pancartes avec lesquelles on
défilerait – de grosses lettres rouges et une tête de mort
noire : GALAAD = MORT CÉRÉBRALE.

« Justement c'est l'idée, passer aux infos ! »

Melanie a plaqué les mains sur ses oreilles.

« J'ai mal au crâne. Neil a raison. Non. Je te dis non.
Tu m'aideras au magasin, un point c'est tout.

— OK, bouclez-moi. »

Je suis partie d'un pas lourd vers ma chambre et j'ai claqué la porte. Ils me forceraient pas à rester.

L'école où j'allais s'appelait la Wyle School. Elle devait son nom à Florence Wyle, une sculptrice d'autrefois dont la photo était accrochée dans le grand hall d'entrée. L'école était censée encourager la créativité, disait Melanie, aiguiser ta compréhension de la liberté démocratique et t'aider à penser, ajoutait Neil. C'était pour ça qu'ils m'y avaient envoyée, disaient-ils, même si dans l'ensemble ils n'étaient pas pour les établissements privés ; cela étant, les critères des écoles publiques étaient tellement bas, alors bien sûr, il fallait qu'on essaie tous d'améliorer le système, sauf qu'en attendant ils n'avaient pas envie qu'un jeune trafiquant de drogue me colle un coup de couteau. Aujourd'hui, je pense qu'ils avaient choisi la Wyle School pour une autre raison. Wyle exigeait l'assiduité de ses élèves : il était impossible de sauter un cours. De sorte que Neil et Melanie savaient toujours où j'étais.

Je n'adorais pas la Wyle School, mais je ne la détestais pas non plus. C'était un passage obligé sur la route qui me mènerait à la vraie vie, laquelle n'allait pas tarder à se concrétiser pour moi. Pas très longtemps avant cette période, j'avais eu envie de devenir vétérinaire pour petits animaux, puis ce rêve m'avait semblé puéril. Après, j'avais décidé de devenir chirurgienne, mais à l'école j'avais vu la vidéo d'une opération et ça m'avait collé la nausée. D'autres élèves de la Wyle School voulaient devenir chanteuses ou designers ou faire d'autres choses créatives ; moi, je n'avais pas assez d'oreille et j'étais trop maladroite.

J'avais quelques amies en classe : des filles avec lesquelles je papotais et j'échangeais mes devoirs, dans chaque matière. Je veillais à ce que mes notes soient plus bêtes que je l'étais – je ne voulais pas me faire remarquer –, si bien qu'en termes d'échange mes devoirs

68

n'avaient pas grande valeur. En revanche, en gym et en sport... c'était pas grave d'être bonne dans ces matières, et je l'étais, surtout dans les sports où il fallait sauter et courir vite, le basket par exemple. Du coup, j'étais populaire quand il s'agissait de former des équipes. Mais en dehors de l'école, je menais une existence étriquée, vu que Neil et Melanie avaient tellement peur de tout. Je n'avais pas le droit de me balader dans des centres commerciaux, parce qu'ils étaient infestés d'accros au crack, disait Melanie, ni de traîner dans des parcs, parce que de drôles de types y rôdaient, disait Neil. Ma vie sociale se réduisait pratiquement à rien et se limitait à un panel de trucs que j'aurais le droit de faire quand je serais plus vieille. Chez nous, le mot magique de Neil, c'était « non ».

Cette fois-ci, pourtant, j'étais bien décidée à pas me déballonner : quoi qu'il arrive, j'irais à la manif. L'école avait loué deux cars pour nous y emmener. Neil et Melanie avaient essayé de m'empêcher d'y aller en téléphonant à la directrice et en me refusant la permission. La directrice m'avait priée d'obéir et je l'avais assurée que, bien sûr, je comprenais, pas de souci, j'attendrais que Melanie vienne me chercher au volant de sa voiture. Mais il n'y avait que le chauffeur du car pour vérifier le nom des élèves, il avait pas idée de qui était qui, ça grouillait de monde, les parents et les profs ne faisaient pas gaffe et ne savaient pas que je n'étais pas censée venir, donc j'ai échangé ma carte d'identité avec une fille de mon équipe de basket qui n'avait pas envie d'y aller et j'ai grimpé dans le car, très fière de moi.

10.

Au début, la manif m'a emballée. Elle avait lieu dans le centre-ville, près de l'édifice de l'Assemblée législative, mais on n'a pas vraiment défilé, vu que personne ne pouvait avancer tellement on était nombreux. Des gens ont fait des discours. Un Canadien, parent d'une femme disparue dans les colonies de Galaad où elle nettoyait des radiations mortelles, a dénoncé le travail forcé. Le président des Survivants du génocide des Patries nationales de Galaad nous a raconté les marches vers le Dakota du Nord où les malheureux avaient été parqués comme des moutons sans eau ni nourriture dans des villes mortes et bouclées, la manière dont des milliers avaient péri et dont bien d'autres avaient risqué leur vie pour gagner la frontière canadienne à pied en plein hiver, et il a levé une main amputée de plusieurs doigts en disant : «gelure».

Puis une oratrice de SanctuHome – l'organisation pour réfugiées de Galaad – a parlé des femmes à qui on avait enlevé leur bébé, de la cruauté de cet acte, et nous a expliqué que si on essayait de récupérer son bébé, on était accusée de manquer de respect à Dieu. Je n'ai pas pu entendre tous les discours parce que par moments la sono ne marchait plus, mais le message était assez clair. Il y avait énormément d'affiches de

Bébé Nicole : LES BÉBÉS DE GALAAD SONT TOUS BÉBÉ NICOLE !

Puis notre classe s'est mise à crier des slogans et à brandir nos pancartes ; d'autres gens avaient des pancartes différentes : À BAS LES FASCISTES DE GALAABAD ! ASILE IMMÉDIAT ! Là-dessus, des contre-manifestants ont déboulé avec d'autres banderoles : FERMEZ LA FRONTIÈRE ! GARDE TES PUTES ET TES MIOCHES, GALAAD, ON EN A SUFFISAMMENT ICI ! ARRÊTEZ L'INVASION ! BRANLEUSES, RENTREZ CHEZ VOUS ! Parmi eux, il y avait des Perles avec leurs robes argent et leurs perles – elles brandissaient des panneaux disant MORT AUX VOLEURS DE BÉBÉS et RENDEZ BÉBÉ NICOLE. Des mecs et des nanas de notre bord leur ont balancé des œufs en braillant de joie quand ils faisaient mouche, mais les Perles se sont bornées à sourire de leur air froid.

Des échauffourées ont éclaté. Un groupe habillé en noir et le visage masqué a pulvérisé les devantures des magasins. Soudain, une flopée de policiers en tenue anti-émeute sont apparus. Ils avaient l'air d'avoir surgi de nulle part. Ils avançaient en cognant sur leur bouclier et frappaient des gamins et des adultes avec leur matraque.

Jusque-là, j'avais été sur un petit nuage, mais brusquement la peur m'a saisie. J'ai voulu m'en aller, mais la cohue était telle que je n'arrivais pratiquement pas à bouger. Je n'ai pas réussi à retrouver le reste de ma classe et la foule a commencé à paniquer. Ça poussait d'un côté, de l'autre, ça hurlait, ça criait. Un truc m'a frappée à l'estomac, un coude, je crois. Je me suis mise à haleter, les larmes me sont montées aux yeux.

« Par ici », a dit une voix rocailleuse derrière moi.

C'était Ada. Elle m'a attrapée par le col et m'a tirée à sa remorque. Je ne sais pas trop comment elle est parvenue à nous dégager un passage : j'imagine qu'elle a collé des coups de pied dans des jambes à droite et à gauche. Puis on s'est retrouvées dans une rue derrière l'émeute, pour reprendre le terme de la TV plus tard.

Quand j'ai vu les images, j'ai pensé : *Maintenant, je sais ce que ça fait d'être pris dans une émeute ; on a l'impression de se noyer.* Même si je me suis jamais noyée.

«Melanie a pensé que tu étais peut-être ici, a dit Ada. Je te ramène chez toi.

— Non, mais…»

Je ne voulais pas reconnaître que j'avais peur.

«Maintenant. *Tout de suite.* Il n'y a pas de mais qui tienne.»

Ce soir-là, je me suis vue aux infos : je brandissais une pancarte et je braillais. J'ai cru que Neil et Melanie seraient furieux contre moi, mais non. Au contraire, ils étaient angoissés.

«Pourquoi tu as fait ça? m'a demandé Neil. Tu n'as pas entendu ce qu'on t'avait dit?

— Tu dis toujours qu'on doit lutter contre l'injustice. Et l'école pareil.»

J'avais bien conscience d'avoir dépassé les limites, mais je n'étais pas prête à leur présenter des excuses.

«Qu'est-ce qu'on fait maintenant? a lancé Melanie, pas à moi mais à Neil. Daisy, peux-tu m'apporter un verre d'eau? Il y a des glaçons dans le frigo.

— Ce n'est peut-être pas si dramatique que ça, a répondu Neil.

— On ne peut pas prendre de risques, a répliqué Melanie tandis que je m'éloignais. Il faut qu'on bouge, ça recommence. J'appelle Ada, elle peut nous dénicher un van.

— On n'a pas de plan B pour l'instant, a ajouté Neil. On ne peut pas…»

Je suis revenue dans la pièce avec le verre d'eau.

«Qu'est-ce qui se passe?

— Tu n'as pas de devoirs?» m'a demandé Neil.

11.

Trois jours plus tard, il y a eu un cambriolage au Chien habillé. Le magasin était équipé d'une alarme, mais les cambrioleurs sont repartis avant que quelqu'un ait eu le temps d'intervenir ; c'était le problème avec les alarmes, a dit Melanie. Ils n'avaient pas trouvé d'argent, parce que Melanie ne laissait jamais de liquide sur place, mais ils avaient embarqué un peu d'Art à porter et saccagé le bureau de Neil – ses dossiers jonchaient le sol. Ils avaient également piqué certaines pièces de ses collections – quelques horloges et pendules, de vieux appareils photo, un clown mécanique assez ancien. Ils avaient démarré un feu, mais en amateurs, a affirmé Neil, de sorte qu'il avait été rapidement éteint.

La police est venue sur les lieux et a demandé si Neil et Melanie avaient des ennemis. Ils ont répondu que non, et que tout allait bien – c'était sans doute un sans-abri cherchant de quoi se payer sa drogue –, mais j'ai bien vu qu'ils étaient chamboulés, parce qu'ils parlaient comme quand ils voulaient pas que je les entende.

« Ils ont pris l'appareil photo, disait Neil à Melanie quand je suis entrée dans la cuisine.

— Quel appareil ? j'ai demandé. Il avait de la valeur ?

— Oh, juste un vieil appareil, m'a répondu Neil. Mais c'était un modèle rare. »

Et de s'arracher un peu plus de cheveux.

À partir de ce jour-là, Neil et Melanie m'ont paru de plus en plus stressés. Neil a commandé un nouveau système d'alarme pour le magasin. Melanie a dit qu'on allait peut-être s'installer ailleurs, mais quand j'ai commencé à poser des questions, elle a déclaré que ce n'était qu'une idée. *Ce n'est pas grave*, a ajouté Neil en parlant du cambriolage. Il a dit ça plusieurs fois, ce qui m'a poussée à m'interroger sur la gravité de ce qui s'était passé, en plus de la disparition de son appareil photo préféré.

Au cours de la soirée qui a suivi le cambriolage, j'ai surpris Neil et Melanie en train de regarder la TV. D'habitude, ils ne la regardaient pas vraiment – même si elle restait tout le temps allumée –, mais cette fois ils étaient très attentifs. Une Perle, simplement identifiée comme « Tante Adrianna », avait été retrouvée morte dans un appartement qu'elle louait avec une autre Perle. Elle était attachée à une poignée de porte avec sa ceinture argent nouée autour du cou. D'après le médecin légiste, elle était morte depuis plusieurs jours. C'était le propriétaire d'un autre appartement, alerté par l'odeur, qui avait prévenu la police. Pour cette dernière, c'était un suicide, ce mode d'autostrangulation étant une méthode banale.

Il y avait une photo de la Perle morte et je l'ai étudiée soigneusement : à cause de leur tenue, on avait parfois du mal à les distinguer les unes des autres, mais je me suis rappelé l'avoir vue récemment remettre des brochures au Chien habillé. De même que sa partenaire, « Tante Sally », qui – d'après le présentateur du journal – avait disparu. Il y avait également une photo d'elle : si quelqu'un l'apercevait, la police demandait à en être informée. Le consulat de Galaad n'avait pas encore fait de commentaire.

« C'est terrible, a dit Neil à Melanie. La pauvre fille. Quelle catastrophe.

— Pourquoi ? ai-je fait. Les Perles travaillent pour Galaad. Elles nous détestent. Tout le monde le sait. »

Tous deux m'ont alors regardée. Comment qualifier leur regard ? Consterné, je crois. Ça m'a déconcertée : pourquoi ils s'intéressaient à cette histoire ?

Le truc vraiment moche a eu lieu le jour de mon anniversaire. La journée a débuté comme si tout était normal. Je me suis levée, j'ai enfilé mon uniforme écossais vert de la Wyle School – j'ai déjà dit qu'on portait un uniforme ? J'ai glissé mes pieds avec leurs chaussettes vertes dans mes chaussures noires à lacets, tiré mes cheveux en queue-de-cheval, conformément au règlement de l'école – pas de mèches tombantes – et je suis descendue au rez-de-chaussée.

Melanie était dans la cuisine, où il y avait un îlot en granit. Moi, j'aurais plutôt préféré un plateau en résine et matériaux recyclés comme ceux qu'on avait à la cafétéria de l'école – à travers la résine, on voyait les objets à l'intérieur, avec, dans l'un d'eux, un squelette de raton laveur, si bien qu'on avait toujours la possibilité de se concentrer sur un truc.

C'était sur l'îlot de la cuisine qu'on prenait la plupart de nos repas. On avait bien un salon-salle à manger avec une table en principe réservée aux dîners avec des invités, sauf que Neil et Melanie n'invitaient jamais personne à dîner ; à la place, ils organisaient des réunions sur pas mal de causes qui les touchaient. La veille, des gens étaient venus : plusieurs tasses de café traînaient encore sur la table, ainsi qu'une assiette avec des miettes de biscuits salés et quelques vieux raisins fripés. Je n'avais pas vu ces gens, parce que j'étais en haut dans ma chambre, histoire de fuir les conséquences de ce que j'avais fait. Un truc qui était clairement plus sérieux qu'une simple désobéissance.

Je suis entrée dans la cuisine et me suis assise à l'îlot. Melanie me tournait le dos ; elle regardait par la fenêtre. De là, on voyait notre jardin – des pots en ciment ronds avec des touffes de romarin, un patio avec une table et des chaises et, devant, un angle de la rue.

« Bonjour », j'ai dit.

Melanie a pivoté sur ses talons.

« Oh, Daisy ! Je ne t'avais pas entendue. Joyeux anniversaire ! Seize ans, ce n'est pas rien ! »

Neil ne s'est pas montré au petit déjeuner avant que je parte à l'école. Il était en haut, au téléphone. Ça m'a un peu blessée, mais pas trop : il était très distrait.

Melanie m'a accompagnée en voiture, comme d'habitude : elle n'aimait pas que je prenne le bus toute seule, alors que l'arrêt était à deux pas de chez nous. Elle a dit – comme toujours – qu'elle allait au Chien habillé et que, tant qu'à faire, elle pouvait me déposer.

« On mangera ton gâteau d'anniversaire ce soir, avec une glace, m'a-t-elle lancé en montant la voix à la fin, comme si c'était une question. Je passerai te prendre après la classe. Il y a des choses que Neil et moi voulons te dire, maintenant que tu es suffisamment grande.

— D'accord. »

J'ai pensé qu'ils allaient me parler des garçons, et du sens du consentement, ce dont on m'avait assez rebattu les oreilles à l'école. Ce serait forcément bizarre, mais il faudrait bien que je me tape ça.

J'ai eu envie de lui dire que je regrettais d'être allée à la manif, mais on s'est retrouvées devant l'école sans que j'aie ouvert la bouche. Je suis descendue en silence ; Melanie a attendu que je sois à la porte. Je lui ai fait coucou de la main, et elle a agité la sienne en retour. Je ne sais pas pourquoi j'ai fait ça – en général, je m'en abstenais. Je suppose que c'était une façon de m'excuser.

Je me rappelle pas bien cette journée. Quelles raisons aurais-je eues ? Tout était normal. Normal, c'est comme regarder par la fenêtre d'une bagnole. Les trucs défilent, ça, ça et encore ça, sans que ça ait une grande importance. On fait pas attention à ces moments-là ; ils font partie de vos habitudes, comme se brosser les dents.

Pendant le déjeuner à la cafétéria, quelques copines de devoirs m'ont chanté « Joyeux anniversaire ». D'autres ont applaudi.

Puis ça a été l'après-midi. L'air était vicié, les minutes tournaient au ralenti. J'ai eu un cours de français où on devait lire une page d'un court roman de Colette, *Mitsou*. Ça parle d'une vedette de music-hall qui cache deux hommes dans son placard. En plus d'être en français, le texte était censé décrire la terrible existence des femmes autrefois, mais, personnellement, la vie de Mitsou me paraissait pas si horrible que ça. Cacher un beau mec dans son placard – j'aurais bien aimé en faire autant. Mais en admettant que j'en connaisse un, où est-ce que j'aurais pu le planquer ? Pas dans le placard de ma chambre : Melanie aurait percuté illico et, en plus, il aurait fallu que je lui donne à manger. J'y ai réfléchi : quel genre de trucs est-ce que j'aurais pu lui porter sans que Melanie s'en aperçoive ? Du fromage et des petits biscuits secs ? Quant au sexe avec lui, il fallait même pas y penser : ç'aurait été trop risqué de le laisser sortir, et il n'y avait pas assez de place pour que je me tasse dans le placard avec lui. Voilà le type de rêvasserie auquel je me livrais souvent à l'école : ça passait le temps.

N'empêche, c'était un de mes problèmes. Je n'étais jamais sortie avec quelqu'un parce que je n'avais jamais rencontré quelqu'un avec qui ça m'aurait tenté. Et apparemment ça risquait pas d'arriver. Les garçons de la Wyle School étaient hors de question : j'étais allée en primaire avec eux, je les avais vus se curer le nez et, à l'époque, se pisser dessus, pour certains. Difficile d'être fleur bleue quand tu as ce genre d'images en tête.

Arrivée là, j'ai commencé à avoir le bourdon, ce qui est un des possibles effets d'un anniversaire. On attend une transformation magique qui ne vient pas. Pour pas céder au sommeil, je me suis arraché des cheveux, derrière l'oreille droite, juste deux ou trois à la fois. Je savais que si je tirais trop souvent sur les mêmes cheveux, je risquais de me taper une plaque, mais je n'avais pris cette manie que depuis quelques semaines.

Finalement, la fin des cours a sonné. J'ai suivi le couloir étincelant jusqu'à la porte principale et je suis sortie. Il pleuviotait ; je n'avais pas mon imperméable. J'ai scruté la rue : Melanie n'était pas derrière son volant à m'attendre.

Subitement, Ada a surgi à côté de moi, vêtue de son blouson de cuir noir.

« Viens. Montons en voiture, m'a-t-elle ordonné.

— Hein ? Pourquoi ?

— C'est au sujet de Neil et Melanie. »

J'ai vu sa tête et j'ai compris qu'il avait dû se passer un très sale truc. Si j'avais été plus vieille, je lui aurais tout de suite demandé, mais je n'ai rien fait parce que je voulais retarder le moment de savoir. Dans les romans que j'avais lus, j'étais tombée sur l'expression *terreur sans nom*. Jusque-là, c'était resté des mots. Mais à présent c'était exactement ce que je ressentais.

Quand on a été dans la voiture et qu'elle a démarré, je lui ai lancé :

« Quelqu'un a fait une attaque ? »

C'était le seul truc auquel je pouvais penser.

« Non. Écoute bien et ne pique pas de crise. Tu ne peux pas retourner chez toi. »

L'horrible sensation au creux de mon estomac a encore empiré.

« Qu'est-ce qu'il y a eu ? Un incendie ?

— Une explosion. Une bombe dans une voiture. Devant Le Chien habillé.

— Merde. Le magasin est détruit ? »

D'abord, le cambriolage, et maintenant ça.

«C'était la voiture de Melanie. Neil et elle étaient dedans tous les deux.»

Je suis restée muette une minute ; j'arrivais pas à comprendre. Quel genre de dingue aurait voulu tuer Neil et Melanie ? Ils étaient tellement ordinaires.

«Ils sont morts alors ?» ai-je fini par bredouiller.

Je tremblais. J'ai essayé de me représenter l'explosion, mais je n'ai vu qu'un rectangle vide. Un rectangle noir.

V.

Van

Le Testament olographe d'Ardua Hall

12.

Qui es-tu, cher lecteur ? Et quand te manifesteras-tu ? Peut-être demain, peut-être dans cinquante ans, peut-être jamais.

Tu seras peut-être une de nos Tantes d'Ardua Hall, qui tombera par hasard sur ce récit. Passé un premier moment horrifié devant ma dépravation, brûleras-tu ces pages afin de préserver la pieuse image que l'on se fait de moi ? Ou succomberas-tu à l'universelle soif de pouvoir et courras-tu me dénoncer à l'Œil ?

Ou seras-tu un fouineur d'au-delà de nos frontières, venu éplucher les archives d'Ardua Hall une fois que ce régime se sera effondré ? En ce cas, le stock de documents compromettants que j'ai accumulés depuis tant d'années aura servi de preuves, non seulement à mon procès – si tant est que le sort se révèle cruel et que je vive assez longtemps pour subir ledit procès –, mais à ceux de bien d'autres. Je connais les secrets de Galaad, j'ai œuvré pour.

Maintenant, tu te demandes peut-être comment j'ai pu éviter les purges mises en place par les grands manitous – sinon dans les premiers temps de Galaad, du moins quand le régime en est arrivé à son impitoyable maturité. À ce stade, nombre d'anciens notables avaient déjà été pendus au Mur, vu que ceux qui se trouvaient au sommet veillaient à ce que nul rival ambitieux ne les supplante. Tu penseras peut-être qu'en qualité de femme, j'aurais dû être particulièrement vulnérable à ce mode d'épuration, mais tu ferais erreur. Le simple fait d'être une femme m'éliminait des listes d'usurpateurs potentiels, puisque les femmes n'avaient pas le droit d'intégrer le Conseil des Commandants ; de sorte que, de ce côté-là, aussi ironique que cela puisse paraître, je ne risquais rien.

Il y a néanmoins trois autres raisons à ma longévité politique. En premier lieu, le régime a besoin de moi. Je suis celle qui gère, d'une poigne de fer dans un gant de velours, lui-même glissé dans une mitaine en soie, le côté féminin de leur entreprise, et je fais régner l'ordre : tel un eunuque de harem, je bénéficie d'une position unique. Deuxièmement, j'en sais trop sur les dirigeants – trop de scandales –, et ceux-ci ne sont pas sûrs de ce que j'ai pu fabriquer avec ces informations. S'ils me pendent haut et court, qui sait si ces fameux scandales ne s'ébruiteront pas d'une manière ou d'une autre ? Ils craignent peut-être que je n'aie pris soin de les sauvegarder ; ils n'auraient pas tort.

Troisièmement, je suis discrète. Tous ces hauts responsables ont toujours eu le sentiment que leurs secrets ne risquaient rien avec moi ; mais ce – je l'ai fait comprendre à mots couverts – tant que je ne risquais rien non plus. Il y a longtemps que je crois à l'équilibre des pouvoirs.

En dépit de ces mesures de sécurité, je ne me berce pas d'illusions. Galaad est un lieu où l'on perd vite pied : les accidents y sont fréquents. Quelqu'un a déjà rédigé mon éloge funèbre, c'est évident. Je frissonne : pourquoi cette prémonition ? D'où vient la menace ?

Du temps, dis-je en implorant l'air : rien qu'un peu plus de temps. C'est la seule chose dont j'aie besoin.

Hier, j'ai eu la surprise d'être invitée à m'entretenir en privé avec le Commandant Judd. Ce n'est pas la première invitation de ce genre que je reçois. Certaines de ces rencontres antérieures ont été déplaisantes ; d'autres, plus récentes, se sont révélées mutuellement profitables.

En traversant la bande de pelouse maladive qui tapisse le sol entre Ardua Hall et le siège de l'Œil, puis en montant – assez laborieusement – les degrés imposants de l'escalier blanc menant à la grande entrée à colonnes, je me suis demandé ce que cette entrevue allait nous réserver. Je dois admettre que mon cœur battait plus vite que d'ordinaire, et pas seulement à cause des marches : tous ceux qui ont franchi ce seuil n'en sont pas forcément ressortis.

L'Œil a installé son QG dans une bibliothèque jadis fort prestigieuse. Ce lieu n'abrite désormais plus aucun livre, hormis les leurs, les ouvrages d'origine ayant été brûlés ou, quand ils avaient de la valeur, ajoutés aux collections particulières des divers Commandants aux doigts crochus. Aujourd'hui que je suis complètement versée dans les Écritures, je pourrais citer chapitres et versets sur les dangers auxquels on s'expose en se livrant à des pillages interdits par le Seigneur, mais prudence étant mère de sûreté, je n'en fais rien.

Je suis heureuse de te rapporter que personne n'a détruit les fresques de part et d'autre de l'escalier intérieur du bâtiment : étant donné qu'elles dépeignent des soldats morts, des anges et des couronnes de laurier, elles sont suffisamment pieuses pour avoir été jugées acceptables, même si, dans celle de droite, le drapeau de Galaad recouvre néanmoins celui des anciens États-Unis d'Amérique.

Le Commandant Judd a bien gravi les échelons depuis que j'ai fait sa connaissance. La rééducation des femmes de Galaad offrait peu de véritables opportunités pour son ego et ne lui valait pas suffisamment de respect. En revanche, aujourd'hui qu'il est responsable de l'Œil, tout le monde le craint. Son bureau se trouve à l'arrière du bâtiment, dans un espace autrefois consacré à l'entreposage des livres et aux carrels des chercheurs. Un grand œil doté d'un vrai cristal en guise de pupille orne le milieu de la porte. Le Commandant Judd peut ainsi voir qui s'apprête à frapper.

« Entrez », m'a-t-il lancé comme je levais la main.

Les deux jeunes agents de l'Œil qui m'avaient escortée en ont conclu qu'ils pouvaient se retirer.

« Chère Tante Lydia, a poursuivi le Commandant avec un large sourire derrière son énorme table de travail. Merci de me faire l'honneur de venir jusqu'à mon humble bureau. Vous allez bien, j'espère ? »

C'était une figure de rhétorique, mais je n'ai pas relevé.

« Loué soit-Il, ai-je répondu. Et vous-même ? Et votre Épouse ? »

Celle-ci lui fait plus d'usage que d'ordinaire. Ses Épouses ont la manie de mourir : comme le roi David et divers barons de la drogue d'Amérique centrale, le Commandant Judd croit beaucoup aux pouvoirs revigorants des jeunes femmes. Après chaque fois une honnête période de deuil, il fait savoir qu'il est de nouveau sur le marché et cherche une toute jeune épouse. Soyons claire : il me le fait savoir.

« Mon Épouse et moi allons bien, grâce à Dieu. J'ai d'excellentes nouvelles pour vous. Asseyez-vous, je vous prie. »

J'ai obéi et me suis préparée à écouter attentivement.

« Nos correspondants au Canada ont réussi à identifier et à éliminer deux agents de Mayday particulièrement actifs. Ils avaient pour couverture une boutique de vêtements d'occasion dans un quartier miteux de Toronto. Une fouille préliminaire de l'établissement nous a donné à penser qu'ils jouaient depuis longtemps un rôle clé dans le Chemin clandestin des femmes.

— C'est le doigt de la Providence, ai-je dit.

— Nos jeunes et enthousiastes correspondants canadiens ont géré cette opération, mais ce sont vos Perles qui les ont mis sur la voie. Il nous a été très utile que vous partagiez ce que leur intuition féminine leur a permis de glaner.

— Elles sont observatrices, dotées d'une bonne formation et obéissantes», ai-je déclaré.

Les Perles étaient mon idée au départ – d'autres religions avaient des missionnaires, donc pourquoi pas nous ? Et d'autres missionnaires avaient réussi à convertir des gens, donc pourquoi pas nous ? Et d'autres missionnaires avaient collecté des informations utiles aux renseignements généraux, donc pourquoi pas les nôtres ? – mais, comme je ne suis pas idiote, du moins pas dans ce domaine, j'ai laissé Judd s'attribuer tout le mérite du projet. Officiellement, les Perles ne soumettent leurs rapports qu'à moi, car il ne serait pas convenable que Judd s'implique dans les détails d'un travail essentiellement féminin, même si, bien sûr, je dois lui transmettre tout ce que je juge nécessaire ou obligatoire. Trop et je perds le contrôle de l'opération, trop peu et je deviens suspecte. C'est nous qui rédigeons leurs belles brochures, lesquelles sont conçues et imprimées sur la petite presse d'une de nos caves d'Ardua Hall.

Mon initiative avec les Perles a démarré à un moment crucial pour lui, juste quand nul ne pouvait plus nier l'aberrant fiasco de ses Patries nationales. Les accusations de génocide portées par des organisations internationales de défense des droits de l'homme étaient devenues embarrassantes, le nombre de Patriotes passés du Dakota du Nord au Canada représentait un flux de réfugiés impossible à endiguer et le ridicule projet de Judd et de son certificat de race blanche avait fait long feu au milieu d'une avalanche de faux et de pots-de-vin. Le lancement des Perles lui a sauvé la peau, encore que je me sois demandé depuis si c'était bien malin de ma part. Il a une dette envers moi, mais ça pourrait être un handicap. Certaines personnes n'apprécient pas d'être redevables.

Pour le moment, cependant, le Commandant Judd était tout sourire.

«Ce sont assurément des Perles précieuses. Et avec ces deux agents de Mayday hors d'état de nuire, vous aurez moins de problèmes – moins d'évasions de Servantes –, c'est à espérer.

— Loué soit-Il.

— Bien entendu, nous n'annoncerons pas publiquement nos exploits en matière de démolitions et de nettoyages chirurgicaux.

— De toute façon, la presse, canadienne et internationale, nous en tiendra responsables. Naturellement.

— Et nous nierons. Naturellement.»

Il y a eu un moment de silence pendant que nous nous regardions de part et d'autre de son bureau, comme deux joueurs d'échecs peut-être, ou deux vieux camarades – nous avons survécu l'un et l'autre à trois vagues de purge. Rien que ça crée une sorte de lien.

«Néanmoins, quelque chose me tarabuste depuis un moment, a-t-il enchaîné. Ces deux terroristes de Mayday devaient avoir un correspondant ici à Galaad.

— Vraiment? Sûrement pas!

— On a analysé toutes les évasions connues : seules des fuites peuvent justifier l'importance de leur taux de succès. Quelqu'un à Galaad – quelqu'un ayant accès au déploiement de nos forces de sécurité – a dû informer le Chemin clandestin. Sur les routes surveillées, sur celles ayant de grandes chances d'être libres, ce genre de choses. Comme vous le savez, avec la guerre, nous disposons de très peu d'effectifs au sol, en particulier dans le Maine et le Vermont. On a besoin des gars ailleurs.

— Qui, à Galaad, pourrait être aussi déloyal? Ce serait mettre notre avenir en péril!

— On travaille là-dessus. Entretemps, s'il vous venait une idée…

— Bien sûr.

— Autre chose, a-t-il ajouté. Tante Adrianna. La Perle retrouvée morte à Toronto.

— Oui. Accablant. Il y a des informations supplémentaires ?

— Nous attendons des nouvelles du consulat. Je vous tiendrai au courant.

— S'il y a quoi que ce soit que je puisse faire... Vous savez que vous pouvez compter sur moi.

— Dans tant de domaines, chère Tante Lydia. Vous êtes bien plus précieuse que des rubis, loué soit-Il. »

Comme tout le monde, je ne déteste pas les compliments.

« Merci », ai-je dit.

Ma vie aurait pu être très différente. Si seulement j'avais regardé autour de moi, cherché à avoir une vision globale. Si seulement j'avais bouclé mes bagages en temps et en heure, comme certaines, et quitté le pays – ce pays que sottement je croyais encore être celui qui avait été le mien pendant si longtemps.

De tels regrets ne servent à rien. J'ai fait des choix et, après, j'en ai eu moins. Deux routes divergeaient dans un bois jaunissant, et j'ai pris la plus fréquentée. Elle était jonchée de cadavres, comme le sont de telles routes. Mais, tu l'auras remarqué, le mien n'y est pas encore.

Dans mon pays disparu, les choses avaient dégringolé en spirale pendant des années. Inondations, incendies, tornades, ouragans, sécheresses, pénuries d'eau, tremblements de terre. Trop de ceci, pas assez de cela. La décrépitude des infrastructures – pourquoi personne n'avait démantelé ces fichus réacteurs nucléaires avant qu'il ne soit trop tard ? L'effondrement de l'économie, le chômage, la dénatalité.

Les gens ont commencé par avoir peur. Après, ils se sont fâchés.

Absence de solutions viables. Besoin d'avoir un coupable.

Pourquoi ai-je imaginé que rien ne changerait ? Parce que ça faisait longtemps qu'on entendait ça, je suppose. On ne croit pas que le ciel est en train de tomber tant qu'on n'en a pas pris un bout sur le crâne.

Mon arrestation a eu lieu peu après l'offensive des Fils de Jacob à l'origine de la liquidation du Congrès. Au départ, on nous a dit que c'était l'œuvre de terroristes islamistes : l'Urgence nationale a été proclamée, mais on nous a conseillé de vaquer à nos activités comme d'habitude, la Constitution serait rétablie sous peu et l'état d'urgence bientôt levé. C'était vrai, sauf que ça ne s'est pas passé comme nous l'imaginions.

Il faisait une chaleur torride. Les tribunaux étaient fermés – en attendant de pouvoir restaurer une ligne de commandement valable et l'État de droit, nous avait-on expliqué. Malgré cela, quelques-unes d'entre nous étaient allées travailler – on pouvait toujours utiliser son temps libre pour écluser les dossiers en souffrance, c'était du moins mon prétexte. En réalité, j'avais besoin de compagnie.

Curieusement, pas un seul de nos collègues masculins n'avait éprouvé le même besoin. Peut-être trouvaient-ils un réconfort auprès de leurs femmes et enfants.

J'étais en train de lire un rapport sur un cas social particulièrement difficile quand une de mes jeunes collègues – Katie, trente-six ans, récemment recrutée et enceinte de trois mois par le biais d'une banque de sperme – a fait irruption.

« Il faut qu'on parte », m'a-t-elle lancé.

Je l'ai regardée avec de grands yeux.

« Qu'est-ce que tu racontes ?

— Il faut qu'on quitte le pays. Il se passe quelque chose.

— Oui, bien sûr... l'état d'urgence...

— Non, il y a pire. Ma carte bancaire a été annulée. Mes cartes de crédit, les deux. J'essayais d'acheter un billet d'avion, c'est comme ça que je m'en suis aperçue. Ta voiture est ici ?

— Hein ? Pourquoi ? Ils ne peuvent pas t'interdire l'accès à ton argent.

— Apparemment, si. Quand tu es une femme. C'est ce que m'a expliqué la compagnie aérienne. Le gouvernement provisoire a promulgué de nouvelles lois : l'argent d'une femme appartient désormais à son plus proche parent de sexe masculin.

— C'est pire que ce que vous pensez, a alors dit Anita, une collègue sensiblement plus âgée qui venait d'entrer dans mon bureau, elle aussi. Bien pire.

— Je n'ai pas de parent proche de sexe masculin, ai-je bredouillé, sidérée. C'est totalement anticonstitutionnel, ce truc !

— Oublie la Constitution, m'a répondu Anita. Ils l'ont abolie. J'ai appris la nouvelle à la banque alors que je tentais de… »

Elle s'est mise à pleurer.

« Ressaisis-toi, lui ai-je conseillé. Il faut qu'on réfléchisse.

— Tu auras bien un parent proche de sexe masculin quelque part, a déclaré Katie. Ça doit faire des années qu'ils magouillent ça : on m'a balancé que mon plus proche parent de sexe masculin était mon neveu de douze ans. »

À ce moment précis, quelqu'un a ouvert la grande porte d'un coup de pied. Cinq hommes ont surgi, deux par deux, puis un tout seul, mitraillette au poing. Katie, Anita et moi, on est sorties de mon bureau. Tessa, l'hôtesse d'accueil, a hurlé et plongé derrière sa table.

Deux d'entre eux étaient jeunes – une vingtaine d'années peut-être –, mais les trois autres étaient d'un certain âge. Les jeunes étaient en bonne forme physique, les autres avaient des bedaines de buveurs de bière. Ils portaient une tenue de camouflage, venue en droite ligne d'un casting et, sans les mitraillettes, j'aurais peut-être pouffé de rire, incapable d'imaginer un instant que les rires féminins n'allaient pas tarder à se faire rares.

« Qu'est-ce que c'est que ça ? ai-je protesté. Vous auriez pu frapper ! La porte n'était pas fermée à clé ! »

Ils m'ont ignorée. L'un d'eux – le chef, je suppose – a lancé à son compagnon :

« T'as la liste ? »

J'ai essayé un ton plus scandalisé :

« Qui est responsable de cette intrusion ? »

Sous le choc, j'ai commencé à avoir froid. S'agissait-il d'un cambriolage ? D'une prise d'otages ?

« Que voulez-vous ? Nous n'avons absolument pas d'argent ici. »

Anita m'a flanqué un petit coup de coude pour m'inciter à me taire : elle avait déjà mieux saisi la situation que moi.

Le numéro deux a brandi une feuille de papier.

« Qui est la femme enceinte ? » a-t-il demandé.

Toutes les trois, on s'est consultées du regard, puis Katie s'est avancée.

« C'est moi.

— Pas de mari, c'est ça ?

— Non, je... »

Katie avait mis les mains devant elle pour protéger son ventre. Comme des tas de femmes à l'époque, elle avait choisi d'avoir un enfant seule.

« Le lycée », a grommelé le chef.

Les deux jeunes ont avancé d'un pas.

« Suivez-nous, m'dame, a dit le premier.

— Pourquoi ? s'est exclamée Katie. Vous ne pouvez pas débarquer ici et...

— Suivez-nous », a insisté le second.

Ils l'ont attrapée par les bras et l'ont traînée vers la porte. Elle a hurlé, mais elle est sortie quand même.

« Arrêtez ! » ai-je crié.

La voix de Katie se perdait plus loin dans le couloir.

« C'est moi qui donne les ordres », m'a lancé le chef.

Il avait des lunettes et une moustache en guidon de vélo, mais il n'avait pas l'air d'un gentil tonton pour autant. Au fil de ce que tu appellerais peut-être ma carrière à Galaad, j'ai eu l'occasion de remarquer que, subitement dotés de pouvoir, les sous-fifres se révélaient souvent les pires des tortionnaires.

« Vous bilez pas, on lui fera pas de mal, m'a dit le numéro deux. On va la mettre en lieu sûr. »

L'homme à la liste a biffé nos noms. Inutile de nier qui on était : ils le savaient déjà.

« Où est l'hôtesse d'accueil ? a aboyé le chef. Tessa. »

La pauvre Tessa a émergé de derrière sa table. Elle tremblait de peur.

« Qu'est-ce que t'en penses ? a dit l'homme à la liste. Grande surface, lycée ou stade ?

— Quel âge t'as ? a demandé le chef. Laisse tomber, c'est marqué ici. Vingt-sept ans.

— Donnons-lui une chance. Grande surface. Peut-être qu'un mec l'épousera.

— Mets-toi là, a ordonné le chef à Tessa.

— Merde, elle s'est pissé dessus, a marmonné le troisième senior.

— Ne jure pas, lui a conseillé le chef. Bien. Une trouillarde, peut-être qu'elle fera ce qu'on lui dira de faire.

— Même pas en rêve ! a répliqué le troisième homme. C'est des bonnes femmes. »

Je pense qu'il blaguait.

Les deux jeunes qui avaient disparu avec Katie sont revenus par la grande porte.

« Elle est dans le van, a déclaré l'un d'eux.

— Où sont les deux autres prétendues juges ? a repris le chef. Loretta ? Et Davida ?

— En pause déjeuner, a expliqué Anita.

— On va embarquer ces deux-là. Attends ici avec celle-ci jusqu'à ce que les autres reviennent, a poursuivi le chef en indiquant Tessa. Puis boucle-la dans le van de la grande surface. Et après tu amèneras les deux qui sont parties déjeuner.

— Grande surface ou stade ? Pour les deux ici ?

— Stade. Il y en a une qui est trop vieille, toutes les deux ont un diplôme de droit, elles sont juges. Tu connais les ordres.

— N'empêche, il y a des cas où c'est du gâchis, a commenté le numéro deux en désignant Anita d'un mouvement de tête.

— La Providence décidera », a conclu le chef.

On nous a fait descendre cinq étages, à Anita et moi. L'ascenseur marchait-il ? Je ne sais pas. Puis on nous a menottées, mains devant nous, et poussées dans un van noir avec un panneau plein nous séparant du chauffeur, et du fil de fer maillé dans les vitres en verre fumé.

L'une comme l'autre, on est restées silencieuses tout du long ; qu'y avait-il à dire ? Il était clair que personne ne risquait de répondre à des appels à l'aide. Il ne servait à rien de hurler ou de nous jeter contre les parois du van : ça n'aurait été qu'une vaine dépense d'énergie. On s'est donc armées de patience.

Au moins, il y avait la climatisation. Et des sièges pour s'asseoir.

« Qu'est-ce qu'ils vont faire ? » m'a demandé Anita dans un murmure.

On ne voyait rien à travers les vitres. De même qu'on ne voyait rien l'une de l'autre, sinon nos silhouettes sombres.

« Je ne sais pas », ai-je répondu.

Le van s'est arrêté – à un poste de contrôle, je suppose –, puis il est reparti, puis il s'est arrêté.

« Terminus, a braillé une voix. On sort ! »

Les portes arrière du van se sont ouvertes. Anita est laborieusement descendue la première.

«Magne-toi», a dit une autre voix.

C'était difficile de sortir du van avec les mains menottées; quelqu'un m'a attrapée par le bras et a tiré, et j'ai posé le pied par terre en chancelant.

Le van est reparti et, moi, mal assurée, j'ai observé mon environnement. J'étais dans un espace ouvert où se pressaient des tas de gens – de femmes, devrais-je préciser – et un grand nombre d'hommes armés.

J'étais dans un stade. Mais ce n'en était plus un. C'était une prison.

VI.

SIX, T'ES MORT

13.

J'ai eu beaucoup de mal à te raconter les événements qui ont entouré la mort de ma mère. Tabitha m'avait aimée, c'était indéniable, et à présent qu'elle avait disparu, tout autour de moi me paraissait précaire et incertain. Notre maison, le jardin, ma chambre même ne me semblaient plus réels, comme s'ils se fondaient dans la brume et s'évaporaient. Je n'arrêtais pas de penser à un verset de la Bible que Tante Vidala nous avait obligées à apprendre par cœur :

Car mille ans sont à tes yeux comme le jour d'hier qui passe, comme une veille dans la nuit. Tu les emportes, tel un songe, qui le matin passe comme l'herbe ; le matin, elle pousse et reverdit, le soir, elle se flétrit et se dessèche.

Dessèche, dessèche. C'était presque un zézaiement – comme si Dieu n'était pas capable de parler distinctement. Nous étions nombreuses à écorcher ce mot en récitant ce passage.

Pour l'enterrement de ma mère, on m'a donné une robe noire. Certains Commandants et leurs Épouses étaient présents, ainsi que nos Marthas. L'enveloppe mortelle de ma mère reposait dans un cercueil fermé, et mon père a fait un bref discours sur la bonne Épouse qu'elle avait été, toujours plus soucieuse des autres que d'elle-même, sur l'exemple qu'elle avait représenté pour toutes les femmes de Galaad, puis il a prononcé une prière en remerciant Dieu de l'avoir libérée de ses souffrances, et tout le monde a dit « Amen ». À Galaad, on ne faisait pas tout un tralala pour les funérailles des femmes, même de haut rang.

Après le cimetière, les gens importants sont revenus chez nous et il y a eu une petite réception. Zilla avait préparé des gougères, une de ses spécialités, et elle m'a laissée l'aider. Ça m'a un peu réconfortée d'avoir le droit de mettre un tablier et de râper le fromage, puis de presser la pâte dans la poche à douille pour faire des petits tas sur la plaque, et ensuite de regarder gonfler les choux à travers la vitre du four. On les a fait cuire au dernier moment, une fois les invités à la maison.

Après, j'ai retiré mon tablier et je suis allée à la réception dans ma robe noire, comme mon père l'avait exigé, et je me suis abstenue de parler, comme il l'avait également exigé. La plupart des invités m'ont ignorée, sauf une des Épouses, une certaine Paula. Elle était veuve et assez connue parce que son mari, le Commandant Saunders, avait été embroché dans son bureau par leur Servante, scandale qui avait provoqué bien des chuchotis à l'école l'année d'avant. Qu'est-ce que la Servante faisait donc là ? Comment était-elle entrée ?

D'après la version de Paula, la fille était folle, elle avait descendu l'escalier sans bruit en pleine nuit pour dérober la broche à la cuisine. Quand le pauvre Commandant avait ouvert la porte de son bureau, elle l'avait surpris – et elle avait tué un homme qui ne lui avait jamais témoigné que du respect, à elle comme à sa position. La Servante s'était enfuie, mais on l'avait rattrapée et pendue, puis exposée au Mur.

L'autre version était celle de Shunammite, *via* sa Martha, et *via* la Martha principale de la maison Saunders. Elle comportait des désirs violents et des relations coupables. La Servante devait avoir séduit le mari d'une manière ou d'une autre, si bien que le Commandant Saunders lui ordonnait de descendre discrètement au rez-de-chaussée la nuit quand tout le monde était censé dormir. La vipère se faufilait dans le bureau où l'attendait le Commandant, dont les yeux s'éclairaient alors comme des lampes de poche. Qui sait quelles exigences lubriques il avait pu avoir? Des exigences pas naturelles qui avaient rendu folle la Servante, encore que pour certaines il n'en fallait pas beaucoup, elles étaient déjà limite, mais celle-là devait être pire que la plupart. «Je préfère ne pas y penser», répétaient les Marthas, qui ne pensaient à rien d'autre.

Quand son mari ne s'était pas montré au petit déjeuner, Paula l'avait cherché et elle l'avait découvert gisant par terre, sans son pantalon. Elle le lui avait remis avant d'appeler les Anges. Elle avait dû ordonner à l'une de ses Marthas de l'aider : les morts étaient soit raides soit mous, et le Commandant Saunders était un grand costaud bizarrement charpenté. Shunammite m'a dit que, d'après la Martha, Paula s'était tellement démenée en habillant le cadavre qu'elle était couverte de sang, et qu'elle devait avoir des nerfs d'acier pour avoir fait tout ça afin de sauver les apparences.

Je préférais la version de Shunammite à celle de Paula. J'y ai repensé à la réception des funérailles quand mon père me l'a présentée. Elle mangeait une gougère et m'a jaugée du regard. Ce regard, je l'avais déjà vu chez Vera quand elle piquait une paille dans un gâteau pour vérifier qu'il était cuit.

Puis elle a souri, a dit «Agnes Jemima. Quel plaisir», et m'a tapoté le sommet du crâne comme si j'avais cinq ans, puis elle a ajouté que ça devait être bien d'avoir une robe neuve. J'ai eu envie de la mordre : la robe neuve était-elle censée compenser la mort de ma mère? Mais il valait mieux que je tienne ma langue plutôt que de dire ce que je pensais vraiment. Je n'ai pas toujours réussi à faire ça, mais ce jour-là oui.

«Merci», ai-je murmuré.

Je l'ai imaginée à genoux par terre dans une mare de sang en train d'essayer d'enfiler un pantalon à un mort. Dans ma tête, ça l'a mise dans une drôle de position, et du coup je me suis sentie mieux.

Quelques mois après la mort de ma mère, mon père a épousé la veuve Paula. La bague magique de ma mère est apparue à son doigt. Je suppose que mon père n'avait pas voulu la laisser de côté, et pourquoi acheter une bague quand on a déjà un bijou aussi beau et précieux ?

Ça a fait rouspéter les Marthas.

«Ta mère voulait que cette bague te revienne», a dit Rosa.

Bien entendu, elles ne pouvaient rien faire. Et moi, j'avais beau être furieuse, je ne pouvais rien faire non plus. J'ai ruminé et boudé, mais ni mon père ni Paula n'y ont prêté attention. Ils avaient pris l'habitude de «me passer mes caprices», comme ils disaient, ce qui en pratique signifiait qu'ils ignoraient toute manifestation d'humeur afin que j'apprenne que mes silences butés n'auraient aucune influence sur eux. Ils discutaient même de cette technique pédagogique sous mon nez tout en parlant de moi à la troisième personne. *Je vois qu'Agnes est encore mal lunée. Oui, c'est comme le temps, ça passera vite. C'est ça, les jeunes filles.*

14.

Peu après le mariage de mon père avec Paula, il s'est passé quelque chose de très perturbant à l'école. Je le rapporte ici, pas parce que j'ai envie d'être macabre, mais parce que ça m'a profondément impressionnée et que ça explique peut-être pourquoi certaines d'entre nous, qui ont vécu ça à ce moment-là, ont agi comme on l'a fait.

Cet événement a eu lieu pendant un cours de religion, que nous donnait Tante Vidala, je l'ai mentionné. Elle avait la responsabilité de notre école ainsi que d'autres établissements comme le nôtre – on les appelait les Écoles Vidala –, mais sa photo, accrochée au fond des salles de classe, était plus petite que celle de Tante Lydia. Il y en avait cinq en tout : Bébé Nicole en haut, parce qu'il fallait qu'on prie tous les jours pour son bon retour. Puis Tante Elizabeth et Tante Helena, puis Tante Lydia et enfin Tante Vidala. Bébé Nicole et Tante Lydia avaient des cadres dorés, les autres, juste des cadres argentés.

Bien entendu, on savait toutes qui étaient ces quatre femmes : c'étaient les Fondatrices. Maintenant, les fondatrices de quoi, on en était moins sûres et on n'osait pas demander : on n'avait pas envie d'offenser Tante Vidala en attirant l'attention sur sa photo plus petite. Shunammite affirmait que les yeux de la photo de Tante

Lydia vous suivaient partout dans la salle et qu'elle entendait ce que vous racontiez, mais Shunammite exagérait et inventait des trucs.

Tante Vidala s'était assise sur le plateau du bureau. Elle aimait bien nous avoir toutes à l'œil. Elle nous a ordonné d'avancer nos tables et de nous rapprocher les unes des autres. Puis elle a déclaré qu'on était maintenant suffisamment grandes pour entendre une des histoires les plus importantes de la Bible – importante, parce qu'elle renfermait un message de Dieu à l'intention toute spéciale des femmes et des jeunes filles, et qu'il fallait donc que nous écoutions attentivement. C'était l'histoire de la Concubine découpée en douze morceaux.

À côté de moi, Shunammite a chuchoté :

« Je la connais. »

De l'autre côté, Becka a tendu discrètement sa main vers la mienne sous le plateau du bureau.

« Shunammite, tais-toi », lui a ordonné Tante Vidala.

Elle s'est mouchée, puis nous a raconté l'histoire suivante.

La concubine – c'était une sorte de Servante – d'un homme a fui son maître pour retourner à la maison de son père. C'était manifester une très grande désobéissance. L'homme est allé la rechercher et, étant bon et indulgent, a demandé à la reprendre sans autre contrepartie. Le père, qui connaissait les lois, a accepté – sa fille l'avait déçu en désobéissant ainsi – et les deux hommes ont pris un repas ensemble pour fêter leur accord. L'homme et sa concubine se sont donc mis en route très tard et, à la tombée du jour, ont trouvé refuge dans une ville où l'homme ne connaissait personne. Un citoyen généreux leur a offert de passer la nuit sous son toit.

Cependant, poussés par de coupables désirs, d'autres citoyens se sont attroupés devant la maison en exigeant qu'on leur remette le voyageur. Ils voulaient lui faire subir des choses honteuses. Des choses obscènes et scandaleuses, ce qui aurait été particulièrement vicieux entre hommes, si bien que le citoyen généreux et le voyageur ont flanqué la concubine dehors à la place.

« Bon, elle l'avait mérité, vous ne croyez pas ? s'est exclamée Tante Vidala. Elle n'aurait pas dû s'enfuir. Pensez donc aux souffrances qu'elle a causées aux autres ! »

Le matin venu, a poursuivi Tante Vidala, le voyageur a ouvert la porte : la concubine gisait sur le seuil. « Lève-toi », lui a-t-il dit. Mais elle ne s'est pas levée, elle était morte. Les dépravés l'avaient tuée.

« Comment ? » a demandé Becka.

Sa voix était à peine plus qu'un murmure et elle pressait ma main très fort.

« Comment ils l'ont tuée ? »

Deux larmes roulaient sur ses joues.

« Quand plusieurs hommes font subir tous ensemble des choses obscènes à une femme, ça la tue, a expliqué Tante Vidala. Cette histoire est, pour Dieu, une façon de nous dire qu'il faut nous contenter de notre sort sans nous rebeller.

Une femme doit honorer son maître, a-t-elle ajouté : sinon, voilà ce qui se passe. Dieu veille toujours à ce que le châtiment réponde au crime. »

J'ai appris la suite plus tard – le voyageur a découpé le corps de la concubine en douze morceaux qu'il a distribués à chacune des tribus d'Israël, pour les appeler à venger le mésusage de sa concubine en éliminant les meurtriers, mais la tribu de Benjamin a refusé parce que les coupables étaient des leurs. Au cours de la guerre vengeresse qui a suivi, les Benjaminites ont été presque décimés, femmes et enfants tous massacrés. Puis les onze autres tribus ont estimé que ce serait mauvais d'annihiler la douzième et ont mis un terme à la tuerie. Officiellement, les Benjaminites survivants n'avaient pas le droit d'épouser d'autres femmes, puisque les autres tribus avaient fait le serment de ne pas leur en donner, mais il leur a été conseillé d'en enlever et de se marier avec elles officieusement, et c'est ce qu'ils ont fait.

Mais, ce jour-là, on n'a pas entendu la fin de l'histoire, parce que Becka avait éclaté en sanglots.

« C'est horrible, c'est horrible ! » répétait-elle.

Nous autres, on ne bronchait pas.

« Contrôle-toi, Becka », a dit Tante Vidala.

Mais elle en était incapable. Elle pleurait si fort que j'ai cru qu'elle allait cesser de respirer.

« Est-ce que je peux la prendre dans mes bras, Tante Vidala ? » ai-je fini par demander.

On nous encourageait à prier pour nos camarades, mais pas à se toucher.

« Je pense que oui », a répondu Tante Vidala de mauvaise grâce.

J'ai passé les bras autour de Becka, qui a sangloté contre mon épaule.

Tante Vidala était agacée, mais également préoccupée par l'état de Becka. Certes, le père de cette dernière n'était pas un Commandant, ce n'était qu'un dentiste, mais un dentiste important, et Tante Vidala avait de mauvaises dents. Elle s'est levée et a quitté la salle.

Quelques minutes plus tard, Tante Estée est apparue. C'était vers elle qu'on se tournait quand il fallait apaiser l'une d'entre nous.

« Tout va bien, Becka, lui a-t-elle lancé. Tante Vidala n'a pas eu l'intention de te faire peur. »

Ce n'était pas totalement vrai, mais Becka a cessé de pleurer et s'est mise à hoqueter.

« Il y a une autre façon d'interpréter cette histoire. Désolée de ce qu'elle avait fait et désireuse de réparer ses torts, la concubine s'est sacrifiée pour éviter que ces hommes cruels ne tuent le bon voyageur. »

Becka a tourné légèrement la tête : elle écoutait.

« C'était très courageux et noble de la part de la concubine, non ? »

Vague signe d'acquiescement de Becka. Tante Estée a soupiré.

«Nous devons tous faire des sacrifices pour aider notre prochain, a-t-elle ajouté d'un ton apaisant. Les hommes doivent se sacrifier à la guerre, et les femmes autrement. C'est ainsi que se répartissent les choses. Et maintenant, on va peut-être s'offrir un petit plaisir pour se remonter le moral. Je nous ai apporté des biscuits à l'avoine. Allez, les enfants, vous avez le droit de bavarder ensemble.»

On mangeait nos biscuits à l'avoine quand Shunammite a glissé à Becka :

«Fais pas le bébé comme ça. C'est qu'une histoire.»

Sans paraître l'avoir entendue, Becka a murmuré, comme à elle-même :

«Moi, je ne me marierai jamais, jamais.

— Bien sûr que si, a répliqué Shunammite. Tout le monde se marie.

— Non, c'est pas vrai», a riposté Becka, mais seulement à mon intention.

15.

Quelques mois après le mariage de Paula et mon père, notre foyer a accueilli une Servante. Elle s'appelait Dekyle, puisque mon père était le Commandant Kyle.

« Elle devait s'appeler autrement avant, m'a expliqué Shunammite. Elle devait porter le nom d'un autre homme. Elles passent de l'un à l'autre jusqu'à ce qu'elles aient un bébé. De toute façon, c'est toutes des putes, elles n'ont pas besoin d'un vrai nom. »

Shunammite a ajouté qu'une pute était une femme qui était allée avec d'autres hommes que son mari. Cela étant, on ne savait pas vraiment ce que « être allée » voulait dire précisément.

Et les Servantes devaient être doublement des putes, a poursuivi Shunammite, vu qu'elles n'avaient même pas de mari. Mais on ne devait pas être grossières avec les Servantes ni les traiter de putes, nous a rappelé Tante Vidala en s'essuyant le nez, parce qu'elles rendaient service à la communauté en se rachetant, et il fallait leur en être reconnaissantes.

« Je ne vois pas en quoi être pute rend service à la communauté, a chuchoté Shunammite.

— C'est à cause des bébés, ai-je chuchoté en retour. Les Servantes peuvent faire des bébés.

— D'autres femmes aussi, a répliqué Shunammite, et ce ne sont pas des putes. »

C'était vrai, il y avait des Épouses qui le pouvaient, ainsi que certaines femmes Écono : on les avait vues avec leurs gros ventres. Mais des tas de femmes n'y arrivaient pas. Toutes les femmes voulaient un bébé, disait Tante Estée. Toutes les femmes qui n'étaient ni des Tantes ni des Marthas. Parce que si on n'était ni une Tante ni une Martha, renchérissait Tante Vidala, à quoi servait-on sur terre si on n'avait pas de bébés ?

Ce que signifiait l'arrivée de cette Servante, c'était que ma nouvelle belle-mère voulait un bébé, parce qu'elle ne me considérait pas comme son enfant : ma mère, c'était Tabitha. Et le Commandant Kyle ? Apparemment, il ne me considérait pas comme son enfant non plus. On aurait cru que je leur étais devenue invisible. Ils posaient les yeux sur moi et, à travers moi, ils voyaient le mur.

D'après les normes de Galaad, j'étais presque en âge de devenir une femme quand la Servante est arrivée dans notre foyer. J'avais grandi, mon visage s'était allongé et mon nez avait poussé. J'avais des sourcils plus noirs – ce n'étaient ni des chenilles poilues, comme ceux de Shunammite, ni des trucs maigrelets comme ceux de Becka, ils décrivaient deux arcs de cercle – et des cils noirs. Mes cheveux étaient plus fournis et ils avaient perdu leur couleur brun-gris de petite souris pour devenir châtains. L'ensemble me plaisait et je contemplais mon nouveau visage dans le miroir en me tournant pour l'observer sous tous les angles alors qu'on nous avait mises en garde contre la vanité.

Plus alarmant, mes seins gonflaient et des poils avaient commencé à pousser sur certaines parties de mon corps sur lesquelles nous n'avions pas à nous appesantir : jambes, dessous de bras, ainsi que cette zone honteuse qu'on désignait par de multiples euphémismes. Quand une fille en était là, elle cessait d'être une fleur précieuse et se muait en une créature autrement plus dangereuse.

À l'école, on nous avait préparées à ce genre de changement – Tante Vidala nous avait présenté une série d'exposés illustrés gênants censés nous instruire sur le rôle et les devoirs de la femme par rapport à son corps, le rôle de la femme mariée –, mais ça n'avait été ni très instructif ni rassurant. Lorsque Tante Vidala avait voulu savoir s'il y avait des questions, il n'y en avait pas eu : par où aurait-on commencé ? J'avais eu envie de demander pourquoi il fallait qu'il en soit ainsi, pourtant je connaissais déjà la réponse : c'était le plan de Dieu. Voilà comment les Tantes se dépêtraient de tout.

Très bientôt, je pouvais m'attendre à ce que du sang coule d'entre mes jambes : c'était déjà arrivé à beaucoup de mes camarades. Pourquoi Dieu n'avait-il pas pu arranger ça autrement ? Mais Il avait un intérêt tout particulier pour le sang, nous le savions grâce aux versets des Écritures qu'on nous avait lus : sang, purification, davantage de sang, davantage de purification, sang versé pour purifier l'impur, même s'il ne fallait pas le recevoir sur les mains. Le sang souillait, surtout quand il venait des filles, alors qu'avant Dieu aimait qu'on le répande sur ses autels ; il y avait néanmoins renoncé – d'après Tante Estée – et privilégiait désormais les fruits, les légumes, la souffrance muette et les bonnes actions.

Pour autant qu'il m'était possible d'en juger, le corps de la femme adulte était un sacré piège. S'il y avait un trou, on y fourrait forcément quelque chose et quelque chose d'autre en ressortait forcément, ce qui était vrai de n'importe quel type de trou : trou dans le mur, trou dans une montagne, trou dans le sol. Il y avait tant de choses qu'on pouvait lui infliger, à ce corps de femme adulte, ou qui pouvaient dérailler, que j'ai fini par me dire que je serais mieux sans. J'ai envisagé d'arrêter de manger pour rapetisser, et j'ai bien essayé pendant une journée, mais j'ai eu tellement faim que je n'ai pas pu tenir ma résolution et je suis descendue à la cuisine au milieu de la nuit pour manger les restes de poulet qui traînaient dans la marmite de soupe.

Mon corps plein de vie n'était pas mon seul motif d'inquiétude : à l'école, mon statut s'était notablement dégradé. Les autres ne s'aplatissaient plus devant moi, elles ne me courtisaient plus. Des filles interrompaient leurs conversations à mon approche et me dévisageaient bizarrement. D'autres allaient même jusqu'à me tourner le dos. Becka ne faisait pas ça – elle s'asseyait toujours à côté de moi –, mais regardait droit devant elle et ne glissait plus la main sous le bureau pour serrer la mienne.

Shunammite continuait à se prétendre mon amie, en partie, j'en suis sûre, parce que les autres ne l'appréciaient pas trop, mais à présent c'était elle qui me faisait la faveur de son amitié ; tout ça me blessait, même si je n'avais pas encore compris pourquoi l'atmosphère avait changé.

Pourtant, les autres le savaient. La rumeur avait dû circuler, le bouche-à-oreille – de ma belle-mère, Paula, à nos Marthas qui remarquaient tout, puis de nos Marthas aux autres Marthas qu'elles rencontraient en courses, puis de ces Marthas aux Épouses et des Épouses à leurs filles, mes camarades de classe.

Quelle était cette rumeur ? Pour commencer, je n'étais plus dans les bonnes grâces de mon puissant père. Ma mère, Tabitha, avait été ma protectrice ; mais maintenant elle n'était plus là, et ma belle-mère ne me voulait pas de bien. À la maison, elle m'ignorait ou elle m'aboyait dessus – *Ramasse ça ! Tiens-toi droite !* J'essayais autant que possible de ne pas me montrer, mais même ma porte fermée devait l'agresser. Sans doute devinait-elle que, cachée derrière, je ruminais des pensées corrosives.

Cependant, ma dégringolade n'était pas seulement due au fait que je n'étais plus dans les petits papiers de mon père. Une nouvelle information circulait, qui m'était extrêmement préjudiciable.

Quand il y avait un secret à raconter – surtout s'il était scandaleux –, Shunammite adorait s'en faire la messagère.

«Devine ce que j'ai appris?» m'a-t-elle lancé un midi alors qu'on était en train de manger nos sandwiches.

C'était une journée ensoleillée et on nous avait autorisées à pique-niquer sur la pelouse de l'école. Une haute clôture surmontée de barbelés tranchants entourait le terrain et deux Anges surveillaient le portail, qui restait fermé sauf quand les véhicules des Tantes entraient et sortaient, de sorte qu'on était parfaitement protégées.

«C'est quoi?»

Dans les sandwiches, un mélange de fromages artificiels avait remplacé le vrai fromage, dont nos soldats avaient besoin. Le soleil était chaud, l'herbe douce, j'avais quitté la maison sans que Paula me voie et, jusque-là, je me sentais relativement contente de mon sort.

«Ta mère n'était pas ta vraie mère, m'a dit Shunammite. Ils t'ont séparée de ta vraie mère, parce que c'était une pute. Mais t'inquiète pas, c'est pas de ta faute, tu étais trop petite pour savoir.»

Mon estomac s'est noué. J'ai recraché ma bouchée de sandwich sur la pelouse.

«C'est pas vrai!»

C'est tout juste si je n'avais pas crié.

«Calme-toi, a insisté Shunammite. Je te l'ai dit, c'est pas de ta faute.

— Je ne te crois pas.»

Shunammite m'a accordé un sourire ravi et plein de pitié.

«C'est la vérité. Ma Martha a appris toute l'histoire par ta Martha, qui l'a apprise par ta nouvelle belle-mère.

Les Épouses sont au courant de ce genre de chose – certaines ont eu leurs gamins comme ça. Pas moi, note, je suis bien née.»

Sur l'instant, je l'ai réellement détestée.

«Si c'est ça, où est ma vraie mère? Puisque tu sais tout!»

Tu es vraiment, vraiment méchante, ai-je eu envie de lui dire. Je commençais à réaliser qu'elle avait dû me trahir et se répandre auprès des autres avant de me parler. C'est pour ça qu'elles étaient si distantes : j'étais maintenant un objet de honte.

«Je ne sais pas, elle est peut-être morte, m'a répondu Shunammite. Elle était en train de fuir Galaad, elle essayait de t'enlever et traversait une forêt en courant, elle allait franchir la frontière avec toi quand ils l'ont rattrapée et t'ont sauvée. T'as eu de la chance!

— Qui ça?» ai-je demandé d'une toute petite voix.

Shunammite a poursuivi ses confidences sans cesser de mâcher. Je fixais sa bouche, d'où émergeait ma déchéance. Elle avait du succédané de fromage orange entre les dents.

«Tu sais qui. Les Anges, les agents de l'Œil, eux, quoi. Ils t'ont sauvée et t'ont remise à Tabitha, parce qu'elle ne pouvait pas avoir d'enfant. Ils t'ont rendu service. Tu as un bien meilleur foyer maintenant que tu n'en aurais eu avec la pute.»

J'ai senti la conviction qu'elle disait vrai se saisir de tout mon corps, comme une paralysie. L'histoire que Tabitha avait l'habitude de me raconter, celle où elle me sauvait et s'enfuyait en courant pour échapper aux méchantes sorcières – elle était en partie exacte. Mais ce n'était pas la main de Tabitha que j'avais tenue, c'était celle de ma vraie mère – ma vraie mère, la pute. Et ce n'étaient pas des sorcières qui nous avaient pourchassées, mais des hommes. Ils devaient avoir des armes, ces hommes-là en ont toujours.

N'empêche, Tabitha m'avait choisie. Elle m'avait choisie parmi tous les autres enfants arrachés à leurs pères et mères. Elle m'avait choisie et chérie. Elle m'avait aimée. Ça, c'était réel.

Mais aujourd'hui je n'avais pas de mère : où était ma vraie mère ? Et je n'avais pas de père non plus, parce que le Commandant Kyle n'avait pas plus de liens familiaux avec moi que n'importe qui. Il ne m'avait tolérée que parce que j'étais le projet de Tabitha, son jouet, sa petite chérie.

Pas étonnant que Paula et le Commandant Kyle aient voulu une Servante : ils voulaient un enfant à eux à ma place. Moi, je n'étais l'enfant de personne.

Shunammite a continué à mâcher en m'observant avec satisfaction pendant que j'assimilais son message.

«Je te défendrai, a-t-elle ajouté de sa voix la plus pieuse et la plus hypocrite. Ça ne change rien à ton âme. Tante Estée dit qu'au paradis toutes les âmes se valent.»

Oui, mais seulement au paradis, ai-je pensé. Et on n'y est pas. Ici, c'est comme dans le jeu des serpents et des échelles, et si avant j'étais tout en haut de l'échelle, appuyée contre l'Arbre de Vie, maintenant j'avais dégringolé. Quelle gratification pour les autres que d'être témoins de ma chute ! Pas étonnant que Shunammite n'ait pas pu résister au plaisir de répandre des nouvelles aussi sinistres et réjouissantes. Déjà, je les entendais ricaner dans mon dos : *Pute, pute, fille de pute.*

Tante Vidala et Tante Estée devaient être au courant, elles aussi. Elles devaient l'être depuis toujours. C'était le genre de secret que les Tantes connaissaient. D'après les Marthas, c'est ainsi qu'elles affirmaient leur pouvoir.

Et Tante Lydia – dont la photo au cadre doré était accrochée au fond de nos salles de classe et nous la montrait mi-ronchon mi-souriante dans son vilain uniforme marronnasse – devait être celle qui connaissait le plus de secrets, parce que c'est elle qui avait le plus

de pouvoirs. Qu'est-ce qu'elle dirait de ma situation difficile, Tante Lydia ? M'aiderait-elle ? Comprendrait-elle
ma tristesse, me sauverait-elle ? Mais existait-elle seulement ? Je ne l'avais jamais vue. Peut-être qu'elle était
comme Dieu – réelle et irréelle à la fois. Et si je me
mettais à prier Tante Lydia le soir, au lieu de Dieu ?

J'ai bien essayé plus tard dans la semaine. Mais
c'était une idée trop inconcevable – prier une femme –,
alors j'ai arrêté.

16.

J'ai passé le reste de cet épouvantable après-midi dans un état somnambulique. On brodait des mouchoirs au petit point pour les Tantes, des motifs de fleurs correspondant à leurs prénoms – échinacées pour Elizabeth, hellébores pour Helena, violettes pour Vidala. Je faisais des lilas pour Lydia quand je me suis enfoncé profondément l'aiguille dans le doigt. Je n'ai rien remarqué jusqu'à ce que Shunammite me dise : «Il y a du sang sur ton petit point.» Gabriela – une fille décharnée et insolente qui était à présent aussi appréciée que je l'avais été, parce que son père avait été promu et disposait désormais de trois Marthas – a murmuré : «Peut-être qu'elle a fini par avoir ses règles, par le doigt», et tout le monde a ricané, parce que la plupart étaient déjà indisposées, même Becka. En entendant les ricanements, Tante Vidala, derrière son bureau, a relevé la tête de son livre et s'est écriée : «Suffit!»

Tante Estée m'a emmenée aux toilettes où on a rincé ma main, puis elle m'a mis un pansement au doigt, mais il a fallu faire tremper le mouchoir au petit point dans l'eau froide pour enlever le sang, comme on nous l'avait appris, surtout sur du blanc. Enlever le sang était une tâche que les Épouses devaient connaître, nous avait dit Tante Vidala, ça ferait partie de nos responsabilités :

116

il faudrait qu'on supervise nos Marthas pour qu'elles s'en acquittent correctement. Nettoyer des choses telles que le sang et autres fluides corporels participait du devoir des femmes, lequel consistait à prendre soin des autres, surtout des jeunes enfants et des personnes âgées, m'a expliqué Tante Estée, qui présentait toujours tout sous une lumière positive. C'était un don qu'avaient les femmes, à cause de leurs cerveaux particuliers, qui n'étaient ni durs ni focalisés comme ceux des hommes, mais doux, humides, chauds et enveloppants, comme… comme quoi ? Elle n'a pas terminé sa phrase.

Comme de la boue au soleil, ai-je pensé. C'était ça que j'avais dans le crâne : de la boue chaude.

« Quelque chose ne va pas, Agnes ? » m'a demandé Tante Estée une fois mon doigt nettoyé.

J'ai répondu que non.

« Alors, pourquoi tu pleures, ma chérie ? »

C'était apparemment ce qui m'arrivait : venues de ma tête bourbeuse et humide, des larmes coulaient de mes yeux, en dépit des efforts que je déployais pour les refréner.

« Parce que ça fait mal ! »

Je sanglotais à présent. Elle ne m'a pas demandé ce qui faisait mal, mais elle devait bien savoir que ce n'était pas vraiment mon doigt. Elle a passé le bras autour de mes épaules et m'a pressée doucement.

« Des tas de choses font mal, a-t-elle déclaré, mais nous devons nous efforcer de préserver notre bonne humeur. Dieu aime la bonne humeur. Il aime nous voir apprécier les belles choses de la vie. »

Les Tantes responsables de notre éducation nous racontaient beaucoup de trucs sur ce que Dieu aimait et n'aimait pas, Tante Vidala en particulier, qui semblait être extrêmement proche de Lui. Un jour, Shunammite nous avait sorti qu'elle allait consulter Tante Vidala pour savoir ce que Dieu préférait au petit déjeuner, ce qui avait scandalisé les filles les plus timides, mais elle ne l'avait jamais fait.

Là, je me suis demandé ce que Dieu pensait des mères, les vraies et les pas vraies. Mais j'avais bien conscience qu'il était inutile de questionner Tante Estée sur ma vraie mère et sur la manière dont Tabitha m'avait choisie, ni même sur l'âge que j'avais à l'époque. Les Tantes de l'école évitaient de nous parler de nos parents.

Quand je suis rentrée à la maison ce jour-là, j'ai coincé Zilla dans la cuisine où elle préparait des petits gâteaux secs et lui ai répété tout ce que Shunammite m'avait dit à l'heure du déjeuner.

« Ton amie jacasse trop, a-t-elle déclaré. Elle ferait mieux de l'ouvrir moins souvent. »

Des commentaires inhabituellement sévères de sa part.

« Mais est-ce que c'est vrai ? »

J'espérais encore à moitié qu'elle nie toute l'histoire.

Elle a soupiré.

« Que dirais-tu de m'aider à préparer les petits gâteaux ? »

Mais j'étais trop grande pour me laisser soudoyer par ce genre de petits cadeaux.

« Dis-moi, ai-je insisté. Je t'en prie.

— Eh bien, d'après ta nouvelle belle-mère, oui. Cette histoire est vraie. Ou dans ses grandes lignes.

— Donc Tabitha n'était pas ma mère, ai-je poursuivi en retenant les larmes qui me venaient de plus belle et en m'efforçant de ne pas chevroter.

— Ça dépend de ce que c'est qu'une mère pour toi. Ta mère, c'est celle qui te met au monde ou celle qui t'aime le plus ?

— Je ne sais pas. Peut-être celle qui t'aime le plus ?

— Alors, ta mère, c'était Tabitha, a déclaré Zilla en découpant les petits gâteaux. Et nous, les Marthas, on est aussi des mères pour toi, parce qu'on t'aime pareil. Même si des fois tu crois que non. »

Elle a soulevé les petits gâteaux ronds un à un avec la spatule à retourner les crêpes et les a posés sur la plaque à pâtisserie.

« Tout ce qu'on fait, c'est pour ton bien. »

Sa remarque a suscité ma méfiance parce que Tante Vidala nous sortait des formules très voisines, en général juste avant de nous flanquer une correction. Elle aimait nous fouetter sur les jambes où ça ne se voyait pas et des fois plus haut, en nous forçant à nous pencher et à soulever nos jupes. Parfois, elle infligeait ça à une fille devant toute la classe.

« Qu'est-ce qui lui est arrivé ? ai-je insisté. À mon autre mère ? Celle qui courait à travers la forêt ? Après qu'ils m'ont emmenée ?

— Sincèrement, je ne sais pas », m'a répondu Zilla sans me regarder pendant qu'elle enfournait les petits gâteaux.

J'ai eu envie de demander si je pourrais en avoir un quand ils seraient cuits – j'avais très envie d'un petit gâteau bien chaud –, mais, au milieu d'une conversation aussi sérieuse, cette requête m'a paru puérile.

« Ils lui ont tiré dessus ? Ils l'ont tuée ?

— Oh non. Ils n'auraient pas fait ça.

— Pourquoi ?

— Parce qu'elle pouvait avoir des enfants. Elle t'avait eue, pas vrai ? C'était bien la preuve qu'elle pouvait. Jamais ils ne tueraient une femme aussi précieuse, à moins d'y être vraiment obligés. »

Elle s'est interrompue pour me laisser le temps d'absorber cette information.

« Ils ont sûrement vérifié si elle pouvait devenir… Les Tantes du Centre Rachel et Leah ont dû prier avec elle ; elles ont dû commencer par lui parler, pour voir si elles arrivaient à la faire changer d'avis sur certains points. »

Des rumeurs circulaient à l'école sur le Centre Rachel et Leah, mais elles étaient très vagues : pas une seule d'entre nous ne savait ce qui s'y passait. N'empêche, qu'un bataillon de Tantes prie pour toi devait être effrayant. Elles n'étaient pas toutes aussi gentilles que Tante Estée.

« Et si elles n'ont pas réussi à la faire changer d'avis ? ai-je repris. On l'aura tuée alors ? Elle est morte ?

— Oh, je suis sûre qu'elles l'ont fait changer d'avis. Elles sont douées pour ça. Les cœurs et les esprits... elles te les changent.

— Et alors, elle est où maintenant ? Ma mère, la vraie, l'autre ? »

Je me demandais si cette mère-là se souvenait de moi. Elle devait. Elle avait dû m'aimer, sinon elle n'aurait pas essayé de se sauver avec moi.

« Personne parmi nous ne le sait, ma chérie. Dès l'instant qu'elles deviennent Servantes, elles n'ont plus leur ancien nom et, dans leur fameuse tenue, on voit à peine leurs visages. Elles se ressemblent toutes.

— C'est une Servante ? »

C'était donc vrai alors, ce que Shunammite avait dit.

« Ma mère ?

— C'est ce qu'elles font, là-bas au Centre, a continué Zilla. D'une façon ou d'une autre, elles en font des Servantes. Celles qui ont été attrapées. Maintenant, que dirais-tu d'un bon petit gâteau tout chaud ? Je n'ai plus de beurre pour le moment, mais je peux te mettre un peu de miel dessus. »

Je l'ai remerciée. J'ai mangé le petit gâteau. Ma mère était une Servante. C'est pour ça que Shunammite avait tenu à me dire que c'était une pute. Tout le monde savait que les Servantes étaient toutes des putes avant. Et qu'elles l'étaient toujours, mais différemment.

À partir de ce moment, notre nouvelle Servante m'a fascinée. Conformément aux instructions qu'on m'avait données, je l'avais ignorée lorsqu'elle était arrivée – c'était plus gentil pour elle, m'avait expliqué Rosa, parce que soit elle aurait un bébé et serait ensuite transférée dans une autre maison, soit elle n'en aurait pas et serait de toute façon transférée ailleurs. Dans tous les cas, elle ne resterait pas longtemps sous notre toit. Donc il n'était pas bon qu'elle noue des liens affectifs, en particulier avec les jeunes du foyer, parce qu'il lui faudrait ensuite renoncer à ces affections, et pense un peu à la peine que ça lui causerait.

Je m'étais donc détournée de Dekyle et faisais mine de ne pas la remarquer quand, vêtue de sa robe écarlate, elle entrait furtivement dans la cuisine pour y prendre son panier à provisions et partir en promenade. Les Servantes allaient en promenade tous les jours, deux par deux ; on les voyait sur les trottoirs. Personne ne les embêtait, ne leur adressait la parole ni ne les touchait, parce qu'elles étaient – en un sens – intouchables.

Mais à présent je regardais Dekyle à la dérobée chaque fois que j'en avais l'occasion. Elle avait un pâle visage ovale et impavide, telle l'empreinte d'un pouce ganté. Je savais afficher ce genre de visage, de sorte que je ne la croyais pas si impavide que ça sous la surface. Elle avait eu une vie totalement différente. À quoi ressemblait-elle du temps où elle était pute ? Les putes allaient avec plus d'un homme. Avec combien d'hommes était-elle allée ? Aller avec des hommes, qu'est-ce que ça voulait dire exactement ? Et quel genre d'hommes c'était ? Avait-elle permis que certaines parties de son corps pointent de sous ses vêtements ? Avait-elle porté le pantalon, comme un homme ? C'était tellement contre-nature que c'en était presque inimaginable ! Mais quelle audace, si elle l'avait fait ! Elle avait dû être très différente de ce qu'elle était aujourd'hui. Elle devait alors avoir beaucoup plus d'énergie.

J'allais à la fenêtre pour l'observer de dos quand elle partait en promenade, traversait le jardin, puis descendait l'allée menant à notre portail. J'ôtais alors mes chaussures, avançais dans le couloir sur la pointe des pieds et me glissais dans sa chambre, à l'arrière de la maison, au troisième étage. C'était une pièce de taille moyenne avec une salle de bains individuelle. Il y avait un tapis tressé et, sur le mur, un tableau qui avait appartenu à Tabitha, représentant des fleurs bleues dans un vase.

Ma belle-mère, Paula, l'avait placé là afin que personne ne le voie, je suppose, parce qu'elle écartait tous les objets susceptibles de rappeler sa première Épouse à son nouveau mari. Elle ne le faisait pas franchement, elle était plus subtile que ça – elle déplaçait ou jetait une chose à la fois –, mais j'avais bien conscience de ses manœuvres. C'était pour moi une raison supplémentaire de ne pas l'aimer.

Pourquoi mâcher mes mots ? Je n'ai plus besoin de le faire. Ce n'est pas seulement que je ne l'aimais pas, je la haïssais. La haine est un très vilain sentiment, parce qu'il vous aigrit l'âme – c'est ce que nous avait appris Tante Estée –, mais, même si je ne suis pas fière de le reconnaître et que j'ai prié pour qu'Il me pardonne, c'était bien de la haine qui m'animait.

Une fois dans la chambre de notre Servante, quand j'avais doucement refermé la porte, je farfouillais ici et là. Qui était-elle en réalité ? Et si elle était ma mère disparue ? Je savais que c'étaient des affabulations, mais j'étais tellement seule ; j'aimais broder sur la manière dont les choses se passeraient si c'était vrai. On se jetterait dans les bras l'une de l'autre, on s'embrasserait, on serait tellement heureuses de s'être retrouvées... Mais après ? Je n'avais rien pour étoffer la suite, même si j'avais une vague idée que ça nous vaudrait des ennuis.

Il n'y avait rien dans la chambre de Dekyle pour me fournir la moindre information sur elle. Ses habits écarlates étaient pendus, bien rangés dans le placard, ses sous-vêtements blancs quelconques et ses chemises de nuit aux allures de sac à patates impeccablement pliés sur les étagères. Elle possédait une autre paire de chaussures de marche, ainsi qu'un manteau et une coiffe blanche de rechange. Elle avait une brosse à dents avec une poignée rouge. Il y avait une valise dans laquelle elle avait apporté ses affaires, mais elle était vide.

17.

Finalement, notre Servante a réussi à tomber enceinte. Je l'ai su avant qu'on me l'annonce, parce qu'au lieu de la traiter comme un chien des rues qu'on tolère par pitié, les Marthas s'étaient mises à la couver, à lui servir des repas plus consistants, à placer des fleurs dans des mini-vases sur le plateau de son petit déjeuner. Obsédée comme je l'étais, j'étais à l'affût de ces détails.

Même si je ne comprenais pas toujours ce qu'elles disaient, j'écoutais les Marthas discuter avec animation dans la cuisine quand elles me croyaient ailleurs. Lorsque j'étais avec elles, Zilla souriait beaucoup toute seule et Vera baissait la voix comme si elle était à l'église. Même Rosa affichait un air fiérot, comme si elle avait mangé une orange particulièrement bonne, mais s'interdisait d'en parler à qui que ce soit.

Quant à Paula, ma belle-mère, elle rayonnait. Elle se montrait plus gentille envers moi lorsqu'on se retrouvait dans la même pièce, ce qui, si j'en avais la possibilité, ne se produisait pas souvent. J'avalais à la hâte mon petit déjeuner dans la cuisine avant qu'on m'emmène à l'école, et je quittais la table du dîner le plus vite possible en prétextant un devoir à finir : un truc au petit point, un tricot, de la couture, un dessin, une aquarelle.

Paula ne s'y opposait jamais : elle n'avait pas plus envie de me voir que moi de la voir, elle.

« Dekyle est enceinte, hein ? » ai-je demandé un matin à Zilla.

Je jouais les désinvoltes au cas où je me serais trompée, mais, prise au dépourvu, Zilla s'est exclamée :

« Comment tu le sais ?

— Je ne suis pas aveugle, ai-je répliqué d'un ton supérieur sans doute irritant – c'était l'âge.

— On ne doit pas en parler tant qu'on n'a pas passé le troisième mois. Ce sont les trois premiers mois qui sont dangereux.

— Pourquoi ? »

Je n'y connaissais vraiment pas grand-chose, somme toute, en dépit du diaporama enchifrené de Tante Vidala sur les fœtus.

« Si c'est un Malbébé, c'est le moment où il pourrait... où il pourrait arriver trop tôt, et alors il mourrait », m'a expliqué Zilla.

J'avais entendu parler des Malbébés : on n'abordait pas le sujet en cours, mais on en discutait en secret. Ils étaient censés être nombreux. La Servante de Becka avait donné naissance à une petite fille ; la malheureuse n'avait pas de cerveau. La pauvre Becka en avait été toute retournée, parce qu'elle avait rêvé d'une petite sœur.

« On prie pour lui. Pour elle », a encore dit Zilla.

J'ai noté le flou sur le sexe de l'enfant à venir.

Cependant, Paula avait dû faire allusion à la grossesse de Dekyle devant les autres Épouses, car subitement mon statut à l'école est remonté en flèche. Comme avant, Shunammite et Becka ont rivalisé pour avoir mon attention et les autres filles se sont aplaties, comme si j'avais une aura invisible.

L'arrivée d'un bébé auréolait toutes les personnes liées à cet événement. On aurait juré qu'une brume dorée avait enveloppé notre maison, et qu'elle devenait de plus en plus vive et dorée à mesure que le temps passait. Une fois atteinte la fameuse limite des trois mois, il y a eu une fête officieuse dans la cuisine, et Zilla a préparé un gâteau. Quant à notre Servante, Dekyle, à ce que j'apercevais de son visage, elle paraissait plus soulagée qu'heureuse.

Au milieu de cette jubilation bridée, je m'étais muée en un nuage noir. Ce bébé inconnu que portait Dekyle captait tout l'amour : c'était comme s'il ne me restait plus rien où que ce soit. J'étais toute seule. Et j'étais jalouse : ce bébé aurait une mère, et moi jamais. Même les Marthas se détournaient de moi pour se focaliser sur la lumière émanant du ventre de Dekyle. J'ai honte de l'admettre – jalouse d'un bébé ! –, mais c'était la vérité.

C'est à cette époque que se situe un événement que je devrais passer sous silence parce qu'il vaut mieux l'oublier, mais il a orienté le choix que je n'allais pas tarder à faire. À présent que je suis plus vieille et que j'ai davantage d'expérience, je me rends compte que certains jugeront ça insignifiant, il n'empêche que j'étais une toute jeune fille de Galaad et que je n'avais absolument pas été exposée à ce genre de situation, de sorte que cet événement n'a pas été anodin pour moi. Au contraire, il a été horrifiant. Et honteux aussi : quand on te fait subir quelque chose de honteux, cette honte te déteint dessus. Tu te sens salie.

Ça a démarré par une broutille : il fallait que j'aille chez le dentiste pour mon contrôle annuel. Le dentiste en question était le Dr Grove, le père de Becka. Le meilleur dentiste, affirmait Vera : tous les grands Commandants et leurs familles allaient chez lui. Il avait son cabinet dans la Maison des Bienfaits de la Santé, réservée aux médecins et aux dentistes, qui arborait sur sa façade les images d'une dent et d'un cœur souriants.

Une des Marthas m'accompagnait toujours chez le médecin ou le dentiste et patientait dans la salle d'attente – c'était plus correct, disait Tabitha sans expliquer

126

pourquoi –, mais Paula a décrété que le Gardien m'emmènerait seul, que ce serait une perte de temps d'envoyer une Martha étant donné qu'il y avait trop de travail à la maison, compte tenu des changements auxquels il fallait se préparer – elle faisait allusion au bébé.

Ça ne m'a pas dérangée. En fait, y aller seule m'a donné le sentiment d'être très adulte. Je me suis assise bien droite sur la banquette derrière notre Gardien. Puis je suis entrée dans le bâtiment et j'ai pressé le bouton de l'ascenseur marqué de trois dents, j'ai trouvé le bon étage et la bonne porte et j'ai patienté dans la salle d'attente en lorgnant sur les images de dents transparentes au mur. Mon tour venu, j'ai pénétré dans le cabinet, ainsi que l'assistant, M. William, m'y avait invitée, et je me suis installée dans le fauteuil. Le Dr Grove est apparu, M. William a apporté mon dossier, puis il est ressorti en refermant la porte. Le Dr Grove s'est penché sur mon dossier, m'a demandé si j'avais des problèmes dentaires et j'ai répondu que non.

Comme d'habitude, il a fourragé dans ma bouche avec ses piques, ses sondes et son petit miroir. Comme d'habitude, j'ai vu ses yeux de près, magnifiés par ses verres – bleus et injectés de sang, avec des paupières pareilles à des genoux d'éléphant –, et j'ai essayé de ne pas inspirer quand il soufflait parce qu'il sentait – comme d'habitude – l'oignon. C'était un homme d'âge mûr sans rien de spécial.

Il a retiré d'un geste sec ses gants blancs en caoutchouc et s'est lavé les mains au lavabo, dans mon dos.

Il a dit :

«Des dents parfaites. Parfaites.»

Puis il a ajouté :

«Tu es en train de devenir une grande fille, Agnes.»

Puis il a mis la main sur mon sein, petit mais en pleine croissance. C'était l'été, et je portais l'uniforme d'été de l'école, rose, en cotonnade légère.

Stupéfaite, je me suis figée. C'était donc vrai, les histoires sur les hommes et leurs désirs ardents, déchaînés, et j'en étais la cause, simplement en étant assise sur un fauteuil de dentiste. Je me suis sentie horriblement embarrassée – qu'est-ce que j'étais censée dire ? N'en sachant rien, j'ai fait comme s'il ne se passait rien.

Le Dr Grove se tenait derrière moi, c'était donc sa main gauche qui était posée sur mon sein gauche. Je ne le voyais pas, je ne voyais que sa main, une grande main avec des poils roux sur le dessus. Elle était chaude. Elle reposait sur mon sein comme un gros crabe brûlant. Je ne savais pas comment réagir. Fallait-il que je prenne cette main et que je l'enlève ? Est-ce que ça ne déclencherait pas un autre élan de luxure encore plus virulent ? Fallait-il que j'essaie de me sauver ? Puis la main a pressé mon sein. Les doigts ont trouvé mon mamelon et l'ont pincé. J'ai eu l'impression qu'il m'avait planté une punaise dedans. J'ai projeté le torse en avant – j'avais intérêt à dégager le plus vite possible de ce fauteuil de dentiste –, mais la main m'a maintenue à ma place. Brusquement, elle s'est écartée, et une part du reste du Dr Grove m'est apparue.

« Il serait temps que tu en voies une, a-t-il dit de la voix dont il disait tout. Tu ne vas pas tarder à en avoir une dans le frifri. »

Il s'est saisi de ma main droite et l'a placée là où tu penses.

Je ne crois pas avoir besoin de te raconter la suite. Il avait une serviette toute prête. Il s'est essuyé et a rangé son membre dans son pantalon.

« Voilà, a-t-il ajouté. C'est bien, ma petite. Je ne t'ai pas fait mal. »

Il m'a flanqué une tape paternelle sur l'épaule.

« N'oublie pas de te brosser les dents deux fois par jour, et de te passer le fil dentaire après. M. William va te donner une brosse à dents neuve. »

J'ai quitté le cabinet, le cœur au ras des lèvres. Dans la salle d'attente, M. William, trente ans, discret et imperturbable, m'a tendu une coupe remplie de brosses à dents roses et bleues. Je savais très bien qu'il fallait que j'en prenne une rose.

« Merci, ai-je dit.

— Je t'en prie. Des caries ?

— Non. Pas cette fois.

— Bien. Évite les sucreries, et tu n'en auras peut-être jamais. De caries. Ça va bien ?

— Oui. »

Où était la porte ?

« Tu es toute pâle. Il y a des gens qui ont peur du dentiste. »

Était-ce un sourire suffisant ? Soupçonnait-il ce qui venait de se passer ?

— Je ne suis pas pâle », ai-je répondu sottement – comment pouvais-je dire ça ?

J'ai trouvé la poignée de la porte, suis sortie gauchement, puis j'ai avancé jusqu'à l'ascenseur et j'ai appuyé sur le bouton pour descendre.

Est-ce que ce serait maintenant comme ça chaque fois que j'irais chez le dentiste ? Il me serait impossible de dire que je ne voulais pas retourner chez le Dr Grove sans expliquer pourquoi et, en ce cas, je savais que ça me vaudrait des problèmes. Les Tantes à l'école nous avaient appris que, si un homme nous touchait de manière indécente, nous devions en référer à un responsable – c'est-à-dire elles –, mais nous savions pertinemment qu'il valait mieux ne pas avoir la sottise de faire des histoires, surtout s'il s'agissait d'un homme aussi respecté que le Dr Grove. Et quelles seraient les conséquences pour Becka si je racontais ça sur son père ? Elle serait humiliée, anéantie. Ce serait une terrible trahison.

Certaines filles avaient dénoncé des choses de ce genre. L'une d'elles avait affirmé que son Gardien avait passé les mains sur ses jambes. Une autre avait dit qu'un éboueur Econo avait abaissé la fermeture Éclair de son pantalon devant elle. La première avait reçu des coups de fouet sur les mollets pour avoir menti et la seconde s'était entendu dire qu'une honnête fille n'avait pas à remarquer les pitreries anodines des hommes, qu'elle n'avait qu'à regarder de l'autre côté.

Mais, moi, je n'avais pas pu regarder de l'autre côté. Il n'y avait pas eu d'autre côté.

«Je ne veux pas dîner», ai-je lancé à Zilla dans la cuisine.

Elle m'a jeté un regard acéré.

«Ton rendez-vous chez le dentiste s'est bien passé, ma chérie ? Tu as des caries ?

— Non, ai-je répondu en tentant un pâle sourire. J'ai des dents parfaites.

— Tu es malade ?

— Je suis peut-être en train d'attraper un rhume. Il faut que je m'allonge, c'est tout.»

Zilla m'a préparé une boisson chaude au citron et au miel et me l'a montée à ma chambre sur un plateau.

«J'aurais dû t'accompagner, a-t-elle marmonné. Mais c'est le meilleur dentiste en ville. Tout le monde est d'accord là-dessus.»

Elle savait. Ou elle s'en doutait. Elle me conseillait de ne rien dire. C'était le langage codé qu'elles utilisaient. Ou disons que nous utilisions toutes. Est-ce que Paula le savait, elle aussi ? Avait-elle prévu qu'il m'arrive ce genre de chose chez le Dr Grove ? Était-ce pour ça qu'elle m'y avait envoyée seule ?

J'ai décidé que oui. Elle l'avait fait exprès pour qu'il me pince le sein et qu'il exhibe ce truc avilissant devant moi. Elle avait voulu que je sois souillée. C'était un mot de la Bible : *souillé*. Elle lâchait sans doute un rire malveillant à cette idée – à l'idée de la méchante blague qu'elle m'avait jouée, car je voyais bien que, pour elle, c'en était une.

Après ça, j'ai cessé de prier pour que Dieu me pardonne la haine que j'avais pour elle. J'avais raison de la haïr. J'étais prête à penser le pire du pire à son sujet, et je l'ai fait.

18.

Les mois ont passé ; ma vie à marcher sur la pointe des pieds et à écouter aux portes a continué. Je suis passée maître dans l'art de voir sans être vue, d'entendre sans être entendue. J'ai découvert les interstices entre chambranles et portes presque fermées, les postes d'écoute dans les couloirs et les escaliers, les endroits où les murs étaient les moins épais. Dans l'ensemble, ce que je surprenais me parvenait par bribes ou même à travers des plages de silence, mais je devenais vraiment bonne pour associer les bribes en question et combler les vides ponctuant les phrases prononcées.

Dekyle, notre Servante, s'est arrondie de plus en plus – du moins son ventre – et plus elle s'arrondissait, plus notre foyer était aux anges. Enfin, les femmes. Pour le Commandant Kyle, c'était difficile de savoir ce qu'il ressentait. Il avait toujours un visage fermé, et de toute façon les hommes n'étaient pas censés afficher certains sentiments, pleurer ou rire bruyamment, par exemple ; cela dit, il y avait pas mal de rires derrière les portes de la salle à manger quand il recevait ses groupes de Commandants à dîner et leur offrait du vin et un dessert accompagné, quand il y en avait, de crème fouettée, que Zilla faisait si bien. Mais je suppose que même lui était, ne serait-ce que modérément, heureux du ventre distendu de Dekyle.

Parfois, je me demandais ce que mon propre père avait pu ressentir pour moi. J'avais quelques idées en ce qui concernait ma mère – elle s'était enfuie avec moi, les Tantes en avaient fait une Servante –, mais pour ce qui était de mon père, je ne savais strictement rien. J'avais dû en avoir un, tout le monde en avait un. On pourrait croire que j'avais rempli ce vide d'images idéalisées, mais non : ce vide restait vide.

Dekyle était à présent une vraie célébrité. Les Épouses nous envoyaient leurs Servantes sous divers prétextes – nous emprunter un œuf, nous rendre un récipient –, mais en réalité c'était pour avoir de ses nouvelles. On les faisait entrer ; puis Dekyle était invitée à descendre afin qu'elles puissent poser les mains sur son ventre rond et sentir bouger le bébé. C'était stupéfiant de voir l'expression de leurs visages pendant qu'elles se livraient à ce rituel : émerveillement, comme si elles assistaient à un miracle ; espoir, parce si Dekyle pouvait y parvenir, pourquoi pas elles ; envie, parce qu'elles n'avaient pas encore réussi ; désir, parce qu'elles le voulaient vraiment ; désespoir, parce que ça ne leur arriverait peut-être jamais. Je ne savais pas encore quel sort attendait une Servante qui, bien qu'ayant été jugée fertile, se révélait stérile à chacune de ses affectations, mais j'avais déjà deviné que ça ne risquait pas d'être bon.

Paula invitait souvent d'autres Épouses à venir prendre le thé avec elle. Elles la félicitaient, l'admiraient, l'enviaient, et Paula souriait gracieusement, acceptait leurs compliments avec humilité et déclarait que c'était le ciel qui distribuait sa bénédiction, puis elle priait Dekyle de venir au salon afin que les Épouses puissent juger sur pièce, s'exclamer et s'extasier. Elles étaient même capables d'appeler Dekyle «ma chérie», alors qu'elles n'auraient jamais fait ça avec une Servante normale, une Servante au ventre plat. Puis elles demandaient à Paula quel nom elle avait choisi pour son bébé.

Son bébé. Pas le bébé de Dekyle. Je m'interrogeais sur ce que Dekyle en pensait. Mais personne ne s'intéressait à ce qui se passait dans sa tête, seul son ventre les intéressait. Elles le lui caressaient, l'écoutaient aussi parfois, tandis que, à moitié cachée derrière la porte ouverte du salon, j'observais Dekyle. Je voyais bien qu'elle s'efforçait de garder un visage de marbre, sans toujours y parvenir. Sa figure était plus ronde qu'à son arrivée – elle était presque bouffie –, et j'ai eu l'impression que c'était à cause de toutes les larmes qu'elle ne s'autorisait pas à verser. Pleurait-elle en secret ? J'ai eu beau rester tapie derrière sa porte fermée, l'oreille collée à la paroi, je ne l'ai jamais entendue.

Dans ces moments-là, la colère me saisissait. J'avais eu une mère avant, et on m'avait arrachée à cette mère pour me donner à Tabitha, exactement comme ce bébé allait être arraché à Dekyle et donné à Paula. C'est ainsi que ça se passait, c'est ainsi que c'était, c'est ainsi que ça devait être pour l'avenir de Galaad : certains devaient se sacrifier pour le bien du plus grand nombre. Les Tantes étaient d'accord avec ça, elles nous l'enseignaient, et pourtant je savais que ce n'était pas juste.

Je ne pouvais cependant pas condamner Tabitha, quand bien même elle avait accepté un enfant volé. Ce n'était pas elle qui avait fait le monde tel qu'il était, et elle avait été ma mère, je l'avais aimée et elle m'avait aimée. Je l'aimais encore, et peut-être qu'elle m'aimait encore. Qui pouvait le savoir ? Peut-être que son esprit argentin rôdait toujours dans les parages, qu'il planait au-dessus de ma tête, veillait sur moi. J'aimais le croire.

J'avais besoin de le croire.

Finalement, le Jour natal est arrivé. J'étais rentrée de l'école parce que j'avais enfin eu mes premières règles et que j'avais très mal au ventre. Zilla m'avait préparé une bouillotte, massée avec de la sauge pour calmer la douleur et fait une tasse de thé analgésique, et j'étais recroquevillée sur mon matelas à m'apitoyer sur mon sort quand j'ai entendu la sirène de la Natalomobile dans notre rue. Je me suis extraite de mon lit pour aller à la fenêtre : oui, le van rouge avait franchi notre portail et des Servantes, une douzaine ou plus, en descendaient. Je ne voyais pas leurs visages, mais rien qu'à leur manière de bouger – bien plus animée que d'habitude –, j'ai compris qu'elles étaient survoltées.

Puis les voitures des Épouses ont déboulé, et elles aussi se sont précipitées chez nous, vêtues de leurs tenues bleues identiques. Deux voitures de Tantes sont également apparues, et des Tantes en sont sorties. Ce n'étaient pas des Tantes que je connaissais. Elles étaient toutes les deux plus âgées, et l'une d'elles avait un sac noir avec dessus les ailes rouges, le serpent enroulé et la lune indiquant qu'il s'agissait d'une trousse des Premiers Secours, section féminine. Un certain nombre de Tantes avaient été formées aux soins d'urgence ainsi qu'aux accouchements inopinés, même si elles ne pouvaient pas être de vrais médecins.

Je n'étais pas censée assister à une Naissance. Les jeunes filles et les jeunes femmes à marier – ce que j'étais désormais, vu que j'avais mes règles – n'avaient pas le droit ni de voir ni de savoir ce qui se passait, parce que de telles scènes et bruits n'étaient pas bons pour nous et risquaient de nous être néfastes – de nous dégoûter ou de nous effrayer. Ce rouge et épais savoir était réservé aux femmes mariées et aux Servantes, ainsi qu'aux Tantes, bien sûr, afin qu'elles puissent le transmettre aux Tantes en formation de sage-femme. Mais, naturellement, j'ai refoulé mes crampes douloureuses, enfilé mon peignoir et mes chaussons pour monter discrètement la moitié de l'escalier menant au troisième et me poster à un endroit où personne ne me verrait.

Les Épouses étaient au rez-de-chaussée et prenaient le thé dans le salon, en attendant le moment crucial. Je n'avais pas vraiment idée de ce à quoi ce moment correspondait, mais je les entendais rire et babiller. Elles buvaient du champagne avec leur thé, si j'en juge par les bouteilles et les verres vides que j'ai vus plus tard dans la cuisine.

Les Servantes et les Tantes de service entouraient Dekyle. Celle-ci n'était pas installée dans sa chambre – elle aurait été trop petite pour tout ce monde –, mais dans le lit de Paula au deuxième étage. Puis j'ai entendu une plainte quasi animale, les Servantes se sont mises à chanter – *Pousse, pousse, pousse, respire, respire, respire* – et, par intervalles, une voix angoissée que je ne reconnaissais pas – mais ce devait être celle de Dekyle – gémissait *Oh Seigneur, Oh Seigneur*. Elle était grave et sombre, comme si elle émergeait d'un puits. C'était terrifiant. Assise sur les marches, les bras noués autour de moi, j'ai frissonné. Que se passait-il ? Quelles tortures, quelles souffrances ? Que lui faisait-on ?

Ces bruits m'ont paru durer longtemps. Des pas pressés ont résonné dans le couloir – les Marthas apportant ce qu'on leur avait réclamé, remportant différentes choses. En allant fureter plus tard dans la soirée, j'ai remarqué des draps et des serviettes tachés de sang au milieu du linge sale. Puis une des Tantes a surgi dans le couloir et aboyé dans son ordinaphone :

« Tout de suite ! Le plus vite possible ! Sa tension est extrêmement basse. Elle perd trop de sang ! »

Il y a eu un hurlement, et encore un autre. Une des Tantes a hélé les Épouses au rez-de-chaussée.

« Montez immédiatement ! »

En général, les Tantes ne hurlaient pas comme ça. Une volée de pas a grimpé l'escalier à la hâte, une voix a dit : « Oh, Paula ! »

Puis une autre sirène a retenti, différente. J'ai regardé dans l'entrée – personne – et j'ai foncé vers la fenêtre de ma chambre pour voir ce qui se passait. Une voiture noire, les ailes rouges et le serpent, mais avec un grand triangle doré : un vrai médecin. Il a quasiment bondi de son siège, il a claqué sa portière et monté les marches quatre à quatre.

Je l'ai entendu dire : *Merde, merde, merde ! Nom de Dieu de merde !*

Ça en soi, c'était électrisant. Je n'avais encore jamais entendu un homme sortir des trucs pareils.

C'était un garçon, un fils en bonne santé pour Paula et le Commandant Kyle. Il a été prénommé Mark. Mais Dekyle était morte.

Après le départ des Épouses, des Servantes et de tout le monde, je me suis assise dans la cuisine avec les Marthas. Elles étaient en train de boire du vrai café et de manger les restes, les sandwiches dont on avait retiré la croûte, le gâteau. Elles m'en ont proposé, mais j'ai dit que je n'avais pas faim. Elles m'ont interrogée sur mes douleurs ; ça irait mieux demain, m'ont-elles promis, et au bout d'un moment ce ne serait plus aussi pénible – de toute façon, on s'habituait. Mais ce n'était pas pour ça que je n'avais pas d'appétit.

On allait devoir faire appel à une nourrice, avaient-elles dit : ce serait une Servante qui avait perdu son bébé. Ça, ou du lait maternisé, même si tout le monde savait que ce n'était pas aussi bien. Cela étant, ça aiderait le bout de chou à rester en vie.

« La pauvre, a dit Zilla. Subir tout ça pour rien.

— Au moins, le bébé a été sauvé, a ajouté Vera.

— C'était soit l'un soit l'autre, a marmonné Rosa. Il fallait bien qu'ils l'ouvrent.

— Je vais me coucher maintenant », ai-je bredouillé.

Dekyle était toujours à la maison, dans sa chambre, enveloppée dans un drap, comme je l'ai constaté quand j'ai gravi tout doucement l'escalier de service.

J'ai dégagé son visage. Il était livide : elle avait dû se vider de tout son sang. Ses sourcils blonds, doux et fins, décrivaient un arc de cercle, comme sous l'effet de la surprise. Elle avait les yeux ouverts et me regardait. C'était peut-être la première fois qu'elle me voyait. Je l'ai embrassée sur le front.

« Je ne t'oublierai jamais, lui ai-je dit. Les autres oui, mais moi, non, je te promets. »

C'était mélodramatique, je sais ; je n'étais encore qu'une gamine. N'empêche, comme tu le vois, je tiens parole : je ne l'ai jamais oubliée. Elle, Dekyle, l'anonyme, enterrée sous un petit rectangle de pierre qui aurait tout aussi bien pu ne porter aucune inscription. Je suis tombée dessus quelques années plus tard, dans le cimetière des Servantes.

Et lorsque j'ai été en mesure de le faire, je l'ai cherchée dans les Archives généalogiques des filiations et je l'ai trouvée. J'ai trouvé son nom d'origine. Inutile, je sais, à part pour ceux qui ont dû l'aimer et qui ont été séparés d'elle brutalement. Mais pour moi, ça a été comme tomber sur une empreinte de main dans une grotte : c'était un signe, un message. *Je suis passée par ici. J'ai existé. J'ai été réelle.*

Comment s'appelait-elle ? Bien sûr, tu veux le savoir.

C'était Crystal. C'est sous ce nom que je l'évoque aujourd'hui. Je me souviens d'elle sous le nom de Crystal.

Ils ont organisé un petit enterrement pour Crystal. J'ai eu le droit d'y assister : j'étais officiellement une femme, maintenant que j'avais eu mes premières règles. Les Servantes présentes à la Naissance ont également eu le droit de venir, et toute notre maisonnée est venue aussi. Même le Commandant Kyle était là, en signe de respect.

On a chanté deux cantiques – « Élève les humbles » et « Béni soit le fruit » – et la légendaire Tante Lydia a fait un discours. Je l'ai regardée avec stupéfaction, comme si sa photo avait soudain pris vie : en fin de compte, elle existait bien. Elle m'a néanmoins paru plus âgée et pas tout à fait aussi effrayante.

Elle a déclaré que notre sœur et Servante, Dekyle, avait consenti le sacrifice suprême, qu'elle était morte auréolée d'une noble gloire féminine, qu'elle avait racheté la vie de péchés qu'elle avait menée auparavant et qu'elle représentait un brillant exemple pour les autres Servantes.

La voix de Tante Lydia chevrotait un peu pendant qu'elle débitait tout ça. Paula et le Commandant Kyle, qui hochaient la tête de temps à autre, avaient un air solennel et dévot, et certaines Servantes pleuraient.

Moi, je n'ai pas pleuré. J'avais déjà pleuré. La vérité, c'était qu'on avait ouvert Crystal pour sortir le bébé, et qu'ainsi on l'avait tuée. Elle n'avait pas choisi. Elle ne s'était pas portée volontaire pour mourir auréolée d'une noble gloire féminine ni pour représenter un brillant exemple, mais ça, personne ne l'a dit.

19.

À l'école, ma situation était maintenant pire que jamais. J'étais devenue un objet de tabou : notre Servante était morte, et les filles y voyaient l'expression du mauvais sort. Elles formaient un groupe superstitieux. À l'École Vidala, il y avait deux religions : l'officielle que nous enseignaient les Tantes, sur Dieu et la sphère particulière des femmes, et l'officieuse, qui se transmettait de fille en fille par le biais des jeux et des chansons.

Les plus jeunes avaient pas mal de comptines, telles que *Une maille à l'endroit, deux médailles à l'envers, vlà un mari pour toi ; deux mailles à l'endroit, une médaille à l'envers, il est liquidé, et vlà ton nouveau fiancé*. Pour les petites filles, les maris n'étaient pas des êtres réels. C'étaient des meubles, et en cette qualité ils se remplaçaient, comme dans la maison de poupée de mon enfance.

La comptine préférée des filles les plus jeunes s'appelait « Le Pendu ». Voici ce qu'elle disait :

> *Qui est ce pendu sur le mur ? Fi fi filou hou !*
> *C'est une Servante, qui s'appelle comment ? Fi fi filou hou !*
> *Elle s'appelait* (là, on citait le nom de l'une d'entre nous), *mais plus maintenant ! Fi fi filou hou !*

L'avait un polichinelle dans le tiroir (là, on frappait nos ventres plats), *Fi fi filou hou!*

Les filles défilaient sous les bras levés de deux autres petites filles tandis que tout le monde chantait : *Un, tu meurs, Deux, on t'embrasse, Trois, t'as un bébé, Quatre, t'es plus là, Cinq, t'es vivante, Six, t'es mort et Sept, on t'attrape, Rouge, rouge, rouge!*
Et les deux petites filles aux bras levés se saisissaient de la septième fille et la baladaient en rond avant de lui coller une tape sur la tête. Là, elle était « morte » et avait le droit de choisir les deux prochains bourreaux. Je me rends compte que ça paraît à la fois sinistre et frivole, mais les enfants jouent avec tout et n'importe quoi.

Les Tantes devaient penser que ce jeu comportait un ensemble de menaces et de mises en garde bénéfiques. Mais pourquoi « Un, tu meurs » ? Pourquoi fallait-il que la mort vienne avant l'embrassade ? Pourquoi pas après, ce qui semblerait plus naturel ? J'y ai souvent réfléchi depuis, mais je n'ai jamais trouvé de réponse.

On avait le droit à d'autres divertissements pendant les heures d'école. On jouait au jeu des serpents et des échelles – si on tombait sur une prière, on grimpait une échelle pour atteindre l'Arbre de Vie, mais si on tombait sur un péché, on se tapait un serpent satanique. On nous remettait des livres de coloriage, et on coloriait les enseignes des boutiques – TOUTE CHAIR, PAIN ET POISSONS –, pour mieux les apprendre. On coloriait aussi les vêtements des gens – bleus pour les Épouses, rayés pour les Épouses Écono, rouges pour les Servantes. Becka a eu un jour des ennuis avec Tante Vidala parce qu'elle avait colorié une Servante en violet.

Chez les filles plus âgées, on chuchotait ces superstitions plus qu'on ne les chantait, et ce n'étaient pas des divertissements. On les prenait au sérieux. Et l'une d'elles disait :

Si ta Servante meurt dans ton lit
Alors à jamais son sang te salit.
Si le bébé de ta Servante meurt,
Alors ta vie n'est que larmes et peurs.
Si ta Servante meurt en couches,
La malédiction te suivra comme une mouche.

Dekyle étant morte en couches, pour les autres j'étais maudite; mais, comme le petit Mark était vivant, en bonne santé et que c'était mon frère, on considérait aussi que j'avais une chance extraordinaire. Les autres ne se moquaient donc pas ouvertement de moi, mais elles m'évitaient. Huldah levait les yeux au plafond en louchant quand elle me voyait arriver; Becka se détournait, mais me glissait des portions de son repas quand personne ne regardait. Quant à Shunammite, elle s'était éloignée de moi, soit parce que cette mort lui avait fait peur, soit parce que cette naissance lui faisait envie, soit les deux.

À la maison, toute l'attention était focalisée sur le bébé, qui la réclamait à grands cris. Il avait une voix stridente. Et même si Paula appréciait le prestige d'avoir un enfant – un fils de surcroît –, elle n'était fondamentalement pas maternelle. Le petit Mark était présenté et exhibé devant ses amies, mais il ne fallait pas grand-chose pour que Paula se lasse, et elle le retournait vite à la nounou, une rondouillarde et lugubre Servante qui répondait encore il y a peu au nom de Detucker, mais s'appelait désormais Dekyle, bien sûr.

Quand il n'était pas en train de manger, de dormir ou d'être exhibé, Mark passait son temps à la cuisine où il était le grand chouchou des Marthas. Elles adoraient lui donner son bain, s'exclamer devant ses tout petits doigts, ses tout petits orteils, ses toutes petites fossettes et son tout petit zizi, d'où il était capable de projeter un jet de pipi réellement stupéfiant. Quel robuste petit gars !

Je devais en principe m'associer à cette idolâtrie et, lorsque je ne manifestais pas assez de zèle, on me priait de cesser de bouder, parce que j'aurais bientôt, moi aussi, un bébé qui me rendrait heureuse. J'en doutais beaucoup – plus du bonheur que du bébé. Je passais le plus de temps possible dans ma chambre pour échapper à la gaieté de la cuisine et ruminer sur l'injustice du monde.

VII.

Stade

Le Testament olographe d'Ardua Hall

20.

Les crocus ont fané, les jonquilles ont pris une mine de parchemin, les tulipes ont exécuté leur danse agui-chante et retourné leurs jupes de pétales avant de s'en dépouiller pour de bon. Les herbes aromatiques que Tante Clover et sa clique de jardinières semi-végétariennes ont fait pousser dans les plates-bandes d'Ardua Hall sont splendides. *Voyons, Tante Lydia, il faut absolument que vous buviez ce thé à la menthe, il fera merveille pour votre digestion!* Ne vous mêlez pas de ma digestion, ai-je envie de leur répondre sèchement; mais elles veulent bien faire, me dis-je, histoire de me rappeler à plus de raison. Est-ce un argument convaincant quand on est en délicatesse avec d'aucuns?

Moi aussi, je voulais bien faire, me dis-je parfois en moi-même. Je voulais faire au mieux, du moins du mieux possible, ce qui n'est pas pareil. Cela posé, songe que ça aurait pu être bien pire sans moi.

Foutaises, répliqué-je certains jours. Même si, à d'autres moments, je me félicite. Qui a prétendu que la constance était une qualité?

Qui suit dans la valse des fleurs? Le lilas. Si fidèle. Si décoratif. Si parfumé. Ma vieille ennemie, Tante Vidala, ne va pas tarder à éternuer. Ses yeux se met-tront peut-être à gonfler, et alors elle ne pourra plus me surveiller en douce pour tenter de déceler dans ma rectitude théologique un dérapage, une faille, une faute susceptible de précipiter ma perte.

Comptez là-dessus, lui murmuré-je. Je me flatte d'avoir un coup d'avance sur vous. Mais pourquoi un seul ? Plusieurs. Déboulonnez-moi, et j'abattrai le temple.

Galaad a un problème de longue date, cher lecteur : pour le royaume de Dieu sur terre, il a un taux d'émigration embarrassant. L'exode de nos Servantes, par exemple : elles sont bien trop nombreuses à s'être enfuies. Ainsi que l'a révélé l'analyse des évasions réalisée par le Commandant Judd, nous avons à peine découvert et bloqué une route empruntée par les fuyardes qu'une autre s'ouvre aussitôt.

Nos zones tampons sont trop perméables. Les secteurs les plus sauvages du Maine et du Vermont constituent des espaces liminaires que nous ne contrôlons pas totalement et où les natifs, même sans être franchement hostiles, sont portés aux hérésies. Ils sont aussi, ma propre expérience me l'a appris, étroitement connectés par un réseau d'unions semblable à un tricot surréaliste et enclins à recourir à la vendetta quand on les asticote. De ce fait, il est difficile d'obtenir qu'ils se trahissent les uns les autres. Depuis quelque temps, on pense qu'ils comptent des guides dans leurs rangs, poussés soit par le désir de se montrer plus malins que Galaad, soit par la simple cupidité, car on sait que Mayday met la main à la poche. Un gars du Vermont tombé entre nos mains nous a confié qu'ils avaient un dicton : « Mayday, ça paie. »

Les collines et les marais, les rivières et leurs méandres, les larges baies bordées de galets ouvertes sur la mer et ses hautes marées – tout contribue à aider les clandestins. Dans la petite histoire de la région, on compte des gens spécialisés dans la contrebande d'alcool, de cigarettes, des trafiquants de drogue, des camelots écoulant toute sorte de marchandises illégales. Pour eux, les frontières n'existent pas : ils les franchissent sans problème, ils leur font des pieds de nez, l'argent change de mains.

Un de mes oncles en était. Notre famille ayant été ce qu'elle a été – résidents de terrain de caravaning, bouffeurs de flics, amateurs de justice parallèle –, mon père s'en montrait fier. Pas de moi, note : j'étais une fille et, pis, une fille qui prétendait tout savoir. Que faire sinon me délester de ces prétentions à coups de poing, de botte ou de tout autre accessoire approprié ? Il a eu la gorge tranchée avant le triomphe de Galaad, sinon je me serais débrouillée pour que quelqu'un s'en charge. Mais suffit, avec ces souvenirs de famille.

Très récemment, Tante Elizabeth, Tante Helena et Tante Vidala m'ont soumis un plan détaillé visant à instaurer un contrôle plus efficace. Il s'intitulait : *L'Opération Cul-de-sac. Plan pour éliminer le problème des émigrantes dans les territoires côtiers du Nord-Est.* Il passait en revue les mesures destinées à piéger les Servantes fuyant vers le Canada et réclamait une déclaration d'Urgence nationale avec deux fois plus de chiens policiers et de meilleures techniques d'interrogatoire. J'ai reconnu la patte de Tante Vidala dans ce dernier point : elle déplore secrètement que ni l'arrachage des ongles ni l'éviscération ne panachent notre liste de châtiments.

« Félicitations, ai-je dit. Ça m'a l'air très rigoureux. Je vais le lire avec la plus grande attention, et je peux vous assurer que le Commandant Judd partage vos préoccupations et prend des dispositions, que malheureusement je n'ai pas, à ce stade, la liberté de vous exposer.

— Loué soit-Il, a marmonné tante Elizabeth, qui n'avait pourtant pas l'air débordante de joie.

— Ce business d'évasion doit être écrabouillé une fois pour toutes», a déclaré Tante Helena en jetant un coup d'œil à Tante Vidala dans l'espoir d'être rassurée.

Elle a même tapé du pied pour appuyer sa déclaration, ce qui a dû lui faire mal, compte tenu de ses voûtes plantaires affaissées : elle s'est esquintée dans sa jeunesse en portant des talons Blahnik de plus de dix centimètres. À l'heure actuelle, rien que ces chaussures lui vaudraient une dénonciation.

«Absolument, ai-je répondu avec courtoisie. Et on dirait en effet qu'il s'agit d'un business, du moins en partie.

— On devrait déboiser toute la région, a ajouté Tante Elizabeth. Ils travaillent main dans la main avec Mayday au Canada.

— C'est ce que pense aussi le Commandant Judd, ai-je déclaré.

— Il faut que ces femmes, comme le reste d'entre nous, accomplissent le devoir que leur prescrit le Plan de Dieu, a décrété Tante Vidala. La vie, ce n'est pas une partie de plaisir.»

Même si elles avaient concocté leur projet sans m'en avoir demandé l'autorisation au préalable – acte d'insubordination –, je me suis sentie obligée de le transmettre au Commandant Judd, d'autant plus que, si je ne le faisais pas, il en entendrait forcément parler et noterait ma réticence.

Cet après-midi, toutes les trois sont revenues me voir. Elles étaient de très bonne humeur : des raids dans le nord de l'État de New York ont permis l'arrestation bigarrée de sept quakers, quatre partisans du retour à la terre, deux guides canadiens spécialisés dans la chasse à l'orignal et un trafiquant de citrons, chacun d'eux étant soupçonné d'être un maillon de la chaîne du Chemin clandestin. Dès qu'on leur aura soutiré toutes les autres informations qu'ils pourraient détenir, ils seront éliminés, sauf si on leur découvre une valeur négociable : les échanges d'otages entre Mayday et Galaad ne sont pas totalement exclus.

Je suis bien entendu au courant de ces développements.

« Félicitations, ai-je dit, chacune de vous doit pouvoir s'attribuer une part de mérite, ne serait-ce que sous le manteau. Le Commandant Judd aura le beau rôle, naturellement.

— Naturellement, a renchéri Tante Vidala.

— Nous sommes ravies de servir, a dit Tante Helena.

— Moi aussi, j'ai des nouvelles à partager avec vous, je les tiens du Commandant Judd en personne. Mais cela doit rester entre nous. »

Elles se sont penchées vers moi : tout le monde adore les secrets.

« Nos personnels ont éliminé deux agents très importants de Mayday au Canada.

— Sous Son Œil, a fait Tante Vidala.

— Nos Perles ont joué un rôle essentiel, ai-je ajouté.

— Loué soit-Il, s'est écriée Tante Helena.

— L'une d'elles est décédée. Tante Adrianna.

— Que lui est-il arrivé ? a demandé Tante Elizabeth.

— Nous attendons des éclaircissements.

— Nous allons prier pour son âme, a décrété Tante Elizabeth. Et Tante Sally ?

— Je crois qu'elle va bien.

— Loué soit-Il.

— Certainement. La mauvaise nouvelle, cependant, c'est que nous avons découvert une brèche dans nos défenses. Les deux agents de Mayday ont dû être aidés par des traîtres au sein même de Galaad. Quelqu'un d'ici leur aura transmis des messages – les renseignant sur nos opérations de sécurité, et même sur nos agents et volontaires au Canada.

— Qui ferait ça ? a protesté Tante Vidala. C'est de l'apostasie.

— L'Œil s'efforce de le découvrir, ai-je poursuivi, donc si vous remarquez quoi que ce soit de suspect... quoi que ce soit, de la part de qui que ce soit – même à Ardua Hall –, n'hésitez pas à m'en informer. »

Il y a eu un silence durant lequel elles se sont dévisagées. *Qui que ce soit à Ardua Hall* : elles comprises.

« Oh, sûrement pas, a protesté Tante Helena. Pensez à la honte qui rejaillirait sur nous toutes !

— Ardua Hall est au-dessus de tout soupçon, a affirmé Tante Elizabeth.

— Mais le cœur de l'homme est tortueux, a dit Tante Vidala.

— Nous devons essayer de déployer une vigilance accrue, ai-je insisté. En attendant, bravo. Vous me direz comment vous vous débrouillez des quakers et compagnie. »

Je note, je note ; en vain, je le crains souvent. Le flacon d'encre noire dont je me sers touche à sa fin : il faudra bientôt que je me mette au bleu. Je ne devrais pas avoir trop de mal à en réquisitionner un parmi les réserves de l'École Vidala : on y enseigne le dessin. Dans le temps, nous, les Tantes, pouvions nous procurer des stylos à bille au marché gris, mais c'est fini : notre fournisseur du Nouveau-Brunswick a été arrêté, il est passé en douce une fois de trop.

Mais je te parlais du van aux vitres fumées – non, en revenant une page en arrière, je vois que nous étions arrivées au stade.

Dès qu'on a mis pied à terre, Anita et moi, on nous a poussées sans ménagement vers la droite. On a rejoint un troupeau d'autres femmes : je dis un troupeau parce que c'est ainsi qu'on nous traitait. Notre groupe a été canalisé vers une section des gradins, délimitée par une sorte de bande jaune typique des scènes de crime. On devait être une quarantaine. Quand on a été installées, on nous a retiré nos menottes. J'ai supposé qu'ils en avaient besoin pour d'autres.

Anita et moi nous sommes assises côte à côte. À ma gauche, une femme que je ne connaissais pas m'a dit être avocate ; à la droite d'Anita, il y avait une autre avocate. Derrière nous, quatre juges ; devant nous, quatre autres. Nous étions toutes juges ou avocates.

« Ils doivent nous répartir par profession », en a conclu Anita.

C'était le cas. Profitant d'un moment d'inattention des gardes, une femme au bout de notre rangée a réussi à communiquer avec une autre de la section voisine. Là, elles étaient toutes médecins.

On n'avait pas déjeuné et on ne nous a rien donné. Tout au long des heures qui ont suivi, des vans ont continué à arriver et à décharger leurs passagères récalcitrantes.

Aucune d'entre elles n'aurait pu être qualifiée de jeune. C'étaient des femmes d'âge mûr, des cadres en tailleur et à la coupe de cheveux impeccable. Elles n'avaient cependant pas de sacs : nous n'avions pas eu le droit de les prendre. Donc, pas de peignes, pas de rouges à lèvres, pas de miroirs, pas de petits paquets de pastilles pour la gorge, pas de mouchoirs en papier. C'est fou ce qu'on se sent nue sans ces bricoles. Ce qu'on se sentait nue, avant.

Le soleil tapait : on n'avait ni chapeau ni écran solaire, et je voyais déjà bien la teinte rouge cloquée qui serait la mienne au coucher du soleil. Par bonheur, les sièges avaient un dossier. Ils n'auraient pas été inconfortables si nous avions été là pour nous divertir. Mais le divertissement n'était pas au programme, et nous ne pouvions pas nous lever pour nous étirer : toute tentative en ce sens déclenchait des hurlements. Rester assis sans bouger devient forcément pénible et te met les fesses, le dos, les muscles des cuisses à rude épreuve.

C'était une douleur mineure, mais une douleur quand même.

Pour passer le temps, je me suis fait des reproches. Stupide, stupide, stupide : j'avais cru à tout ce bla-bla sur la vie, la liberté, la démocratie et les droits de la personne, que j'avais absorbé comme une éponge à la fac de droit. C'étaient des vérités éternelles, que nous défendrions toujours. J'avais compté là-dessus, façon gri-gri magique.

Tu te flattes d'être réaliste, me suis-je dit, affronte donc la réalité. Il y a eu un coup, ici aux États-Unis, du même ordre qu'avant dans des tas d'autres pays. Tout changement autoritaire de dirigeants est toujours suivi d'une offensive contre l'opposition. Or ce sont les gens instruits qui sont à la tête de l'opposition, ce sont donc les gens instruits qu'il faut éliminer en premier. Tu es juge, donc tu es instruite, que ça te plaise ou non. Ils ne voudront pas t'avoir dans leurs pattes.

J'avais passé ma jeunesse à faire des trucs dont on m'avait dit qu'ils me seraient impossibles. Dans ma famille, personne n'avait jamais mis les pieds à l'université, et ils m'ont méprisée quand j'y suis allée. J'y étais parvenue grâce à des bourses d'études et en me tapant des petits boulots la nuit. Ça t'endurcit. Tu deviens têtue. Je n'avais donc pas l'intention d'être éliminée, si j'avais mon mot à dire. Mais, ici, le vernis acquis à l'université ne risquait pas de me servir. Il fallait que j'en revienne à la gamine bornée et ultra défavorisée, à la tâcheronne résolue, à l'élève surdouée, au stratège en moi qui m'avaient permis de gravir l'échelle sociale, dont on venait de m'obliger à redescendre brutalement. Il allait falloir que j'avance mes pions, dès que j'aurais vu comment m'y prendre.

J'avais déjà été dans la panade. Je m'en étais sortie. Voilà ce que je me racontais.

Le milieu de l'après-midi nous a apporté des bouteilles d'eau que nous ont distribuées des trios d'hommes : un pour les charrier, un pour nous les remettre et un pour nous tenir en joue au cas où nous aurions bondi, en nous agitant furieusement et en essayant de mordre, tels les crocodiles que nous étions.

« Vous ne pouvez pas nous garder ici ! a protesté une femme. On n'a rien fait de mal !

— Nous n'avons pas le droit de vous parler », a répliqué le passeur de bouteilles.

Pas une seule d'entre nous n'avait eu l'autorisation d'aller aux toilettes. Des rigoles de pisse ont commencé à apparaître, à dévaler les gradins en direction du terrain. Ce traitement visait à nous humilier, à briser notre résistance, ai-je pensé, mais notre résistance à quoi ? Nous n'étions pas des espionnes, nous ne retenions aucune information secrète, nous n'étions pas les soldats d'une armée ennemie. Non ? Si je regardais un de ces hommes au fond des yeux, serait-ce un être humain qui me retournerait mon regard ? Et sinon, quoi ?

J'ai essayé de me mettre dans la peau des gens qui nous avaient parquées là. Que pensaient-ils ? Quel était leur objectif ? Comment comptaient-ils l'atteindre ?

À quatre heures de l'après-midi, on nous a offert un spectacle. Vingt femmes, de tailles et d'âges variés, toutes en tenue de ville, ont été conduites vers le milieu du terrain. Je dis bien conduites, parce qu'elles avaient les yeux bandés. Leurs mains étaient menottées devant elles. On les a alignées en deux rangées de dix. La rangée de devant a été forcée de se mettre à genoux, comme pour une photo de groupe.

Un homme en uniforme noir a déclaré dans un discours au microphone que l'Œil de Dieu ne manquait jamais de voir les pécheurs, que leurs péchés les trahiraient. Gardiens et assistants ont exprimé un sourd assentiment, qui ressemblait à une vibration.

Mmmmmm... On aurait cru un vrombissement de moteur.

« Dieu l'emportera », a conclu l'orateur.

Un chœur de barytons a fait « Amen ». Puis les hommes qui avaient escorté les femmes aux yeux bandés ont brandi leurs armes et fait feu. Ils visaient bien : les femmes se sont effondrées.

Assises sur les gradins, nous avons lâché un gémissement collectif. J'ai entendu des hurlements et des sanglots. Certaines ont bondi en hurlant – impossible de saisir leurs paroles –, un bon coup de crosse sur la nuque a eu tôt fait de les réduire au silence. Les coups ne se sont pas répétés ; un seul a suffi. Une fois encore, ils avaient bien visé : ces hommes étaient entraînés.

Nous étions là pour voir, pas pour parler – le message était clair. Cela étant, pourquoi ? S'ils devaient toutes nous tuer, pourquoi cette mise en scène ?

Le crépuscule nous a apporté des sandwiches, un chacune. Le mien était à la salade d'œufs. J'ai honte d'avouer que je l'ai avalé avec délectation. Il y a eu quelques haut-le-cœur sonores ici et là, mais étonnamment peu, vu la situation.

Après, on nous a donné l'ordre de nous lever. Puis on est descendues les unes derrière les autres, rangée après rangée – le processus s'est déroulé dans un silence inquiétant et avec une discipline extraordinaire –, et on nous a poussées dans les vestiaires *via* les couloirs qui y menaient. C'est là qu'on a passé la nuit.

Il n'y avait aucune commodité, pas de matelas ni d'oreillers, mais au moins il y avait des toilettes, déjà extrêmement sales. Pas un gardien n'était présent pour nous empêcher de parler, même si aujourd'hui je ne comprends pas du tout pourquoi on a pu imaginer que personne ne nous écoutait. Il faut dire qu'à ce moment-là aucune d'entre nous n'avait les idées claires.

Personne n'a éteint les lumières, ce qui tenait de la miséricorde.

Non, ça n'avait rien à voir avec la miséricorde. C'était plus commode pour les responsables. En ce lieu, la miséricorde était une qualité qui n'avait pas droit de cité.

VIII.

CARNARVON

21.

Assise dans la voiture d'Ada, j'ai essayé d'assimiler ce qu'elle m'avait dit. Melanie et Neil. Tués par une bombe devant Le Chien habillé. C'était impossible.

« Où on va ? » ai-je demandé.

C'était une question tellement normale qu'elle en paraissait stupide ; mais rien n'était normal. Pourquoi est-ce que je n'étais pas en train de hurler ?

« Je réfléchis », m'a répondu Ada.

Elle a jeté un coup d'œil dans son rétroviseur, puis elle a bifurqué vers une allée. La maison affichait un panneau avec RÉNOVATIONS ALTERNA marqué dessus. Toutes les baraques de notre quartier étaient constamment en restauration ; dès les travaux finis, quelqu'un rachetait et se relançait dans des travaux, ce qui rendait fous Neil et Melanie. Pourquoi dépenser tout cet argent à éventrer des maisons en parfait état ? grommelait Neil. Ça faisait grimper les prix et excluait les plus défavorisés du marché immobilier.

« On entre là ? »

J'étais subitement très fatiguée ; ce serait bien d'aller s'allonger dans une maison.

« Nan », a marmonné Ada.

Elle a sorti une petite clé à molette de son sac à dos en cuir et elle a démoli son téléphone sous mes yeux.

Il s'est brisé en de multiples éclats : la coque s'est fracassée, les entrailles métalliques de l'appareil se sont tordues et désagrégées.

« Pourquoi tu casses ton téléphone ?

— On n'est jamais trop prudent. »

Elle a glissé les débris dans un petit sac en plastique.

« Attends que cette bagnole soit passée, puis va jeter ça dans la poubelle là-bas. »

C'étaient des trucs de dealers – ils utilisaient des téléphones jetables. Du coup, je ne me suis plus sentie aussi sûre de vouloir la suivre. Elle n'était pas seulement sévère, elle était terrifiante.

« Merci d'être venue me chercher, ai-je bredouillé, mais il faudrait que je retourne à l'école maintenant. Je peux les prévenir de l'explosion, ils sauront quoi faire.

— Tu es sous le choc. Ce n'est pas étonnant.

— Ça va, j'ai dit alors que ça n'allait pas. Je peux descendre ici.

— C'est toi qui vois. Mais ils seront obligés de te signaler aux services sociaux, qui te colleront en foyer ou en famille d'accueil, et va savoir comment ça tournera ? »

Je n'y avais pas pensé.

« Donc, une fois que tu auras balancé mon téléphone, soit tu remontes en voiture, soit tu continues à marcher. À toi de choisir. Simplement, ne rentre pas chez toi. Ce n'est pas un ordre, c'est un conseil. »

J'ai fait ce qu'elle m'avait demandé. À présent qu'elle avait résumé les options qui s'offraient à moi, je n'avais pas vraiment le choix. De retour dans la voiture, j'ai commencé à renifler, pourtant Ada n'a pas bronché, à part me tendre un mouchoir en papier. Elle a fait demi-tour et pris la direction du sud. Elle conduisait vite et bien.

« Je sais que tu n'as pas confiance en moi, m'a-t-elle dit au bout d'un moment, mais il le faut. Si ça se trouve, à l'heure qu'il est, les gens qui ont posé cette bombe dans la voiture sont à tes trousses. Je ne dis pas que c'est vrai, je n'en sais rien, cependant, tu es en danger.»

En danger... c'était ce qu'ils disaient aux informations à propos des enfants qu'on retrouvait tabassés à mort malgré les multiples signalements des voisins, ou des femmes qui avaient fait du stop parce qu'il n'y avait pas de bus et que le chien de quelqu'un dénichait, la nuque brisée, enterrées sous une mince couche de terre. Je me suis mise à claquer des dents, alors que l'air était brûlant et poisseux.

Je ne la croyais pas vraiment, mais quand même.

«On pourrait aller trouver la police, ai-je suggéré timidement.

— C'est des nuls.»

J'avais entendu parler de la nullité de la police – Neil et Melanie professaient régulièrement cette opinion. Elle a allumé la radio de la voiture : musique apaisante avec des harpes.

«Pour le moment, évite de penser à quoi que ce soit, a-t-elle ajouté.

— T'es flic ?

— Non.

— Tu es quoi alors ?

— Moins on en dit, mieux c'est.»

On s'est arrêtées devant un grand bâtiment rectangulaire. Temple et Société religieuse des Amis (Quakers), indiquait l'enseigne. Ada s'est garée derrière, à côté d'un van gris.

«Voilà notre prochaine carriole», m'a-t-elle annoncé.

On est entrées par la porte latérale. Ada a adressé un signe de tête à l'homme assis à un petit bureau.

«Elijah, a-t-elle dit. On a des trucs à régler.»

Je lui ai adressé à peine un regard. J'ai suivi Ada à travers le temple à proprement parler, avec son silence caverneux, ses échos et son odeur légèrement glacée, puis on a pénétré dans une pièce plus vaste,

plus lumineuse et climatisée. Il y avait une rangée de lits
– de lits de camp plutôt – avec, sur certains, des femmes
allongées sous des couvertures, toutes de différentes
couleurs. Dans un autre coin, il y avait cinq fauteuils et
une table basse. Plusieurs femmes installées là parlaient
à mi-voix.

« On ne dévisage pas les gens, m'a ordonné Ada.
On n'est pas au zoo.

— C'est quoi, cet endroit ?

— SanctuHome, l'organisation pour les réfugiés de
Galaad. Melanie travaillait avec eux, et Neil aussi, dans
un autre domaine. Maintenant, je veux que tu t'asseyes
dans ce fauteuil et que tu te fasses toute petite. Ne bouge
pas, ne dis pas un mot. Ici, tu es en sûreté. Il faut que
j'arrange quelques trucs pour toi. Je serai de retour dans
une heure peut-être. Ils vont te faire absorber un peu de
sucre, tu en as besoin. »

Elle est allée dire quelques mots à une des responsables, puis elle est vite ressortie par la porte latérale.
Au bout d'un moment, la femme m'a apporté une tasse
de thé chaud et sucré et un petit gâteau aux pépites de
chocolat, m'a demandé si tout allait bien, si j'avais
besoin d'autre chose, et j'ai répondu que non. Mais elle
est quand même revenue avec une couverture, une vert
et bleu, dont elle m'a enveloppée.

J'ai réussi à boire un peu de thé et, du coup, j'ai
cessé de claquer des dents. De mon siège, j'ai observé
la ronde des pieds, comme avant, au Chien habillé.
Plusieurs femmes sont entrées, dont une avec un bébé.
Elles avaient vraiment l'air ravagées, effrayées aussi.
Les femmes de SanctuHome les ont accueillies avec
gentillesse et leur ont dit : « Vous êtes ici maintenant,
tout va bien », et les femmes de Galaad ont fondu en
larmes. À l'époque, j'ai pensé : Pourquoi pleurer, vous
devriez être heureuses, vous vous en êtes tirées. Mais
après tout ce qui m'est arrivé, je les comprends. On
garde ça en soi, peu importe ce que c'est, jusqu'à ce que

le pire soit passé. Puis, une fois en sécurité, on est libre de répandre toutes les larmes qu'on n'avait pas eu le temps de verser avant.

Les femmes lâchaient des bribes de phrases entre deux hoquets :

S'ils décident que je dois repartir…
J'ai été obligée de laisser mon fils là-bas, est-ce qu'il n'y a pas moyen de…
J'ai perdu le bébé. Il n'y avait personne…

Les responsables leur remettaient des mouchoirs en papier. Elles disaient calmement des choses du style : *Il faut que vous soyez forte.* Elles cherchaient à apaiser la situation, mais quand on conseille à quelqu'un d'être fort, des fois, ça lui met une sacrée pression sur les épaules. C'est aussi un truc que j'ai appris.

Au bout d'une heure environ, Ada est revenue.
« Tu es toujours en vie », a-t-elle dit.
Si c'était une blague, elle n'était pas drôle. Je l'ai juste fixée avec de grands yeux.
« Il faut que tu te sépares de ton plaid.
— Hein ? »
Il me semblait qu'elle parlait une autre langue.
« Je sais que c'est dur pour toi, mais là, on n'a pas le temps pour ça, il faut qu'on dégage rapidement. Je ne veux pas être alarmiste, mais on a un problème. Allez, on va se changer. »
Elle m'a attrapée par le bras et arrachée au fauteuil ; elle avait une force surprenante.
On est passées devant toutes les femmes et on est entrées dans une pièce du fond où il y avait une table pleine de T-shirts et de pulls, et deux présentoirs avec des cintres. J'ai reconnu certains trucs : c'était ici qu'atterrissaient les dons du Chien habillé.

«Choisis quelque chose que tu ne mettrais jamais dans ta vie de tous les jours, m'a conseillé Ada. Il faut que tu aies l'air totalement différente.»

J'ai déniché un T-shirt noir frappé d'une tête de mort blanche, une paire de leggings, noirs avec des têtes de mort blanches. J'y ai ajouté des baskets noir et blanc et des chaussettes. Tout était d'occasion. Je n'ai pas pu m'empêcher de penser aux poux et aux punaises : quand on essayait de lui vendre des affaires, Melanie demandait toujours si elles avaient été lavées ou nettoyées. Une fois, on avait eu des punaises à la boutique et ça avait été un cauchemar.

«Je me retourne», a dit Ada.

Il n'y avait pas de cabine. Je me suis tortillée pour enlever mon uniforme scolaire et j'ai enfilé ma nouvelle tenue. J'avais la sensation de fonctionner au ralenti. Et si elle était en train de me kidnapper ? ai-je songé, totalement dans le cirage. *Kidnapping*. C'était le lot des filles victimes de la traite et réduites à l'état d'esclaves sexuelles – on avait appris ça à l'école. Mais des filles comme moi ne se faisaient pas kidnapper, sauf des fois par des hommes qui se faisaient passer pour des agents immobiliers et qui les enfermaient dans un sous-sol. Des fois, les mecs de ce genre avaient des complices femmes. Ada en était-elle une ? Et si son histoire sur Neil et Melanie qui avaient sauté dans leur voiture était un piège ? Ils flippaient peut-être tous les deux parce que j'étais pas revenue. Ils étaient peut-être en train d'appeler l'école, ou même la police, qu'ils considéraient pourtant comme des nuls.

Ada avait beau me tourner le dos, je sentais bien que si j'envisageais de fuir – en empruntant la porte latérale du temple, par exemple –, elle le saurait d'avance. Et en supposant que je coure, où est-ce que j'irais ? Le seul endroit où j'avais envie d'aller, c'était chez moi, mais si Ada m'avait dit la vérité, j'avais pas intérêt. De toute façon, si Ada m'avait dit la vérité, ce ne serait plus chez moi sans Neil et Melanie. Qu'est-ce que je ferais toute seule dans une maison vide ?

« Je suis prête. »

Ada s'est retournée.

« Pas mal. »

Elle a retiré son blouson noir, l'a fourré dans un sac de transport, puis elle a enfilé un blouson vert accroché au présentoir. Ensuite, elle a relevé ses cheveux et a chaussé une paire de lunettes de soleil.

« Lâche tes cheveux », m'a-t-elle conseillé.

J'ai enlevé mon chouchou et j'ai secoué la tête. Elle m'a déniché une paire de lunettes de soleil : des verres orange à effet miroir. Elle m'a tendu un rouge à lèvres et je me suis dessiné une nouvelle bouche rouge.

« Fais la loubarde. »

Comment m'y prendre ? Je n'en avais pas idée, n'empêche j'ai essayé. J'ai pris un air renfrogné et j'ai fait la moue en ourlant bien mes lèvres couvertes de cire rouge.

« Voilà, a-t-elle déclaré. On ne sait jamais. Notre secret sera bien gardé. »

C'était quoi, notre secret ? Que je n'existais plus officiellement ? Quelque chose dans ce style.

22.

On est montées dans le van gris et on a roulé un moment. Ada surveillait attentivement les voitures derrière nous. Puis on s'est enfoncées dans un dédale de petites rues avant de s'engager dans l'allée d'une grande et vieille demeure en *brownstone*. Dans le demi-cercle qui avait peut-être abrité autrefois un parterre fleuri et gardait encore des vestiges de tulipes au milieu des herbes hautes et des pissenlits, un panneau affichait la photo d'un immeuble d'habitation.

« On est où ?

— À Parkdale », m'a répondu Ada.

Je n'avais encore jamais mis les pieds à Parkdale, mais j'en avais entendu parler : des gamins de l'école, amateurs de drogue, estimaient que c'était un endroit cool, formule classique pour les zones urbaines délabrées en voie de gentrification. Dans le quartier, il y avait quelques boîtes de nuit tendance pour ceux qui étaient prêts à mentir sur leur âge.

La grande demeure s'élevait sur un vaste terrain miteux où se dressaient deux arbres énormes. Personne n'avait balayé les feuilles tombées depuis longtemps et on apercevait quelques bouts de plastique colorés, rouges et argent, au milieu des amoncellements de débris.

Ada s'est dirigée vers la maison et a jeté un regard derrière elle pour s'assurer que je la suivais bien.

« Ça va ?

— Oui. »

La tête me tournait un peu. J'ai avancé dans ses pas sur le dallage inégal : il m'a paru spongieux, comme si mon pied risquait de le traverser à tout moment. Le monde n'était plus ni solide ni fiable, il était poreux et traître. Tout était susceptible de disparaître. En même temps, tout ce que je regardais était extrêmement net. On aurait dit une de ces peintures surréalistes qu'on avait étudiées à l'école, l'année d'avant. Montres fondues dans le désert, solides mais irréelles.

Des marches imposantes menaient au porche encadré d'une arche en pierre sur laquelle, gravé de cette écriture celtique qu'on voit parfois à Toronto sur des bâtiments plus anciens, un nom – CARNARVON – se détachait au milieu de feuilles et de visages d'elfe ; on avait sans doute voulu donner un côté espiègle à ces sculptures, mais je les ai trouvées malveillantes. Pour l'heure, tout me paraissait malveillant.

Le porche sentait la pisse de chat. La porte, lourde et large, était piquée de têtes de clous noirs. Des graffeurs s'étaient escrimés dessus à la peinture rouge : calligraphie pointue, leur signature, et un mot plus lisible, VOMI peut-être.

En dépit de son aspect vétuste, la porte s'ouvrait avec un badge d'accès. À l'intérieur, une vieille moquette prune recouvrait le sol du vestibule, et un large escalier tournant doté de belles rampes incurvées menait à l'étage.

« Ça a été une maison de rapport pendant un moment, m'a expliqué Ada. Maintenant, ce sont des appartements meublés.

— Et c'était quoi au départ ? ai-je demandé en m'appuyant au mur.

— Un pavillon d'été. Pour les riches. Allez, on va t'aider à monter, tu as besoin de t'allonger.

— C'est quoi Carnarvon ?»

J'avais un peu de mal à gravir les marches.

— Un endroit au pays de Galles. Quelqu'un devait avoir le mal du pays.»

Elle m'a pris le bras.

«Bon, compte les marches.»

Maison, j'ai pensé. Encore un peu, j'allais me remettre à renifler. J'ai essayé de ne pas craquer.

On est arrivées en haut de l'escalier. Il y avait une autre lourde porte, une autre serrure magnétique. Et derrière, un séjour meublé d'un canapé, de deux fauteuils, d'une table basse et d'une table à manger.

«Il y a une chambre pour toi», m'a dit Ada.

Mais j'étais pas pressée de la voir. Je me suis affalée sur le canapé. Tout d'un coup, j'avais plus de forces ; j'avais l'impression que je ne pourrais pas me relever.

«Tu recommences à grelotter, a constaté Ada. Je vais baisser la clim.»

Elle est allée me chercher une couette, blanche, toute neuve, dans une des chambres.

Tout dans la pièce était d'une réalité exacerbée. Une sorte de plante d'intérieur trônait sur la table, mais elle était peut-être en plastique – elle avait des feuilles caoutchouteuses, brillantes. Les murs étaient tapissés de papier rose, avec des motifs d'arbres plus foncés. J'ai remarqué des trous de clous là où il avait dû y avoir des tableaux. Ces détails étaient si frappants qu'ils paraissaient quasiment miroiter, comme s'ils étaient éclairés par-derrière.

J'ai fermé les paupières pour me protéger de la lumière. J'ai dû somnoler, parce que subitement ça a été le soir et Ada a allumé la télé. J'imagine que c'était pour que je sache – comme ça, je comprendrais qu'elle ne m'avait pas menti –, mais ça a été brutal. Les décombres du Chien habillé – les fenêtres explosées, la porte béante. Des bouts de tissu éparpillés sur le trottoir. Devant, la carcasse de la voiture de Melanie, ratatinée comme un marshmallow grillé. Deux voitures de police à proximité et la bande jaune avec laquelle ils délimitaient une zone sinistrée. Pas trace de Neil ou de Melanie, ce qui m'a fait plaisir : j'aurais eu horreur de voir leur chair noircie, carbonisée, leurs cheveux réduits en cendres, leurs os à moitié brûlés.

La télécommande était posée sur une petite table à côté du canapé. J'ai baissé le son : je n'avais pas envie d'entendre la voix calme du présentateur évoquer cet événement comme il aurait parlé d'un politicien montant à bord d'un avion. Lorsque la voiture et la boutique eurent disparu et que la tête du journaliste a surgi, façon ballon fantaisie, j'ai éteint le poste.

Ada a débarqué de la cuisine. Elle m'apportait un sandwich sur une assiette : salade de poulet. J'ai dit que je n'avais pas faim.

« Il y a une pomme. Ça te tente ?

— Non, merci.

— Je sais que c'est bizarre, tout ça », a-t-elle ajouté.

Je n'ai rien répondu. Elle est sortie, puis elle est revenue.

« Je t'ai déniché un gâteau d'anniversaire. Il est au chocolat. Et de la glace à la vanille. Ce que tu préfères. »

Il était placé sur une assiette blanche et il y avait une fourchette en plastique. Comment savait-elle ce que je préférais ? Melanie avait dû le lui dire. Ils avaient dû parler de moi. L'assiette blanche m'éblouissait. Une bougie, une seule, était piquée dans le bout de gâteau. Plus jeune, j'aurais fait un vœu. Que serait mon vœu à présent ? Qu'on revienne en arrière ? Qu'on soit hier ? Je me demande combien de gens ont déjà fait ce genre de vœu.

« Où sont les toilettes ? » ai-je demandé.

Elle me l'a dit, j'y suis allée et j'ai vomi. Puis je me suis rallongée sur le canapé en frissonnant. Au bout d'un moment, Ada m'a apporté du *ginger ale*.

«Il faut que tu remontes ton taux de glycémie», m'a-t-elle expliqué.

Elle est ressortie de la pièce et a éteint les lumières.

C'était comme si j'étais à la maison après être rentrée de l'école avec la grippe. Les autres te bordaient, t'apportaient des trucs à boire, et c'étaient eux qui s'occupaient de la vie courante pour que t'aies pas à le faire. Ce serait bien de rester comme ça éternellement : je n'aurais plus jamais à penser à quoi que ce soit.

Au loin, il y avait les bruits de la ville : la circulation, les sirènes, un avion au-dessus de ma tête. Dans la cuisine, Ada s'affairait ; elle se déplaçait avec légèreté et vivacité, à croire qu'elle marchait sur la pointe des pieds. J'ai entendu le murmure de sa voix, elle parlait au téléphone. Elle était responsable, mais de quoi ? impossible à dire ; n'empêche, j'ai eu la sensation que quelqu'un me berçait, me serrait dans ses bras. Derrière mes paupières fermées, j'ai entendu la porte de l'appartement s'ouvrir, marquer un temps, puis se refermer.

23.

Lorsque je me suis réveillée, c'était le matin. Je n'avais pas idée de l'heure qu'il était. Avais-je fait la grasse matinée, étais-je en retard pour l'école ? Puis la mémoire m'est revenue : c'était fini, l'école, je n'y retournerais jamais, ni dans aucun endroit que j'avais connu.

J'étais dans une des chambres de Carnarvon, sous la couette blanche, je portais toujours mon T-shirt et mon legging, en revanche je n'avais plus ni chaussures ni chaussettes. Il y avait une fenêtre, dont le store à enrouleur était baissé. Je me suis assise prudemment. J'ai remarqué du rouge sur la taie d'oreiller, mais ce n'était que le rouge à lèvres de la veille. Si je n'avais plus ni nausée ni tournis, j'étais dans le sirop. Je me suis gratté consciencieusement le crâne et arraché les cheveux. Un jour où j'avais mal à la tête, Melanie m'avait dit que s'arracher les cheveux faisait affluer le sang vers le cerveau, que c'était pour ça que Neil avait cette manie.

Une fois debout, je me suis sentie plus réveillée. Je me suis observée dans le grand miroir mural. Même si apparemment j'étais pareille, je n'étais plus la même personne que la veille. J'ai ouvert la porte et j'ai suivi le couloir, pieds nus, jusqu'à la cuisine.

Ada n'y était pas. Elle se trouvait au salon, dans des fauteuils, avec une tasse de café. Sur le canapé, j'ai reconnu l'homme devant lequel on était passées quand on était entrées par la porte latérale de SanctuHome.

« Tu es réveillée », a dit Ada.

Les adultes ont la manie d'énoncer des évidences – *Tu es réveillée* était un truc que Melanie aurait pu me sortir, comme si c'était un exploit –, et ça m'a déçue de constater qu'Ada ne faisait pas exception à la règle.

J'ai regardé l'homme et il m'a regardée. Il portait un jean noir, des sandales, un T-shirt gris sur lequel était marqué TWO WORDS, ONE FINGER et une casquette de baseball des Blue Jays. Je me suis demandé s'il savait ce que voulait dire son T-shirt.

Il devait avoir cinquante ans, mais ses cheveux étaient bruns et épais, alors il était peut-être plus jeune. Son visage ressemblait à du cuir froissé, et il avait une cicatrice sur le haut de la joue. Il m'a souri en découvrant des dents blanches où il lui manquait une molaire à gauche. Quand quelqu'un a une dent en moins comme ça, ça lui donne un air de criminel.

Ada a pointé le menton vers l'inconnu :

« Tu te rappelles Elijah, de SanctuHome. Un ami de Neil. Il est là pour nous aider. Il y a des céréales dans la cuisine.

— Après on pourra parler », a ajouté l'homme.

Les céréales étaient du genre que j'aimais, des O ronds à base de haricots. Je suis revenue au salon avec mon bol, me suis assise dans le second fauteuil et j'ai attendu qu'ils prennent la parole.

Ni l'un ni l'autre n'a rien dit. Ils se consultaient du regard. J'ai mangé deux cuillerées avec précaution, au cas où mon estomac serait encore dérangé. Dans mes oreilles, j'entendais les céréales qui croquaient sous mes dents.

« Par quel bout je commence ? a demandé l'homme.

— Jette-toi à l'eau.

— Soit. »

L'homme m'a fixée droit dans les yeux.

«Hier, ce n'était pas ton anniversaire.»

Ça m'a surprise.

«Si. Le 1er mai. J'ai eu seize ans.

— En réalité, tu as quatre mois de moins», a insisté Elijah.

Comment prouver sa date de naissance? Je devais bien avoir un certificat, mais où est-ce que Melanie le rangeait?

«C'est dans mon carnet de santé. Ma date de naissance.

— Réessaie», a conseillé Ada au bonhomme.

Il a fixé la moquette.

«Melanie et Neil n'étaient pas tes parents.

— Bien sûr que si! Pourquoi vous dites ça?»

J'ai senti les larmes me monter aux yeux. Un autre vide s'ouvrait dans la réalité : Neil et Melanie s'effaçaient, changeaient de forme. Je me rendais compte que je ne connaissais vraiment pas grand-chose d'eux, ni de leur passé. Ils n'en avaient pas beaucoup parlé, et je ne leur avais pas posé de questions. On ne pose pas tellement de questions à ses parents pour savoir qui ils sont, pas vrai?

«Je sais que c'est éprouvant pour toi, a poursuivi Elijah, mais c'est important, donc je vais me répéter. Neil et Melanie n'étaient pas tes parents. Désolé d'être aussi direct, c'est juste qu'on n'a pas trop de temps.

— C'était qui alors?»

Je clignais des yeux. Une larme a roulé malgré tout; je l'ai essuyée.

«Ils n'étaient pas de ta famille. On t'a confiée à eux quand tu étais bébé. Pour plus de sûreté.

— C'est pas vrai.»

N'empêche, j'étais moins convaincue.

«On aurait dû te prévenir plus tôt, a fait Ada. Ils ne voulaient pas que tu t'inquiètes. Ils comptaient te parler le jour où ils...»

Sa voix s'est éteinte et elle a pincé les lèvres. Elle avait gardé un silence total sur la mort de Melanie, comme si elles n'avaient pas du tout été amies, mais là j'ai vu qu'elle était vraiment bouleversée. Du coup, je l'ai trouvée plus sympa.

« Une partie de leur mission, c'était de te protéger et d'assurer ta sécurité, a continué Elijah. Je regrette d'être le messager. »

Derrière l'odeur de mobilier neuf qui flottait dans la pièce, j'ai perçu l'odeur de savon de ménage, moite et dense, d'Elijah. Du savon de ménage bio. C'était le genre dont Melanie se servait. S'était servie.

« C'était qui, alors ? ai-je murmuré.

— Neil et Melanie étaient des membres très expérimentés et précieux de…

— Non. Mes autres parents. Mes vrais parents. C'était qui ? Ils sont morts, eux aussi ?

— Je vais refaire du café, a décrété Ada en se levant pour aller à la cuisine.

— Ils sont toujours vivants, m'a répondu Elijah. Du moins, ils l'étaient hier. »

Je l'ai regardé fixement. Est-ce qu'il me mentait ? Pourquoi l'aurait-il fait ? S'il avait voulu me raconter des craques, il aurait pu trouver mieux.

« J'y crois pas, j'ai répliqué. Je comprends même pas pourquoi tu sors des trucs pareils. »

Ada est revenue dans la pièce avec une grande tasse de café, a dit : « Quelqu'un d'autre en veut une ? Servez-vous » et « Peut-être que tu as besoin d'un peu de temps à toi pour réfléchir. »

Réfléchir à quoi ? Qu'y avait-il à réfléchir ? Mes parents avaient été assassinés, mais ce n'étaient pas mes vrais parents, et deux autres parents les avaient remplacés.

« À quoi ? ai-je balbutié. Je n'en sais pas assez pour réfléchir à quoi que ce soit.

— Qu'est-ce que tu aimerais savoir ? m'a demandé Elijah d'une voix gentille et lasse.

« — Comment ça s'est passé ? Où sont mes vrais... mes autres père et mère ?

— Tu connais beaucoup de choses sur Galaad ?

— Bien sûr. Je regarde les infos. On a travaillé dessus à l'école, ai-je déclaré d'un ton maussade. J'ai participé à la manif. »

À ce moment-là, j'avais envie que Galaad disparaisse en fumée et nous fiche la paix.

« C'est là que tu es née. À Galaad.

— Vous rigolez !

— Mayday et ta mère t'ont sortie clandestinement. Ils ont risqué leur vie. Galaad en a fait tout une histoire ; ils voulaient te récupérer. Ils ont dit que tes parents prétendument légaux avaient le droit de te réclamer. Mayday t'a cachée ; des tas de gens t'ont cherchée, et il y a eu un sacré battage médiatique.

— Comme Bébé Nicole, ai-je résumé. J'ai écrit un essai sur elle en classe. »

De nouveau, Elijah a fixé le sol. Puis il m'a regardée droit dans les yeux.

« Bébé Nicole, c'est toi. »

IX.

Le Débourroir

Le Testament olographe d'Ardua Hall

24.

Cet après-midi, un Œil junior m'a remis en main propre une nouvelle convocation de la part du Commandant Judd. Le Commandant aurait très bien pu décrocher son téléphone pour discuter de son affaire – il y a une ligne directe entre son bureau et le mien, et un téléphone rouge – mais, comme moi, il ne peut pas savoir qui d'autre risque d'écouter. De plus, je crois qu'il apprécie nos petits tête-à-tête, pour des raisons complexes et perverses. Dans son esprit, c'est lui qui m'a faite : je suis l'incarnation de sa volonté.

« J'espère que vous allez bien, Tante Lydia, m'a-t-il dit tandis que je m'asseyais en face de lui.

— Je me porte à merveille, loué soit-Il. Et vous-même ?

— Je suis en bonne santé. Hélas ! je crains que ma femme ne soit souffrante. Quel poids sur mon âme ! »

Ça ne me surprend pas. La dernière fois que je l'ai vue, l'Épouse de Judd m'a paru rudement défraîchie.

« C'est une triste nouvelle. De quelle affection vous semble-t-il s'agir ?

— Ce n'est pas clair. (Ça ne l'est jamais.) Un mal touchant aux organes internes.

— Aimeriez-vous que je vous envoie quelqu'un de notre clinique Douceur & Langueur pour l'examiner ?

— Peut-être pas tout de suite. Il s'agit vraisemblablement d'un problème mineur, ou même imaginaire, allez savoir, c'est le cas de bien des plaintes féminines.»

Il y a eu un silence pendant lequel nous nous sommes regardés. Il était à craindre qu'il ne soit bientôt veuf une fois de plus, et en quête d'une nouvelle femme tout juste sortie de l'enfance.

«Si je peux faire quoi que ce soit pour vous aider, j'en serais ravie, ai-je dit.

— Merci, Tante Lydia. Vous me comprenez si bien, m'a-t-il répondu en souriant. Néanmoins, ce n'est pas pour ça que je vous ai priée de venir ici. Nous avons pris position quant au décès de la Perle que nous avons perdue au Canada.

— Qu'est-ce qui a transpiré au juste?»

Je connaissais déjà la réponse, mais n'avais aucune envie de m'en ouvrir.

«D'après la version canadienne officielle, il s'agit d'un suicide.

— Cette nouvelle m'accable. Tante Adrianna était une des plus fidèles et des plus efficaces… J'avais une grande confiance en elle. Elle était d'un courage exceptionnel.

— Selon notre propre version, les Canadiens dissimulent la vérité, et ce sont les terroristes de Mayday, ces dépravés, encouragés par le laxisme avec lequel le Canada tolère leur présence illégale, qui ont assassiné Tante Adrianna. Cela dit, de vous à moi, nous sommes perplexes. Comment nous y retrouver? Allez savoir si elle n'a pas été victime d'un drogué qui l'aura frappée à l'aveuglette, comme c'est si souvent le cas dans cette société décadente. Tante Sally était juste à deux pas en train d'acheter des œufs. Quand, en revenant, elle a découvert la tragédie, elle a sagement décidé qu'un prompt retour à Galaad était pour elle la meilleure option.

— Fort sagement», ai-je reconnu.

À son brusque retour, Tante Sally, visiblement très secouée, était venue directement me trouver. Puis elle m'avait décrit la manière dont Tante Adrianna avait succombé.

«Elle m'a attaquée. Sans prévenir, juste avant qu'on aille au consulat. Je ne comprends pas pourquoi! Elle m'a sauté dessus et a essayé de m'étrangler. J'ai riposté. Il fallait bien que je me défende, m'a-t-elle expliqué en sanglotant.

— Un épisode psychotique, ai-je déclaré. Il arrive que la pression due à un environnement nouveau et débilitant, comme le Canada, provoque une telle réaction. Tu as bien réagi. Tu n'avais pas le choix. Je ne vois aucune raison d'informer qui que ce soit d'autre, non?

— Oh, merci, Tante Lydia. Je regrette tellement ce qui s'est passé.

— Prie pour l'âme d'Adrianna, puis chasse cet incident de ton esprit. As-tu autre chose à me raconter?

— Eh bien, vous nous aviez demandé de rechercher Bébé Nicole. Le couple qui tenait Le Chien habillé avait une fille à peu près du même âge.

— Voilà une spéculation intéressante. Tu comptais envoyer un rapport par le biais du consulat? Au lieu d'attendre ton retour pour m'en parler directement?

— Eh bien, j'estimais qu'il fallait que vous soyez tout de suite alertée. Tante Adrianna jugeait au contraire que c'était prématuré et s'y opposait violemment. On s'est disputées. Je soutenais que c'était important, m'a confié Sally sur la défensive.

— Assurément, ça l'était. Mais risqué. Un tel rapport aurait pu déclencher une rumeur sans fondement, et se solder par de fâcheuses conséquences. Nous avons tellement de fausses alertes, et tous les employés du consulat sont de potentiels agents de l'Œil. Ils sont capables d'être très brusques; ils manquent de finesse. Il y a toujours une raison à mes instructions. À mes ordres. Les Perles n'ont pas à prendre d'initiative sans autorisation.

— Oh, je n'avais pas conscience... je ne pensais pas. Mais quand même, Tante Adrianna n'aurait pas dû...

— Moins on en dit, mieux on se porte. Je sais que tu voulais bien faire », lui ai-je dit pour l'apaiser.

Tante Sally a fondu en larmes.

« C'est vrai, je vous assure. »

L'enfer est pavé de bonnes intentions, ai-je eu la tentation de lui lancer. Je m'en suis abstenue.

« Où est la petite à présent ? Elle a dû aller quelque part après que ses parents ont été écartés de la scène.

— Je ne sais pas. Ils auraient peut-être dû attendre un peu avant de faire sauter Le Chien habillé. On aurait eu la possibilité de...

— Je suis de ton avis. J'ai sincèrement déconseillé la précipitation. Malheureusement, les agents de l'Œil au Canada sont jeunes et enthousiastes, et très amateurs d'explosions. Mais comment auraient-ils pu savoir ? »

Je me suis arrêtée et l'ai fixée de mon regard le plus pénétrant.

« Tu n'as fait part de tes soupçons sur ce possible Bébé Nicole à personne d'autre ?

— Non. Uniquement à vous, Tante Lydia. Et à Tante Adrianna avant qu'elle...

— Gardons cela pour nous, tu veux bien ? Inutile qu'il y ait un procès. Maintenant, je pense que tu as besoin de te reposer et de récupérer. Je vais t'organiser un séjour à Margery Kempe, notre jolie maison de retraite à Walden. Tu seras vite une tout autre femme. La voiture t'y emmènera dans une demi-heure. Et si le Canada s'agite au sujet de la malheureuse affaire de l'appartement – s'ils souhaitent t'interviewer ou même t'inculper de crime –, nous dirons simplement que tu as disparu. »

Je ne désirais pas la mort de Tante Sally ; je souhaitais juste la rendre incohérente. Et ce fut le cas. Le personnel de la maison de retraite Margery Kempe est discret.

Nouveaux remerciements larmoyants de Tante Sally. «Ne me remercie pas, lui ai-je dit. C'est moi qui devrais te remercier.»

«Tante Adrianna ne s'est pas sacrifiée en vain, disait le Commandant Judd. Grâce à vos Perles, nous avons adopté un plan d'action dont nous avons tiré grand profit : nous avons fait d'autres découvertes encore.»

J'ai senti mon cœur se serrer.

«Je suis heureuse que mes filles vous aient été utiles.

— Comme toujours, merci de votre initiative. Depuis notre descente dans la boutique de fripes que vos Perles nous avaient signalée, nous savons désormais avec certitude par quels moyens Mayday et leur contact inconnu à Galaad échangeaient leurs informations au cours de ces dernières années.

— Et quels étaient-ils, ces moyens ?

— Grâce à notre effraction – grâce à notre opération spéciale –, nous avons récupéré un appareil photo à micropoints. On est en train de le tester.

— À micropoints ? Qu'est-ce que c'est ?

— Une vieille technologie aujourd'hui obsolète, mais qui marche encore parfaitement. Les documents sont photographiés avec un appareil miniature qui les réduit à une taille microscopique. Puis ils sont fixés sur de minuscules points en plastique insérables dans n'importe quelle surface et, pourvu qu'il dispose d'un microscope suffisamment petit pour être dissimulé dans un stylo, par exemple, le récipiendaire les lira sans problème.

— Stupéfiant. Ce n'est pas pour rien qu'à Ardua Hall nous disons *Pen is Envy*!»

Il a éclaté de rire.

«Assurément. Nous qui manions le stylo devons veiller à ne pas nous attirer de reproches. En tout cas, Mayday a été malin de recourir à cette méthode : de nos jours, peu de gens y penseraient. Comme on dit, si on ne sait pas, on ne voit pas.

— Ingénieux.

— Ce n'est qu'une partie du problème – la partie Mayday. Comme je vous l'ai dit, il y a une partie Galaad – ceux qui reçoivent les micropoints ici et leur retournent la politesse avec des messages de leur cru. Nous n'avons toujours pas identifié cet ou ces individus.

— J'ai demandé à mes collègues d'Ardua Hall d'ouvrir l'œil et de tendre l'oreille.

— Et qui serait mieux placé que les Tantes pour ça ? Vous avez accès à n'importe quelle maison où vous décidez d'entrer, et votre superbe intuition féminine vous permet d'entendre des choses qui échappent aux pauvres sourds que nous sommes, nous les hommes.

— Nous serons encore plus malins que Mayday, ai-je affirmé en serrant les poings et en projetant la mâchoire en avant.

— Votre combativité me plaît, Tante Lydia, a-t-il déclaré. Quelle superbe équipe nous formons !

— La vérité l'emportera », ai-je ajouté.

J'espérais qu'il mettrait les tremblements qui m'agitaient sur le compte d'une vertueuse indignation.

« Sous Son Œil », a-t-il répondu.

Après cela, cher lecteur, j'ai eu besoin d'un reconstituant. J'ai mis le cap sur le Café Schlafly pour une tasse de lait chaud. Puis je suis venue ici, à la bibliothèque Hildegard, afin de poursuivre mon périple avec toi. Considère-moi comme un guide. Et toi comme un vagabond dans un bois sombre. Les choses ne vont pas tarder à s'assombrir encore.

Sur la dernière page du texte où nous nous sommes rencontrés, je t'ai amené au Stade, et c'est là que je vais reprendre. À mesure que le temps passait, une sorte de train-train s'est installé. On dormait la nuit, si on pouvait. On endurait les journées. On embrassait les pleureuses, même si je dois dire que les pleurs devenaient rasoirs. Les hurlements aussi.

Les premiers soirs, il y a eu des initiatives musicales – quelques femmes parmi les plus optimistes et énergiques se sont improvisées chefs de chœur et ont tenté d'interpréter des versions de «We Shall Overcome» et autres vieilles rengaines de la même farine qu'elles se rappelaient de leurs expériences de camps de vacances. Elles ont eu du mal à retrouver les paroles, mais au moins ça nous a apporté un peu de variété.

- Les gardiens n'ont pas réprimé ces efforts. Néanmoins, au troisième jour, l'entrain a commencé à s'émousser, les participantes à manquer et se sont élevés des grognements – «Silence, s'il vous plaît!», «Pour l'amour du ciel, la ferme!» –, si bien qu'après quelques protestations chagrinées – «J'essayais juste d'aider» – les jeannettes en chef ont renoncé à toute action.

Je n'appartenais pas aux chanteuses. Pourquoi gaspiller son énergie? Je n'étais pas d'humeur à chanter. Mon humeur à moi ressemblait davantage à celle d'un rat coincé dans un labyrinthe. Y avait-il un moyen de sortir de là? Quel était-il? Pourquoi étais-je là? Était-ce un test? Qu'essayaient-ils de découvrir?

Certaines femmes faisaient des cauchemars, tu l'imagines bien. À ces moments-là, elles gémissaient et se débattaient, ou se redressaient et poussaient des cris d'un genre nouveau. Je ne critique pas : moi aussi, j'en faisais. Faut-il que je t'en décrive un? Non. On se fatigue très facilement des cauchemars d'autrui, j'en ai parfaitement conscience pour avoir entendu un certain nombre de ce type de litanies. Quand les choses se gâtent, seuls nos propres cauchemars présentent de l'intérêt ou un certain sens.

Le matin, une sirène orchestrait le réveil. Celles qui n'avaient pas été délestées de leur montre – le délestage de montres s'était fait au petit bonheur – avaient rapporté qu'elle démarrait à six heures. Pain et eau au petit déjeuner. Quel suprême délice, ce pain! Certaines le dévoraient, se goinfraient, mais moi, je faisais durer ma part le plus longtemps possible. Mâcher et avaler te distraient de la rumination mentale abstraite. Et ça passe le temps.

Puis il y avait les queues devant les toilettes puantes, et bonne chance si les tiennes étaient bouchées, vu que personne ne risquait de venir les déboucher. Mon hypothèse ? Les gardiens se baladaient la nuit pour balancer divers bidules dans les cuvettes, histoire d'aggraver la situation. Les plus ordonnées ont bien essayé de nettoyer les lieux, mais quand elles ont vu à quel point c'était inutile, elles ont renoncé. Renoncer était la nouvelle norme, et je dois dire que c'était contagieux.

Ai-je dit qu'il n'y avait pas de papier hygiénique ? Et alors ? Sers-toi de ta main, essaie de laver tes doigts souillés sous le filet d'eau, qui parfois coulait des robinets et parfois non. Je suis sûre qu'ils avaient organisé ça délibérément aussi pour tour à tour nous galvaniser ou nous accabler, c'est selon. Je visualisais la jubilation sur le visage du crétin porté sur la torture des petits chats lorsqu'on lui confiait la responsabilité d'actionner la manette du débit d'eau.

On nous avait dit de ne pas boire à ces robinets, mais certaines ont eu la sottise de passer outre. Vomissements et diarrhées se sont ensuivis, pour ajouter à la joie générale.

Il n'y avait pas de serviettes en papier bien sûr. Pas de serviettes de quelque genre que ce soit. On s'essuyait les mains sur nos jupes, qu'on se les soit lavées ou pas.

Je suis désolée de m'appesantir autant sur les commodités, mais tu serais stupéfait de l'importance que prennent ces détails – ces équipements élémentaires qu'on considérait comme allant de soi et auxquels on ne pensait quasiment pas jusqu'à ce qu'on nous en prive. Dans mes rêveries – et on rêvassait toutes, vu l'inactivité dénuée de tout événement, il faut bien que le cerveau s'occupe –, je m'imaginais souvent une belle cuvette blanche et propre. Oh, et un lavabo pour faire bonne mesure, et un généreux flux d'eau pure et cristalline.

Naturellement, on s'est mises à puer. En plus de l'épreuve des toilettes, on dormait dans notre tenue de ville, sans avoir changé de sous-vêtements. Certaines d'entre nous étaient ménopausées, mais les autres non, de sorte que l'odeur du sang coagulé s'ajoutait à la sueur, aux larmes, à la merde et au vomi. Respirer, c'était avoir un haut-le-cœur.

Ils nous réduisaient à l'état d'animaux – d'animaux cloîtrés –, à notre nature animale. Ils nous mettaient le nez dans cette nature. Nous devions nous considérer comme moins qu'humaines.

Le reste de la journée se déroulait à la façon d'une fleur toxique, pétale après pétale, avec une lenteur atroce. Parfois, ils nous remettaient les menottes, parfois non, puis ils nous faisaient sortir en file indienne et nous obligeaient à nous asseoir dans les gradins sous le soleil brûlant et, un jour – ô bonheur –, sous une bruine fraîche. Cette nuit-là, on a senti le chien mouillé, mais moins les fluides corporels.

Heure après heure, on voyait les vans arriver, déverser leur contingent de femmes et repartir à vide. C'étaient les mêmes gémissements des nouvelles arrivantes, les mêmes aboiements et braillements des gardes. Quelle barbe, la tyrannie quand elle se met en place. Le scénario est immuable.

Au déjeuner, c'était encore des sandwiches et, un jour – le jour de la bruine –, des bâtonnets de carotte.

« Rien de tel qu'un repas équilibré », a commenté Anita.

On s'arrangeait pour être assises l'une à côté de l'autre la plupart du temps, et dormir à proximité. Avant cet épisode, nous n'étions pas amies intimes, juste des collègues, mais ça me faisait du bien d'être avec quelqu'un que je connaissais ; quelqu'un qui incarnait mes réussites d'avant, ma vie d'avant. On pourrait dire qu'on avait noué des liens affectifs.

«Tu étais rudement bonne, comme juge, m'a-t-elle chuchoté le troisième jour.

— Merci. Toi aussi», ai-je murmuré en retour.

Le *étais* m'a terrifiée.

Sur les autres de notre section, j'ai appris peu de choses. Leur nom, parfois. Le nom de leurs cabinets. Certaines étaient spécialisées dans les affaires familiales – divorces, gardes d'enfants et ainsi de suite –, je comprenais donc pourquoi elles avaient pu être ciblées, si les femmes étaient à présent les ennemies ; seulement, être dans l'immobilier, les contentieux, le notariat ou le droit des affaires n'offrait, semblait-il, aucune protection. Il suffisait d'un diplôme de droit et d'un utérus pour constituer une association fatale.

Pour les exécutions, les après-midi étaient privilégiés. C'était le même défilé de condamnées aux yeux bandés jusqu'au milieu du terrain. Au fil du temps, j'ai remarqué davantage de détails : comment se faisait-il que certaines puissent à peine marcher, que d'autres paraissent à peine conscientes ? Que leur était-il arrivé ? Et pourquoi avait-on choisi de les éliminer, elles ?

Le même bonhomme en uniforme noir beuglait dans un micro : *Dieu l'emportera !*

Puis les coups de feu, la chute en avant, les corps flasques. Puis le nettoyage. Il y avait un camion pour les cadavres. Étaient-ils enterrés ? Incinérés ? Ou cela représentait-il trop de tracasseries ? Peut-être les emmenait-on simplement à une décharge pour les abandonner aux corbeaux.

Le quatrième jour, il y a eu une variation : trois des tireurs étaient des femmes. Elles n'étaient pas en tenue de ville, mais portaient de longues tenues marrons qui

190

ressemblaient à des peignoirs, et des écharpes nouées sous le menton. Ça a attiré notre attention.

« Des monstres ! ai-je chuchoté à l'oreille d'Anita.

— Comment ont-elles pu ? » a-t-elle chuchoté en réponse.

Le cinquième jour, il y avait six femmes en marron parmi les tireurs. Et un formidable tumulte a éclaté quand l'une d'elles, au lieu de viser les femmes aux yeux bandés, a pivoté pour abattre un des hommes en uniforme noir. Immédiatement matraquée, elle est tombée à terre et a été criblée de balles. Un hoquet de surprise collectif a secoué les gradins.

Eh bien, ai-je songé. Voilà une porte de sortie.

Dans la journée, de nouvelles arrivantes venaient grossir notre groupe de juristes et de juges. Ledit groupe ne changeait cependant pas de taille, puisque, toutes les nuits, ils venaient chercher certaines d'entre nous. Elles partaient seules, entre deux gardes. On ne savait pas où on les emmenait, ni pourquoi. Aucune n'est revenue.

La sixième nuit, Anita a disparu comme par enchantement. Ça s'est passé très vite. Parfois, celles qui étaient ciblées hurlaient et résistaient, mais Anita n'a pas bronché et j'ai honte d'avouer que je dormais lorsqu'ils l'ont soustraite. Je me suis réveillée quand la sirène du matin a retenti, et elle n'était simplement plus là.

« Je suis désolée pour ton amie, m'a chuchoté une bonne âme alors qu'on faisait la queue devant les toilettes grouillantes.

— Moi aussi », ai-je répondu sur le même mode.

Mais j'étais déjà en train de m'endurcir face à ce qui n'allait pas manquer de se produire. Ça ne règle rien d'être désolée, me disais-je. Au fil des années – de ces nombreuses années –, j'ai découvert que c'était très vrai.

La septième nuit, ça a été mon tour. Anita avait été extraite sans bruit – dans un silence qui avait eu un effet bien démoralisant, puisqu'on pouvait apparemment disparaître sans que personne remarque rien et sans même une onde sonore –, mais il n'avait pas été prévu que je m'en aille discrètement.

C'est une botte pressée sur ma hanche qui m'a réveillée.

«Ferme-la et lève-toi», a braillé un des aboyeurs.

Je n'ai pas eu le temps d'émerger totalement de mon sommeil qu'on m'a mise debout avec brusquerie et poussée en avant. Des murmures se sont élevés partout alentour, une voix a dit «Non», une autre «Putain», une autre «Dieu te bénisse» et une autre «*Cuídate mucho*».

«Je suis capable de marcher!» ai-je protesté, mais ça n'a rien changé aux mains qui s'étaient refermées sur mes biceps.

Voilà, c'est cuit, me suis-je dit. Ils vont me flinguer. Mais non, me suis-je reprise : c'est un truc de l'après-midi. Idiote, ai-je encore pensé : le flingage peut avoir lieu n'importe où et à n'importe quelle heure, et de toute façon ce n'est pas la seule méthode.

Durant tout ce temps, je suis restée très calme, ce qui paraît difficile à croire et, pour être honnête, je n'y crois plus : je ne suis pas restée très calme, j'étais calme comme une morte. Du moment que je me considérais comme déjà morte, dégagée de soucis futurs, les choses seraient plus faciles pour moi.

On m'a pilotée à travers des couloirs, puis on m'a fait sortir par une porte de service et monter dans une voiture. Ce n'était pas un van cette fois-ci, mais une Volvo. La garniture de la banquette arrière était douce mais ferme, la climatisation m'a fait l'effet d'un souffle paradisiaque. Malheureusement, la fraîcheur de l'air m'a rappelé mon panachage olfactif. Je me suis néanmoins délectée de ce luxe alors que j'étais coincée entre mes gardes, tous deux corpulents. Ni l'un ni l'autre ne disait rien. Je n'étais qu'un paquet à trimballer.

La voiture s'est arrêtée devant un commissariat qui, pourtant, n'en était plus un : les lettres de l'enseigne avaient été recouvertes, et une image ornait la porte d'entrée – un œil avec des ailes. Le logo de l'Œil, mais je ne le savais pas encore.

On a gravi les marches du perron, mes deux compagnons à grandes enjambées, moi d'un pas titubant. J'avais mal aux pieds ; j'ai mesuré combien ils avaient perdu l'habitude de bouger et combien mes chaussures étaient abîmées et sales, après les saucées, la chaleur torride et les diverses substances auxquelles elles avaient été soumises.

On a parcouru le couloir. Des voix de baryton résonnaient derrière les portes ; des hommes habillés comme mes compagnons sont passés à la hâte à côté de nous, les yeux brillants de détermination, la voix saccadée. Les uniformes, les insignes, les épinglettes, ça te raidit l'échine. Ici, les ramollos n'ont pas droit de cité !

On est entrés dans une des pièces. Là, derrière un grand bureau, était assis un homme qui ressemblait un peu au Père Noël : grassouillet, la barbe blanche, les joues roses, le nez rouge. Il m'a adressé un large sourire.

« Vous pouvez vous asseoir.

— Merci. »

Ce n'est pas que j'avais trop le choix : mes deux copains de voyage m'avaient calée sur une chaise où ils m'ont attachée, bras sur bras, avec des lanières en plastique. Ils ont ensuite quitté les lieux en refermant doucement la porte derrière eux. J'ai eu l'impression qu'ils sortaient à reculons, comme en présence d'un ancien roi-dieu, mais je ne voyais rien de ce qui se passait derrière moi.

« Je devrais me présenter, a déclaré mon interlocuteur. Je suis le Commandant Judd, des Fils de Jacob. »

Ça a été notre première rencontre.

« Je suppose que vous savez qui je suis, ai-je répliqué.

— C'est exact, a-t-il reconnu en souriant avec affabilité. Je vous présente des excuses pour les désagréments que vous avez subis.

— Ce n'était pas grand-chose », ai-je riposté, impassible.

C'est stupide de blaguer avec ceux qui ont un contrôle absolu sur toi. Ça ne leur plaît pas ; ils pensent que tu ne mesures pas l'importance de leur pouvoir. Aujourd'hui que j'ai moi-même du pouvoir, je n'encourage pas mes subalternes à la légèreté. Mais j'étais imprudente à l'époque. J'ai appris ma leçon.

Son sourire s'est évanoui.

« Être en vie suscite-t-il votre reconnaissance ? m'a-t-il lancé.

— Eh bien, oui.

— Que Dieu vous ait donné un corps de femme suscite-t-il votre reconnaissance ?

— Je suppose que oui. Je n'y ai jamais réfléchi.

— Je ne suis pas certain que vous soyez suffisamment reconnaissante, a-t-il déclaré.

— Ce serait quoi, être suffisamment reconnaissante ?

— Ce serait coopérer avec nous. »

Ai-je dit qu'il portait des demi-lunes oblongues ? Il les a enlevées, les a examinées. Sans les verres, ses yeux pétillaient moins.

« Que voulez-vous dire par "coopérer" ?

— C'est un oui ou un non.

— J'ai fait mon droit, je suis juge. Je ne signe pas de contrats en blanc.

— Vous n'êtes pas juge. Plus maintenant. »

Il a appuyé sur le bouton d'un interphone. « Débourroir », a-t-il grommelé.

Puis à mon adresse :

« Espérons que vous apprendrez à être davantage reconnaissante. Je prierai pour que vous y parveniez. »

Et c'est ainsi que j'ai atterri dans le Débourroir. C'était une cellule d'isolement réaménagée à l'intérieur du commissariat, d'à peu près quatre pas sur quatre. Elle disposait d'une couchette scellée dans le mur, mais pas de matelas. D'un seau, dont j'ai vite conclu qu'il était réservé aux produits dérivés de l'alimentation des humains, car il en restait encore un peu dans le fond, ainsi qu'en témoignait l'odeur. Il y avait eu de la lumière autrefois, plus maintenant; à présent, il n'y avait qu'une prise de courant, qui n'était plus alimentée. (Bien sûr, j'ai fourré mon doigt dedans au bout d'un moment. Toi aussi, tu l'aurais fait.) Ma seule source de lumière venait du couloir et de la fente par laquelle les inévitables sandwiches n'allaient pas tarder à arriver. Boulotter dans le noir, voilà le plan qu'on m'avait concocté.

J'ai tâtonné dans l'obscurité, trouvé la planche qui allait me servir de lit et me suis assise dessus. Je peux encaisser ça, ai-je songé. Je peux m'en sortir.

J'avais raison, mais ça a été juste. Tu serais surpris de voir à quelle vitesse l'esprit se ramollit si on n'a pas d'autres gens autour de soi. Quand on est seul, on n'est pas quelqu'un à part entière : c'est en fonction de nos liens avec les autres qu'on existe. J'étais une personne; je risquais de devenir une non-personne.

J'ai passé un moment au Débourroir. Combien de temps? je l'ignore. Il arrivait qu'un œil m'observe par le volet coulissant installé là pour mieux surveiller les résidents. Parfois, un hurlement ou une succession de cris perçants s'élevait à proximité : violences ostentatoires. À d'autres instants, c'était un gémissement prolongé, ou bien une série de grognements et de halètements rauques qui paraissaient sexuels et qui devaient l'être. Les faibles sont tellement tentants.

Je n'avais aucun moyen de savoir si ces bruits étaient réels ou s'il s'agissait de simples enregistrements, visant à m'éprouver nerveusement et à laminer ma détermination. Quelle qu'elle ait pu être, au bout de quelques jours j'avais perdu le fil de cette affaire. L'affaire de ma détermination.

J'ai été bouclée dans ma cellule obscure pendant je ne sais combien de temps, mais si j'en juge par la longueur de mes ongles à ma sortie, ça n'a franchement pas pu être si long que ça. Il n'empêche que le temps est différent quand on est enfermé seul dans le noir. Il est plus long. De même qu'on ne sait pas quand on dort, quand on est éveillé.

Est-ce qu'il y avait des insectes ? Oui, il y en avait. Ils ne m'ont pas piquée, je pense donc que c'étaient des cafards. Je sentais le bout de leurs pattes minuscules sur mon visage, tendres, hésitantes, comme si ma peau était une fine couche de glace. Je ne les écrasais pas. Au bout d'un moment, on apprécie le moindre contact.

Un jour, encore que je n'aurais pas pu dire si on était en plein jour, trois bonshommes ont déboulé sans prévenir dans ma cellule, ont braqué une lumière aveuglante sur mes yeux qui cillaient, perturbés par l'obscurité, m'ont jetée à terre et m'ont administré un coup de pied précis et d'autres gâteries. J'ai bien reconnu les bruits que j'ai émis : je les avais entendus alentour. Je n'irai pas plus avant dans les détails, sinon pour préciser que j'ai eu droit aux tasers aussi.

Non, je n'ai pas été violée. Je suppose que j'étais déjà trop vieille et trop coriace pour cet usage. À moins peut-être qu'ils ne se soient enorgueillis de leurs hautes valeurs morales, mais j'en doute beaucoup.

Cette procédure de taser et de coups de pied s'est répétée encore deux fois. Trois est un chiffre magique.

Est-ce que j'ai pleuré ? Oui : des larmes ont coulé de mes deux yeux visibles, mes yeux humains, moites et larmoyants. Mais j'avais un troisième œil au milieu du front. Je le sentais – il était froid, comme une pierre. Il ne pleurait pas : il voyait. Et derrière, quelqu'un se disait : *Je vous revaudrai ça. Peu importe le temps que ça prendra ou le nombre de saloperies qu'il me faudra avaler dans l'intervalle, mais je le ferai.*

Puis, au bout d'une période indéterminable et sans avertissement, la porte de mon Débourroir s'est ouverte avec fracas, la lumière a inondé ma cellule et deux uniformes noirs m'ont tirée de là. Pas un mot n'a été prononcé. On m'a fait marcher ou on m'a remorquée – j'étais alors réduite à l'état de loque titubante et j'empestais encore plus qu'avant – d'un bout à l'autre du couloir par lequel j'étais arrivée, on m'a fait franchir la porte par laquelle j'étais entrée et on m'a poussée dans un autre van climatisé.

Tout de suite après, je me suis retrouvée dans un hôtel – oui, un hôtel ! Ce n'était pas un grand hôtel de luxe, il s'apparentait plus à un Holiday Inn, si ce nom te dit quelque chose, même si je suppose que non. Que sont devenues les marques d'antan ? Emportées par le vent. Ou disons plutôt emportées par un coup de pinceau et les démolisseurs, car, pendant qu'on me traînait vers la réception, des ouvriers au-dessus de moi s'affairaient à masquer le nom de l'établissement.

À la réception, pas de réceptionniste au sourire affable pour m'accueillir. À la place, un gars avec une liste. Il y a eu un échange de conversation entre lui et mes deux guides, et j'ai été propulsée dans un ascenseur, puis vers un couloir moquetté qui commençait à témoigner de l'absence des femmes de ménage. Encore quelques mois et ils auraient un vilain problème de moisissures, ai-je songé du fond de mon cerveau en déliquescence tandis qu'une carte actionnait l'ouverture d'une porte.

« Bon séjour », m'a lancé un de mes gardes du corps.

Je ne pense pas que ç'ait été de l'ironie.

« Trois jours de détente, a renchéri le second. Si vous avez besoin de quoi que ce soit, appelez la réception. »

La porte s'est refermée derrière eux. Sur la petite table se trouvait un plateau avec un jus d'orange, une banane, une salade verte et une portion de saumon poché ! Et il y avait un lit avec des draps ! Plusieurs serviettes de toilette, à peu près blanches ! Une douche ! Et surtout de belles toilettes en céramique ! Je suis tombée à genoux pour réciter du fond du cœur, oui, une prière, mais à qui ou à quoi, je ne pourrais pas te dire.

Après avoir tout mangé – la nourriture était-elle empoisonnée ou pas ? je m'en moquais, tant elle me procurait de plaisir –, j'ai consacré les quelques heures qui ont suivi à me doucher. Une seule douche ne m'a pas suffi : j'avais tant de couches de crasse accumulée à enlever. J'ai passé en revue mes égratignures en voie de cicatrisation, mes hématomes qui viraient au jaune et au pourpre. J'avais perdu du poids et mes côtes avaient réapparu après une dizaine d'années de fast-food. Durant ma carrière juridique, mon corps n'avait été qu'un véhicule bon à me propulser d'un succès à l'autre, mais j'éprouvais à présent un regain de tendresse pour lui ! Que mes ongles de pied étaient roses ! Que le dessin de mes veines sur mes mains était complexe ! En revanche, j'ai eu du mal à reconnaître mon visage dans le miroir de la salle de bains. Qui était cette personne ? Ses traits me semblaient flous.

Puis j'ai dormi longtemps. À mon réveil, il y avait un autre délicieux repas, bœuf Stroganoff aux asperges et pêche Melba en dessert et, quelle joie ! une tasse de café ! J'aurais bien aimé un martini, mais j'ai présumé que, dans cette ère nouvelle, on ne risquait pas de voir de l'alcool sur un menu pour femmes.

Des mains invisibles avaient fait disparaître mes vêtements puants : apparemment, j'allais devoir vivre dans le peignoir blanc en éponge de l'hôtel.

J'étais encore dans un état mental pitoyable. Je me sentais l'âme d'un puzzle qu'on a balancé par terre. Pourtant, au matin du troisième jour, ou était-ce l'après-midi ? je me suis réveillée dans un état de cohérence amélioré. Je semblais avoir retrouvé la faculté de penser ; je semblais capable de penser le mot « je ».

En plus, comme une forme de gratification, une tenue propre était posée là à mon intention. Ce n'était pas vraiment un froc de moine et ce n'était pas vraiment de la toile à sac, mais on n'en était pas loin. J'avais déjà vu ce truc, dans le stade, sur les femmes des pelotons d'exécution. Un frisson glacé m'a parcourue.

Je l'ai mis. Qu'aurais-je pu faire d'autre ?

X.

VERT PRINTEMPS

Transcription des déclarations du témoin 369A

25.

Je vais maintenant décrire les préparatifs de mon mariage arrangé, étant donné l'intérêt marqué pour la manière dont ce genre d'événement se déroulait à Galaad. Compte tenu de la tournure qu'a prise ma vie, j'ai pu observer le processus des deux côtés : du côté de la future épousée qu'on prépare, et de celui des Tantes responsables des préparatifs en question.

L'organisation du mien a été classique. Les sensibilités des parties concernées, ainsi que leurs positions respectives dans la société de Galaad, avaient en principe une certaine influence sur les choix possibles. Mais, dans chaque cas, l'objectif était le même : les filles de tous horizons – celles de bonnes familles aussi bien que celles de milieux moins favorisés – devaient être mariées tôt, avant qu'elles ne risquent de rencontrer un homme peu recommandable et d'en tomber amoureuses, comme on disait autrefois, ou, pire, de perdre leur virginité. Il fallait à tout prix éviter ce déshonneur, dans la mesure où les conséquences pouvaient être sévères. Personne ne souhaitait à ses enfants une mort par lapidation, et une telle tache sur une famille était quasiment indélébile.

Un soir, Paula m'a appelée au salon – elle avait envoyé Rosa pour m'extraire de ma coquille, comme elle a dit –

et m'a demandé de me placer en face d'elle. J'ai obtempéré, il n'y avait aucune raison de me rebeller. Le Commandant Kyle était présent, de même que Tante Vidala. Il y avait une autre Tante aussi – que je n'avais jamais vue –, qu'on m'a présentée comme Tante Gabbana. J'ai dit que j'étais heureuse de faire sa connaissance, mais j'avais dû m'exprimer d'un ton maussade, parce que Paula s'est écriée :

« Vous voyez ce que je veux dire ?

— C'est de son âge, a répondu Tante Gabbana. Même les jeunes filles auparavant gentilles et dociles traversent cette phase.

— Elle est suffisamment âgée, c'est certain, a déclaré Tante Vidala. Nous lui avons appris tout ce que nous pouvions. Si elles fréquentent l'école trop longtemps, elles finissent par semer la perturbation.

— C'est vraiment une femme ? a insisté Tante Gabbana en louchant sur moi d'un œil matois.

— Bien sûr, a répondu Paula.

— Pas de rembourrage là-dedans ? a poursuivi Tante Gabbana en désignant ma poitrine d'un geste du menton.

— Certainement pas ! a protesté Paula.

— Vous seriez surprise de voir ce à quoi certaines familles recourent. Elle a de belles hanches larges, pas un de ces pelvis étroits. Montre-moi tes dents, Agnes. »

Comment faire ça ? Fallait-il que j'ouvre grand la bouche, comme chez le dentiste ? Paula a vu ma perplexité.

« Souris, m'a-t-elle lancé. Pour une fois. »

J'ai retroussé les lèvres en une grimace.

« Des dents parfaites, a reconnu Tante Gabbana. Très saines. Bon, eh bien, nous allons commencer à chercher.

— Uniquement dans les familles de Commandants, a précisé Paula. Rien de moins.

— C'est compris », a dit Tante Gabbana.

Elle prenait des notes sur un porte-bloc, et moi, bouche bée, je regardais bouger ses doigts serrés sur un crayon. Quels puissants symboles était-elle en train de consigner ?

«Elle est un peu jeune, a lâché le Commandant Kyle, que je ne considérais plus comme mon père. Peut-être.»

Pour la première fois depuis longtemps, j'ai éprouvé une certaine reconnaissance envers lui.

«Treize ans, ce n'est pas trop jeune. Tout dépend, a répliqué Tante Gabbana. Si on arrive à leur trouver le partenaire qu'il faut, ça produit des résultats miraculeux sur elles. Elles se calment immédiatement.»

Elle s'est levée.

«Ne t'inquiète pas, Agnes, m'a-t-elle dit. Tu auras le choix entre trois prétendants au moins.»

Puis, à l'adresse du Commandant Kyle :

«Ce sera un honneur pour eux.

— Si vous avez besoin de quoi que ce soit d'autre, faites-le-nous savoir, a ajouté Paula poliment. Et le plus tôt sera le mieux.

— Compris, a répondu Tante Gabbana. Une fois que nous aurons obtenu des résultats satisfaisants, Ardua Hall recevra la donation habituelle ?

— Bien entendu, a confirmé Paula. Nous prierons pour votre réussite. Que le Seigneur ouvre.

— Sous Son Œil», a conclu Tante Gabbana.

Les deux Tantes sont reparties en échangeant sourires et signes de tête avec mes non-parents.

«Tu peux t'en aller, Agnes, m'a ordonné Paula. On te tiendra au courant de l'évolution de la situation. Accéder au bienheureux état du mariage doit se faire avec toutes les précautions possibles, et ton père et moi les prendrons pour toi. Tu es une jeune fille très privilégiée. J'espère que tu en as conscience.»

Elle m'a décoché un de ses petits sourires narquois et malveillants : c'étaient des paroles en l'air, et elle le savait. En réalité, j'étais une nigaude embêtante, dont il fallait se débarrasser de façon socialement acceptable.

Je suis remontée à ma chambre. J'aurais dû le voir venir : des filles pas beaucoup plus vieilles que moi avaient vécu ce genre de chose. Une fille allait à l'école, et un beau jour elle n'y allait plus : les Tantes n'aimaient ni les chichis ni les débordements d'émotions assortis d'adieux larmoyants. Ensuite, il circulait des rumeurs de fiançailles, puis de mariage. Nous n'étions jamais autorisées à y assister, même s'il s'agissait d'une amie proche. Quand on te préparait au mariage, tu disparaissais de ta vie antérieure. Quand on te revoyait, tu portais la digne tenue bleue de l'Épouse et, avant d'entrer quelque part, les filles pas mariées devaient te céder le passage.

Ce serait désormais ma réalité. J'allais être éjectée de ma maison – de la maison de Tabitha, de la maison de Zilla, Vera et Rosa – parce que Paula m'avait assez vue.

« Aujourd'hui, tu n'iras pas à l'école », a décrété Paula un matin, et on a clos le chapitre. Après, il ne s'est pas passé grand-chose pendant une semaine, sinon que j'ai pleuré et que je me suis mis la cervelle à l'envers, mais vu que j'ai poursuivi ces activités seule dans ma chambre, elles n'ont eu aucune répercussion.

Je devais terminer un détestable projet au petit point pour m'occuper l'esprit – un motif de coupe de fruits destiné à orner un repose-pieds pour mon futur mari. Dans un des angles de ce carré, j'ai brodé une petite tête de mort : elle représentait le crâne de ma belle-mère, Paula, mais si quelqu'un m'avait questionnée, j'aurais répondu qu'il s'agissait d'un *memento mori*, rappel du fait que nous devions tous mourir un jour.

Difficile d'y trouver à redire, c'était un motif pieux : il y avait des crânes de ce genre sur les pierres tombales du vieux cimetière proche de notre école, où nous n'avions le droit de nous rendre que pour assister à un enterrement. Les noms des défunts étaient inscrits sur les pierres, ce qui risquait de nous inciter à lire et nous mener à la dépravation. La lecture ne s'adressait pas aux filles : seuls les hommes étaient assez solides pour affronter la force de la chose ; et les Tantes, bien sûr, parce qu'elles n'étaient pas comme nous.

J'avais commencé à me demander comment une femme se transformait en Tante. Tante Estée avait dit un jour qu'il fallait recevoir un appel, qui te soufflait que Dieu voulait que tu aides toutes les femmes, pas seulement une famille ; mais comment les Tantes recevaient-elles cet appel ? D'où tenaient-elles leur force ? Avaient-elles un cerveau spécial, ni féminin ni masculin ? Étaient-elles même seulement des femmes sous leurs uniformes ? Se pouvait-il qu'elles soient des hommes déguisés ? Le simple fait de nourrir un tel soupçon était impensable, mais quel scandale si c'était avéré ! Je me demandais à quoi les Tantes ressembleraient si on leur faisait porter du rose.

Au troisième jour de mon oisiveté, Paula a donné l'ordre aux Marthas de monter quelques cartons à ma chambre. Il était temps d'enlever mes affaires de bébé, a-t-elle décrété. On pouvait les entreposer quelque part, puisque d'ici peu je n'occuperais plus cette chambre. Ensuite, quand je serais à la tête de mon nouveau foyer, je pourrais décider de ce que je confierais aux pauvres. Ma vieille maison de poupée, par exemple, ferait grand plaisir à une petite fille, moins privilégiée, d'une famille Écono ; certes, elle était en piteux état et pas d'une qualité extraordinaire, mais un coup de peinture ici et là ferait merveille.

La maison de poupée avait sa place à côté de ma fenêtre depuis de nombreuses années. Elle renfermait encore les moments de bonheur que j'avais connus avec Tabitha. Il y avait l'Épouse poupée, assise à la table de la salle à manger ; les petites filles sages ; les Marthas dans la cuisine, en train de faire le pain ; le Commandant, bien à l'abri dans son bureau. Après le départ de Paula, j'ai arraché l'Épouse poupée à sa chaise et l'ai balancée à l'autre bout de la pièce.

26.

Tante Gabbana a ensuite amené une équipe de costumières, pour reprendre la formule de Paula, vu qu'on me jugeait incapable de choisir ce que j'allais devoir porter au cours de la période précédant mon mariage et surtout à mon mariage. Tu dois comprendre que – bien qu'appartenant à la classe des privilégiés –, je n'étais pas une personne à part entière, mais une toute jeune fille sur le point d'être ligotée par les chaînes du mariage. Les chaînes du mariage : ça a une sourde sonorité métallique, de l'ordre d'une porte en fer qui se referme dans un cliquetis.

L'équipe des costumières était responsable de ce que tu appellerais peut-être la scénographie et ses détails : costumes, rafraîchissements, décor. Pas une seule d'entre elles n'avait une personnalité dominante, d'où le fait qu'elles aient été reléguées à ces tâches relativement mineures ; donc, même si toutes les Tantes jouissaient d'un statut élevé, Paula – qui, elle, avait une personnalité dominante – avait la faculté, dans certaines limites, de mener les Tantes de la brigade du mariage à la baguette.

Accompagnées par Paula, toutes trois sont montées à ma chambre, où – ayant terminé mon projet de repose-pieds – je m'amusais du mieux que je pouvais en jouant au Solitaire.

J'utilisais un jeu de cartes normal pour Galaad, mais je vais te le décrire au cas où le monde extérieur ne le connaîtrait pas. Bien entendu, il n'y avait aucune lettre sur les cartes représentant l'as, le roi, la reine ou le valet, de même qu'il n'y avait pas de chiffres sur les petites de 1 à 10. Les as étaient illustrés par un grand Œil émergeant d'un nuage. Les rois portaient un uniforme de Commandant, les reines étaient des Épouses et les valets des Tantes. Les figures constituaient les honneurs. Parmi les enseignes, les piques correspondaient aux Anges, les trèfles aux Gardiens, les carreaux aux Marthas et les cœurs aux Servantes. Chaque figure était décorée d'une bordure de plus petits personnages : pour une Épouse d'Ange, il y avait une Épouse bleue avec une bordure de petits Anges en noir, et pour un Commandant de Servantes une bordure de minuscules Servantes.

Quand par la suite j'ai eu accès à la bibliothèque d'Ardua Hall, j'ai fait des recherches sur ces cartes. En remontant loin dans le temps, les cœurs étaient des calices. Peut-être est-ce pour ça que les Servantes étaient des cœurs : elles symbolisaient de précieux conteneurs.

Les trois Tantes de l'équipe des costumières ont avancé dans ma chambre. Paula a dit : «Range ton jeu et lève-toi, je t'en prie, Agnes» de sa voix la plus charmante – la voix que je détestais le plus chez elle, parce que je savais combien elle était hypocrite. Je me suis exécutée, et on m'a présenté les trois Tantes : Tante Lorna, visage joufflu et souriant ; Tante Sara Lee, voûtée et taciturne ; et Tante Betty, indécise et perpétuellement désolée.

«Elles sont venues pour un essayage, m'a expliqué Paula.

— Quoi ?»

Personne ne me prévenait jamais de quoi que ce soit ; on n'en voyait pas la nécessité.

«Ne dis pas *quoi*, mais *pardon*, m'a reprise Paula. Un essayage des robes que tu vas mettre pour suivre les cours de ta Préparation prémaritale.»

Elle m'a ordonné d'enlever mon uniforme rose d'écolière, que je continuais à porter, puisque je n'avais rien d'autre à me mettre à part ma robe blanche pour l'église. Je suis restée plantée en combinaison au milieu de ma chambre. Il ne faisait pas froid, mais ces regards et cette attention m'ont collé la chair de poule. Tante Lorna a pris mes mensurations, que Tante Betty a notées sur un petit calepin. Je l'ai observée attentivement; j'observais toujours les Tantes lorsqu'elles s'écrivaient leurs messages secrets.

Puis on m'a dit que je pouvais me rhabiller, ce que j'ai fait.

Il y a eu une discussion pour décider s'il me faudrait de nouveaux sous-vêtements durant cette période intermédiaire. Tante Lorna estimait que ce serait bien, mais Paula a décrété que c'était inutile, puisque la période en question serait courte et que ce que j'avais m'allait encore. Paula l'a emporté.

Puis les trois Tantes sont reparties. Elles sont revenues quelques jours plus tard avec deux tenues, une pour le printemps et l'été, et une pour l'automne et l'hiver. Elles avaient le vert pour thème : vert printemps avec détails blancs – galons de poche et cols – pour le printemps et l'été, et vert printemps avec détails vert foncé pour l'automne et l'hiver. J'avais vu des filles de mon âge porter ces robes, et je connaissais leur signification : le vert printemps faisait référence aux feuilles nouvelles, ce qui signifiait qu'on était prête pour le mariage. Les familles Écono n'avaient cependant pas droit à ces folies vestimentaires.

Les vêtements que les Tantes m'avaient remis avaient déjà été portés, puisque personne ne gardait ces habits verts bien longtemps. Ils avaient été mis à ma taille. Les jupes s'arrêtaient à une douzaine de centimètres au-dessus de la cheville, les manches descendaient jusqu'au poignet, la taille n'était pas ajustée et les cols montaient haut. Chaque tenue avait un chapeau assorti avec bord et ruban. Je les ai détestées, mais modérément : tant qu'à avoir des vêtements, ceux-là n'étaient pas les pires. En constatant qu'on avait prévu toutes les saisons, j'ai éprouvé un peu d'espoir : peut-être que j'arriverais à l'automne et à l'hiver sans avoir été obligée de me marier.

Mes vieux habits roses et lie-de-vin ont été récupérés pour être nettoyés et réutilisés par de plus jeunes filles. Galaad était en guerre ; on n'aimait pas jeter.

27.

Après avoir reçu mes tenues vertes, j'ai intégré un autre établissement scolaire – La Préparation prémaritale des Rubis, une école de bonnes manières pour jeunes filles de la haute société se préparant au mariage. Sa devise venait de la Bible : «Qui trouvera une femme vertueuse? Car son prix surpasse de beaucoup celui des rubis.»

Cette école aussi était tenue par des Tantes, mais – en dépit du fait qu'elles portaient les mêmes uniformes marronnasses – ces dernières étaient, d'une certaine manière, plus stylées. Elles devaient nous apprendre à jouer les maîtresses de maison de haut rang. J'utilise le terme «jouer» parce que nous devions être des actrices sur la scène de nos futures demeures.

Shunammite et Becka de l'École Vidala étaient dans la même classe que moi : il était fréquent que les élèves de l'École Vidala continuent aux Rubis. Il ne s'était pas écoulé tellement de temps depuis la dernière fois où je les avais vues, mais elles m'ont paru nettement plus vieilles. Shunammite portait ses tresses brunes enroulées autour de sa tête et s'épilait les sourcils. On n'aurait pas pu dire qu'elle était belle, mais elle était toujours aussi vive. Je note ici que «vive» était un qualificatif

que les Épouses prononçaient d'un ton désapprobateur :
il équivalait à « effrontée ».

Shunammite clamait qu'elle était impatiente de se
marier. Elle ne parlait d'ailleurs de rien d'autre – quelle
sorte de mari allait-on lui choisir, quel genre lui plairait
le plus, combien elle était impatiente. Elle souhaitait un
veuf d'une quarantaine d'années, beau et haut placé,
qui n'aurait pas trop aimé sa première femme et sans
enfants. Elle n'avait pas envie d'un jeune abruti qui
n'aurait jamais fait l'amour, parce que ce serait gênant
– et s'il ne savait pas où fourrer son affaire ? Elle avait
toujours parlé crûment, mais c'était pire désormais.
Peut-être avait-elle pêché ces nouvelles expressions
bien plus grossières auprès d'une Martha ?

Becka avait encore minci. Ses yeux brun-vert, toujours assez grands pour son visage, étaient même plus
grands. Elle m'a dit qu'elle était contente d'être avec
moi, mais pas dans cette classe. Elle avait supplié et
supplié sa famille d'attendre pour la marier – elle était
trop jeune, elle n'était pas prête –, mais ils avaient
reçu une très bonne offre : le fils aîné d'un Fils de
Jacob et Commandant, déjà bien parti pour devenir
Commandant lui-même. Sa mère lui avait demandé de
ne pas se montrer stupide, elle n'aurait jamais une
autre proposition de cet ordre et, si elle n'acceptait
pas, les autres seraient de moins en moins intéres-
santes à mesure qu'elle prendrait de l'âge. Si elle
arrivait à dix-huit ans sans être mariée, elle passerait
pour une vieille fille desséchée et hors course pour un
Commandant : elle aurait même de la chance si elle
décrochait un Gardien. D'après son père, le dentiste
Grove, il était rare qu'un Commandant prenne en
considération une fille de rang inférieur, ce serait un
affront de refuser, et souhaitait-elle donc sa ruine ?

« Mais, moi, je ne veux pas ! gémissait-elle quand
Tante Lise n'était pas dans la salle. Avoir un type qui te

rampe dessus partout, comme... comme un paquet de vers ! Je déteste ça ! »

Je me suis fait la réflexion qu'elle ne disait pas qu'elle détesterait ça, mais qu'elle détestait tout court. Que lui était-il arrivé ? Un truc honteux dont elle ne pouvait pas parler ? J'ai repensé à l'angoisse que l'histoire de la Concubine découpée en douze morceaux avait suscitée chez elle. Mais je n'ai pas voulu la questionner : si tu l'approches de trop près, la honte d'une autre risque de déteindre sur toi.

« Ça ne sera pas si douloureux que ça, disait Shunammite, et pense à tout ce que tu auras ! Ta maison, ta voiture, tes Gardiens et tes Marthas ! Et si tu ne peux pas avoir de bébé, on te donnera des Servantes, autant qu'il t'en faudra !

— Les voitures, les Marthas, ou même les Servantes, je m'en moque, répondait Becka. C'est cette horrible sensation. Cette sensation de mouillé.

— Tu veux dire quoi ? ripostait Shunammite en riant. Tu parles de leurs langues ? C'est pas pire que les chiens !

— C'est bien pire ! protestait Becka. Les chiens, ils sont gentils ! »

Personnellement, je ne disais rien de ce que je ressentais à l'idée de me marier. Je ne pouvais pas partager l'histoire de mon rendez-vous dentaire avec le Dr Grove : c'était toujours le père de Becka, et Becka était toujours mon amie. De toute façon, les sentiments proches du dégoût et de la répugnance que j'avais éprouvés me paraissaient insignifiants comparés à la réaction sincèrement horrifiée de Becka. Elle croyait vraiment que le mariage allait l'anéantir, qu'elle serait broyée, annihilée, qu'elle fondrait comme neige au soleil jusqu'à ce qu'il ne reste plus rien d'elle.

À l'insu de Shunammite, je lui ai demandé pourquoi sa mère ne l'aidait pas. Ça a déclenché des pleurs : sa mère n'était pas sa vraie mère, elle l'avait appris par leur Martha. C'était honteux, mais sa vraie mère était une Servante – «Comme la tienne, Agnes», a-t-elle ajouté. Sa mère officielle avait retourné ce fait contre elle : pourquoi avait-elle si peur de faire l'amour avec un homme, alors que sa salope de mère, la Servante, n'avait pas eu ce genre d'appréhension ? Bien au contraire !

Je l'ai prise dans mes bras et je lui ai dit que je la comprenais.

28.

Tante Lise devait nous apprendre les bonnes manières et le savoir-vivre : quelle fourchette utiliser, comment servir le thé, comment être gentille mais ferme avec les Marthas et comment éviter les complications affectives avec notre Servante, dans le cas où nous aurions besoin d'en avoir une. Tout le monde avait sa place à Galaad, tout le monde contribuait à sa façon et nous étions tous égaux aux yeux de Dieu, mais certains avaient des dons différents des autres, affirmait Tante Lise. Si on s'embrouillait dans ces divers dons et que tout le monde essayait d'être tout à la fois, il n'en résulterait que chaos et souffrances. Ne demandons pas à une vache d'être un oiseau !

Elle nous enseignait les bases du jardinage, en mettant l'accent sur les roses – le jardinage étant un passe-temps approprié pour des Épouses –, et nous apprenait à juger de la qualité des repas qu'on nous préparait et qu'on nous servait. En ces temps de pénurie nationale, il était important de ne pas gaspiller la nourriture ni de gâcher son potentiel. Des animaux étaient morts pour nous, nous rappelait Tante Lise, et des légumes aussi, ajoutait-elle d'un ton vertueux. Nous devions être reconnaissantes de ça, ainsi que de la munificence de Dieu. C'était manquer de respect à la Providence – c'était un péché, pouvait-on même dire – que de mal traiter la nourriture en la cuisinant n'importe comment, puisqu'alors on la jetterait sans l'avoir mangée.

Nous apprenions donc à pocher un œuf correctement, à estimer la température à laquelle il fallait servir une quiche et la différence entre une bisque et un potage. Je ne peux pas dire que je me souvienne beaucoup de ces leçons aujourd'hui, vu que je n'ai jamais eu le loisir de les mettre en pratique.

Elle révisait également avec nous les prières à réciter avant les repas. Ce seraient nos maris, en tant que chefs de famille, qui les réciteraient lorsqu'ils seraient présents, mais quand ils seraient absents – et ils le seraient souvent, puisqu'il leur faudrait travailler tard, et pas question que nous critiquions leurs retards –, alors il serait de notre devoir de les réciter au nom de nos nombreux enfants, ainsi que l'espérait Tante Lise qui, à ce stade, esquissait un petit sourire crispé.

Dans ma tête, je me repassais la prière qu'on avait inventée pour s'amuser, Shunammite et moi, quand on était meilleures amies à l'École Vidala :

Donne-nous aujourd'hui notre bain de ce jour.
Pardonne-nous notre humour,
Comme nous pardonnons aussi à ceux qui se sont
salopés,
Et moisissent aujourd'hui dans la saleté.

L'écho de notre fou rire s'évanouissait dans le lointain. Quel terrible comportement nous pensions alors avoir ! Que ces minuscules rébellions me paraissaient innocentes et inoffensives, maintenant que je me préparais au mariage !

Tandis que l'été avançait, Tante Lise nous a appris les bases de la décoration intérieure, même si c'étaient bien sûr nos maris qui décideraient en fin de compte du style de nos foyers. Après, elle nous a enseigné les arrangements floraux à la japonaise et à la française.

Quand on en est arrivées au style français, Becka était profondément malheureuse. Son mariage avait été fixé pour novembre. L'homme qu'on lui destinait venait de faire sa première visite à sa famille. Il avait été reçu dans leur salon, et avait bavardé de tout et de rien avec son père pendant que, assise sur sa chaise, elle écoutait en silence – conformément au protocole, que je devrais respecter de la même façon –, et elle nous a dit que ce garçon lui avait donné la chair de poule. Il avait plein de boutons, une petite moustache maigrelette et la langue blanche.

Shunammite a pouffé de rire et déclaré que c'était sans doute le dentifrice, il devait s'être lavé les dents juste avant de venir parce qu'il voulait lui faire bonne impression, n'était-ce pas chou ? Mais Becka a répondu qu'elle espérait être malade, très malade de quelque chose qui non seulement durerait, mais qui serait contagieux aussi, parce qu'il faudrait alors annuler le mariage prévu.

Le quatrième jour de l'arrangement des fleurs à la française, alors qu'on était en train d'apprendre à réaliser des bouquets symétriques avec des textures contrastées mais complémentaires, Becka s'est tailladé le poignet gauche avec son sécateur, et il a fallu l'emmener à l'hôpital. La profondeur de l'entaille n'était pas fatale, mais elle a quand même perdu beaucoup de sang. Ça a abîmé les grandes marguerites blanches.

J'avais les yeux sur elle quand elle l'a fait. Je n'ai pas oublié son expression : elle reflétait une férocité que je ne lui avais encore jamais vue, et que j'ai trouvée extrêmement dérangeante. C'était comme si elle s'était métamorphosée en quelqu'un d'autre – en une personne beaucoup plus sauvage –, même si ça n'a pas duré longtemps. Le temps que les secouristes arrivent et l'embarquent, elle était redevenue sereine.

«Au revoir, Agnes, m'a-t-elle dit, mais je n'ai pas su quoi répondre.

— Cette fille est immature», a décrété Tante Lise.

Elle avait coiffé ses cheveux en chignon, ce qui était très élégant. Elle nous a jeté un regard en coulisse, a relevé son nez aristocratique et ajouté :

«Contrairement à vous, mes petites.»

Shunammite a affiché un large sourire – elle était fin prête pour la maturité – et, de mon côté, j'ai réussi à esquisser un petit sourire. J'ai pensé que j'apprenais à jouer ; ou plutôt à être une actrice. Ou à être une meilleure actrice qu'avant.

XI.

Toile à sac

Le Testament olographe d'Ardua Hall

29.

La nuit dernière, j'ai fait un cauchemar. Je l'avais déjà fait.

J'ai dit plus haut que je ne mettrais pas ta patience à l'épreuve en t'infligeant la litanie de mes rêves. Mais comme celui-ci a une certaine incidence sur ce que je m'apprête à te raconter, je vais faire une exception. Bien entendu, tu es totalement libre de choisir ce que tu veux lire ou non, et tu peux sauter ce cauchemar, si tu le souhaites.

Je suis dans le stade, vêtue du simili-peignoir marron qu'on m'a donné pendant que je récupérais du Débourroir dans l'hôtel réaménagé. Alignées à côté de moi, plusieurs autres femmes revêtues du même accoutrement pénitentiaire, et plusieurs hommes en uniforme noir. Nous avons un fusil. Nous savons que certains sont chargés à blanc, d'autres pas ; nous serons tous des meurtriers cependant, c'est l'intention qui compte.

En face de nous, deux rangées de femmes : une debout, l'autre à genoux. Les femmes n'ont pas les yeux bandés. Je vois leurs visages. Je les reconnais toutes sans exception. Anciennes amies, clientes, collègues ; et, plus récemment, des femmes et des jeunes filles qui sont passées entre mes mains. Épouses, filles, Servantes. Certaines ont des doigts en moins, certaines n'ont plus qu'un pied, d'autres sont borgnes. Certaines ont une corde autour du cou. Je les ai jugées, j'ai rendu un jugement : juge un jour, juge toujours. Mais toutes sourient. Que vois-je dans leurs regards ? De la peur, du mépris, une forme de bravade ? De la compassion ? Impossible à dire.

Ceux d'entre nous qui ont un fusil le lèvent. Nous faisons feu. Quelque chose envahit mes poumons. Je n'arrive plus à respirer. J'étouffe, je tombe.

Je me réveille, saisie d'une sueur froide, le cœur battant à tout rompre. Il paraît qu'un cauchemar peut déclencher une peur mortelle ; que votre cœur peut littéralement s'arrêter. Ce mauvais rêve me tuera-t-il une de ces nuits ? Il m'en faudra sans doute davantage.

Je t'ai parlé de ma réclusion dans le Débourroir et de la luxueuse expérience qui a suivi dans la chambre d'hôtel. On aurait cru une recette pour attendrir un steak récalcitrant : on le martèle avec un maillet, puis on le met à mariner et il ramollit.

Une heure après que j'ai enfilé la tenue pénitentiaire qu'on m'avait fournie, on a frappé à ma porte ; une escorte de deux individus m'attendait. Une fois dans le couloir, on m'a guidée vers une autre chambre. Mon interlocuteur à la barbe blanche de la fois précédente était là, pas derrière un bureau cette fois, mais confortablement installé dans un fauteuil.

« Vous pouvez prendre place », m'a dit le Commandant Judd.

Cette fois, on ne m'a pas forcée à m'asseoir : je l'ai fait de ma propre initiative.

« J'espère que notre petit régime ne vous aura pas trop éprouvée, a-t-il déclaré. On ne vous a soumise qu'au niveau Un. »

Il n'y avait rien à répondre, je n'ai donc rien répondu.

« A-t-il été éclairant ?

— En quel sens ?

« — Avez-vous vu la lumière ? La lumière divine ? »

Quelle était la bonne réponse à cette question ? Si je mentais, il s'en rendrait compte.

« Ça a été éclairant. »

Apparemment, ça a suffi.

« Cinquante-trois ?

— Vous voulez dire mon âge ? Oui.

— Vous avez eu des amants. »

Je me suis demandé comment il avait découvert ça et j'ai été un peu flattée qu'il ait pris la peine de se renseigner.

« Brièvement. Plusieurs. Ça n'a pas été des réussites à long terme. »

Avais-je jamais été amoureuse ? Non, je ne pensais pas. Mon expérience avec les hommes de ma famille ne m'avait pas poussée à la confiance. Mais le corps te tiraille, ce qui peut être aussi humiliant que gratifiant lorsqu'on cède à ses exigences. Je n'ai subi aucun préjudice durable, j'ai donné et reçu un certain plaisir et, lorsque j'ai prestement écarté ces personnages de ma vie, pas un seul d'entre eux n'a pris ça pour un affront personnel. Pourquoi espérer plus ?

« Vous avez subi un avortement. »

Ils avaient donc consulté certaines archives.

« Un seul, ai-je précisé sottement. J'étais très jeune. »

Il a émis un grognement désapprobateur.

« Vous savez que cette forme de meurtre est aujourd'hui punie de mort ? La loi est rétroactive.

— Je ne le savais pas. »

J'ai éprouvé une sensation de froid. Mais s'ils devaient me tuer, pourquoi cet interrogatoire ?

« Un mariage ?

— Éphémère. C'était une erreur.

— Le divorce est un crime aujourd'hui », a-t-il déclaré.

Je n'ai rien dit.

« Jamais eu la chance d'avoir des enfants ?

— Non.

— Vous avez gaspillé votre corps de femme ? Vous l'avez privé de sa fonction naturelle ?

— Ça ne s'est pas produit, ai-je dit en luttant pour qu'il n'entende pas l'angoisse dans ma voix.

— Dommage. Sous notre gouvernance, chaque femme vertueuse peut avoir un enfant, d'une manière ou une autre, conformément aux desseins de Dieu. Mais j'imagine que vous étiez totalement prise par votre, euh, prétendue carrière. »

J'ai ignoré la vexation.

« J'avais un emploi du temps exigeant, oui.

— Deux trimestres en tant qu'enseignante ?

— Oui, mais je suis retournée au droit.

— Affaires familiales ? Agressions sexuelles ? Criminelles ? Prostituées sollicitant des mesures de protection ? Liquidation de la communauté conjugale ? Fautes professionnelles médicales, principalement du fait de gynécologues ? Retrait de garde d'un enfant à une mère irresponsable ? »

Il avait sorti une liste, et la lisait.

« Quand c'était nécessaire, oui, ai-je reconnu.

— Bref épisode comme bénévole dans une association d'aide aux victimes de viol ?

— J'étais étudiante.

— Le Sanctuaire de South Street, c'est bien ça ? Vous avez arrêté parce que… ?

— J'ai fini par être trop occupée. »

Puis j'ai ajouté une vérité supplémentaire, car je n'avais aucune raison de ne pas être franche :

« Et puis ça m'épuisait.

— Oui, s'est-il écrié, l'œil pétillant. Ça épuise. Toute cette souffrance inutile des femmes. Nous avons bien l'intention d'éliminer ça. Je suis sûr que vous êtes d'accord. »

Il s'est interrompu, comme s'il m'accordait une minute pour réfléchir à sa déclaration. Puis il a souri de nouveau.

«Alors. Ce sera quoi ?»

Mon ancien moi aurait répondu : «Quoi de quoi ?» ou quelque chose d'aussi léger. À la place, j'ai dit :

«Vous voulez dire oui ou non ?

— Exact. Vous avez éprouvé les conséquences du non, du moins en partie. Alors que le oui… laissez-moi vous dire simplement que ceux qui ne sont pas avec nous sont contre nous.

— Je vois. Alors, c'est oui.

— Il vous faudra prouver que vous êtes sérieuse. Êtes-vous prête à le faire ?

— Oui. Comment ?»

Il y a bien eu une épreuve. Tu as sans doute deviné ce que ça a été. Ça a ressemblé à mon cauchemar, sauf que les femmes avaient les yeux bandés et que je ne suis pas tombée quand j'ai tiré. C'était ça, le test du Commandant Judd : échoue, et ton engagement sur la seule vraie voie est nul et non avenu ; réussis, et tu as du sang sur les mains. Comme quelqu'un l'a dit un jour : s'unir ou périr, il faut choisir.

J'ai cependant manifesté une certaine faiblesse : j'ai vomi après.

Une des cibles était Anita. Pourquoi avaient-ils décidé de l'éliminer, elle ? Même après le Débourroir, elle avait dû continuer à dire non au lieu de oui. Elle devait avoir choisi une sortie rapide. Mais, en réalité, je n'en savais rien. Peut-être était-ce très simple : le régime ne la considérait pas comme quelqu'un d'utile, alors que moi, oui.

Ce matin, je me suis levée une heure plus tôt afin de me ménager quelques moments avec toi, mon lecteur, avant le petit déjeuner. Tu es devenu une forme d'obsession – mon seul confident, mon seul ami –, car à qui puis-je dire la vérité sinon à toi ? À qui d'autre accorder ma confiance ?

Ce n'est pas non plus que je puisse te faire confiance. À la fin, qui d'autre que toi sera le plus susceptible de me trahir, de m'abandonner dans un coin bourré de toiles d'araignées ou sous un lit, pendant que tu iras te goberger à des pique-niques, danser – oui, on recommencera à danser, c'est difficile de supprimer ça à tout jamais – ou profiter d'un rendez-vous avec un corps chaud, autrement plus attirant que le tas de papier fatigué que je serai devenue ? Mais je te pardonne d'avance. Moi aussi, j'ai été comme toi autrefois : mortellement accro à la vie.

Cela dit, pourquoi est-ce que je prends ton existence pour acquise ? Peut-être ne te matérialiseras-tu jamais ? Tu n'es qu'un souhait, une possibilité, un fantôme. Oserai-je dire un espoir ? J'ai sûrement droit à l'espoir. La cloche n'a pas encore sonné les minuits de ma vie, le Diable n'est pas encore venu collecter le prix de notre pacte.

Car il y a eu pacte. Bien entendu. Même si ce n'est pas avec le Diable que je l'ai conclu, mais avec le Commandant Judd.

Ma première rencontre avec Elizabeth, Helena et Vidala a eu lieu le jour d'après ma mise à l'épreuve par meurtre, au stade. On nous a fait entrer toutes les quatre dans une des salles de conférences de l'hôtel. Nous étions physiquement bien différentes à l'époque : plus jeunes, plus minces, moins déformées. Elizabeth, Helena et moi portions la tenue en toile marron que j'ai décrite plus haut, mais Vidala avait déjà un vrai uniforme : pas l'uniforme des Tantes qui serait créé par la suite mais un noir.

Le Commandant Judd nous attendait. Naturellement, il siégeait au bout de la table de la salle de conférences. Devant lui, il y avait un plateau avec une cafetière et des tasses. Il a servi de manière cérémonieuse, en souriant.

228

«Félicitations, a-t-il déclaré en guise d'introduction. Vous avez réussi le test. Vous êtes des brandons arrachés au feu.»

Il s'est servi un café, y a ajouté du lait, en a pris une gorgée.

«Vous vous demandez peut-être pourquoi quelqu'un comme moi, ayant relativement bien réussi sous l'ancien régime corrompu, a agi comme je l'ai fait. Ne pensez pas que je n'ai pas conscience de la gravité de mes actes. Certains pourraient qualifier de trahison le renversement d'un gouvernement illégitime; il est clair que de nombreuses gens ont pensé ça de moi. À présent que vous êtes des nôtres, d'autres penseront la même chose de vous. Mais la loyauté envers une vérité supérieure n'est sûrement pas une trahison, car les voies de Dieu ne sont pas celles de l'homme, et encore moins, il faut le souligner, celles de la femme.»

Vidala nous observait avec un tout petit sourire pendant qu'il nous faisait la leçon : quel qu'ait été le credo qu'il nous pressait d'adopter, elle l'avait déjà accepté.

Personnellement, je veillais à ne pas réagir. C'est un talent, de ne pas réagir. Le Commandant Judd a laissé courir son regard d'un visage impassible à l'autre.

«Vous pouvez boire votre café, a-t-il dit. C'est une denrée précieuse, de plus en plus difficile à se procurer. Ce serait un péché que de refuser ce que Dieu, dans Sa munificence, offre à ceux qu'Il préfère.»

Sur cette injonction, nous avons saisi nos tasses, comme lors d'un rituel de communion.

Il a continué :

«Nous avons vu à quoi menaient un trop grand laxisme, une soif inassouvie de biens matériels et l'absence de structures solides pour fonder une société stable et équilibrée. Notre taux de natalité – pour diverses raisons, liées avant tout aux choix égoïstes des femmes – est en chute libre. Vous êtes d'accord pour admettre que c'est au milieu du chaos que les êtres humains sont les plus malheureux ? Que règles et limites promeuvent la stabilité, et donc le bonheur ? Vous me suivez jusqu'ici ? »

Nous avons acquiescé d'un signe de tête.

« Est-ce un oui ? »

Il a tendu le doigt vers Elizabeth.

« Oui », a-t-elle répondu d'une voix couinante d'angoisse.

Elle était plus jeune et attirante à l'époque ; elle ne s'était pas encore empâtée. J'ai noté depuis que certains hommes aimaient harceler les belles femmes.

« Oui, Commandant Judd, l'a-t-il reprise. Il faut respecter les titres.

— Oui, Commandant Judd. »

Assise de l'autre côté de la table, je sentais sa peur ; je me suis demandé si elle pouvait sentir la mienne. Ça a des notes acides, la peur. C'est corrosif.

Elle aussi, elle est restée seule dans le noir, ai-je songé. Elle a été mise à l'épreuve dans le stade. Elle aussi, elle a regardé en elle-même et y a découvert le vide.

« La société est mieux servie lorsqu'elle dispose de sphères distinctes entre hommes et femmes, a poursuivi le Commandant Judd d'une voix plus sévère. Nous avons vu les résultats désastreux qu'ont produits les tentatives d'amalgame entre ces deux sphères. Des questions jusqu'ici ?

— Oui, Commandant Judd, ai-je dit. J'en ai une. »

Il a souri, sans rien de chaleureux néanmoins.

« Allez-y.

— Que voulez-vous ? »

Il s'est remis à sourire.

« Merci. Que voulons-nous de vous en particulier ? Nous sommes en train de bâtir une société en harmonie avec l'Ordre divin – une cité sise sur un mont, et dont la lumière guidera le monde – et nous agissons par charité et sollicitude. Nous pensons que, de par votre formation privilégiée, vous êtes particulièrement qualifiées pour nous aider à améliorer le sort pathétique échu aux femmes du fait de la société décadente et corrompue que nous sommes en train d'abolir.»

Il s'est interrompu.

«Vous souhaitez aider?»

Cette fois-ci, son doigt a ciblé Helena.

«Oui, Commandant Judd.»

Un quasi-murmure.

«Parfait. Vous êtes toutes des femmes intelligentes. Grâce à vos...»

Il n'avait pas envie de dire *professions*.

«Grâce à vos expériences antérieures, vous connaissez bien la vie des femmes. Vous savez comment elles sont susceptibles de penser ou, pour le formuler autrement, comment elles sont susceptibles de réagir à certains stimuli, tant positifs que moins positifs. Vous pouvez donc nous être utiles – ce qui vous donnera droit à certains avantages. Nous souhaiterions que vous soyez des guides spirituels et des mentors – des dirigeantes, en un sens – au sein de votre propre sphère féminine. Davantage de café?»

Il nous a servies. Nous, on a remué, pris une gorgée, attendu.

«Pour faire simple, a-t-il continué, nous voulons que vous nous aidiez à organiser cette sphère distincte – la sphère des femmes. Avec, pour objectif, un maximum d'harmonie, à la ville comme à la maison, et un maximum d'enfants. D'autres questions?»

Elizabeth a levé la main.

«Oui?

— Est-ce qu'on sera obligées de... prier et ainsi de suite?

— La prière est cumulative, a-t-il répondu. Vous finirez par comprendre que vous avez de nombreuses raisons de vous montrer reconnaissantes envers un pouvoir qui vous est supérieur. Ma, euh, collègue (il a désigné Vidala), qui appartient à notre mouvement depuis sa création, s'est portée volontaire pour être votre instructeur spirituel.»

231

Il y a eu un silence, le temps qu'Elizabeth, Helena et moi absorbions cette information. Par ce pouvoir qui nous était supérieur, il parlait de lui ?

« Je suis sûre que nous pouvons nous rendre utiles, ai-je fini par dire. Mais ça exigera énormément de travail. Il y a si longtemps qu'on répète aux femmes qu'elles peuvent être des égales dans les domaines public et professionnel. Elles auront du mal à bien accueillir le... la... (j'ai cherché le terme)... la ségrégation.

— C'était cruel de leur promettre l'égalité, a-t-il poursuivi, étant donné que, de par leur nature, elles ne pourront jamais y parvenir. Par souci de miséricorde, nous avons déjà commencé à réduire leurs attentes. »

Je n'ai pas voulu l'interroger sur les moyens employés. Étaient-ils semblables à ceux qu'on avait employés avec moi ? Nous avons patienté tandis qu'il se resservait en café.

« Bien entendu, il faudra que vous créiez des lois, et tout le reste. On vous octroiera un budget, une base opérationnelle et un dortoir. Nous vous avons réservé une résidence universitaire dans l'enceinte d'une des anciennes universités que nous avons réquisitionnées. Elle n'exigera pas beaucoup d'aménagements. Je suis sûr qu'elle sera suffisamment confortable. »

À cet instant, j'ai pris un risque.

« Si ce doit être une sphère féminine distincte, ai-je lancé, il faut alors qu'elle le soit réellement. À l'intérieur de cet univers, ce sont les femmes qui doivent commander. Sauf en cas d'extrême nécessité, il ne faudrait pas que des hommes franchissent le seuil des locaux qui nous seront alloués, ni que nos méthodes soient remises en question. Il faudra nous juger sur nos seuls résultats. Même si bien entendu nous en réfèrerons aux autorités lorsque ce sera nécessaire. »

Il m'a jaugée du regard, puis il a ouvert les mains, paumes offertes.

« Carte blanche, a-t-il déclaré. Dans la limite du raisonnable, et du budget. Et à condition, naturellement, d'avoir mon approbation au final. »

J'ai jeté un coup d'œil à Elizabeth et Helena, et j'ai noté leur admiration en demi-teinte. J'avais essayé d'obtenir plus de pouvoir qu'elles n'auraient osé en réclamer, et j'avais gagné.

« Naturellement, ai-je répondu.

— Je ne suis pas sûre que ce soit bien sage, a fait remarquer Vidala. De les laisser conduire leurs propres affaires à ce point-là. Les femmes sont de faibles vaisseaux. Même les plus fortes ne devraient pas avoir la possibilité de... »

Le Commandant Judd l'a coupée.

« Les hommes ont mieux à faire que de se préoccuper des détails insignifiants de la sphère féminine. Il doit y avoir des femmes suffisamment compétentes pour gérer ça, j'en suis certain. »

Il m'a adressé un petit signe de tête, tandis que Vidala me décochait un regard haineux.

« Les femmes de Galaad auront de bonnes raisons de vous être reconnaissantes, a-t-il ajouté. Tant de régimes ont géré ces questions n'importe comment, de façon si déplaisante ! Quel gâchis ! Si vous échouez, votre échec sera celui de toutes les femmes. Comme Ève. À présent, je vais vous laisser à vos délibérations collectives. »

Et c'est ainsi que nous avons commencé.

Au cours de ces premières sessions, j'ai évalué mes co-Fondatrices – car c'était ainsi que nous serions révérées à Galaad, Judd nous l'avait promis. Si tu connais bien les cours de récréation les plus remuantes, ou les poulaillers, ou n'importe quelle situation où les gratifications sont minimes et la concurrence féroce, tu apprécieras les forces à l'œuvre : en dépit de notre amitié, de notre collégialité de façade, des courants d'hostilité sous-jacents se dessinaient déjà. Si c'est un poulailler, me suis-je dit, je compte bien être la poule alpha. Et pour ça, à moi d'établir à coups de bec mes droits sur les autres.

De Vidala, je m'étais déjà fait une ennemie. Elle s'était vue comme la cheffe naturelle, mais cette ambition lui avait été contestée. Elle allait s'opposer à moi de toutes les manières possibles – cependant, j'avais un avantage : l'idéologie ne m'aveuglait pas. Dans le jeu à long terme qui nous attendait, ça me donnerait une flexibilité qui lui manquait.

Des deux autres, Helena serait la plus facile à gérer, car c'était elle qui avait le moins confiance en elle. Même si elle a fondu depuis, elle était bien en chair à l'époque ; elle nous avait raconté avoir travaillé pour une lucrative entreprise spécialisée dans l'amaigrissement. C'était avant qu'elle prenne un emploi de relations publiques dans une boîte de lingerie couture et qu'elle acquière une large collection de chaussures.

« De si belles chaussures », avait-elle gémi tristement avant que la mine renfrognée de Tante Vidala ne la réduise au silence.

Helena irait dans le sens du vent, avais-je conclu ; et ce serait bien pour moi tant que j'incarnerais ce vent-là.

Elizabeth était d'un milieu plus aisé, façon de dire bien plus aisé que le mien. Ça la pousserait à me sous-estimer. C'était quelqu'un qui avait fait ses études à l'université privée Vassar et travaillé en tant qu'assistante exécutive d'une formidable sénatrice à Washington – une présidente en puissance, nous avait-elle confié. Mais le Débourroir avait brisé quelque chose chez elle. Ses origines et son éducation ne l'avaient pas sauvée, et ça l'avait déstabilisée.

Prises séparément, je pouvais les manœuvrer, mais si elles s'unissaient j'aurais des problèmes. Diviser pour régner serait ma devise.

Garde ton cap, me suis-je dit. Ne partage pas trop de choses sur ta vie, ça se retournerait contre toi. Écoute attentivement. Note tous les indices. Ne montre jamais ta peur.

Semaine après semaine, nous avons inventé : des lois, des uniformes, des slogans, des cantiques, des noms. Semaine après semaine, nous sommes allées rendre compte au Commandant Judd, qui se tournait vers moi, la porte-parole du groupe. Et quand il approuvait un concept, il s'en attribuait le mérite. Les éloges affluaient de la part des autres Commandants. Quel succès il avait !

Est-ce que je détestais l'organisation que nous étions en train de mettre sur pied ? À un certain niveau, oui : c'était une trahison de tout ce qu'on nous avait appris dans notre vie antérieure, et de tout ce que nous avions accompli. Étais-je fière de ce que nous étions parvenues à accomplir, en dépit des entraves ? Là aussi, à un certain niveau, oui. Les choses ne sont jamais simples.

Pendant un moment, j'ai presque cru que je comprenais ce que je devais croire. Je me comptais parmi les fidèles pour les mêmes raisons que bien des gens à Galaad : parce que c'était moins dangereux. À quoi bon se jeter devant un rouleau compresseur au nom de principes moraux et se retrouver aplati comme une chaussette sans pied ? Mieux vaut se fondre dans la foule, la foule mielleuse qui prie pieusement et se répand en rumeurs haineuses. Mieux vaut lancer des pierres que les recevoir en pleine figure. Ou disons que, pour rester en vie, c'est mieux.

Ils le savaient très bien, les architectes de Galaad. Les gens comme eux le savent depuis toujours.

Je vais noter ici que, quelques années plus tard – après que j'ai eu resserré mon emprise sur Ardua Hall et assis par la même occasion le pouvoir considérable, quoique discret, dont je dispose à présent à Galaad –, le Commandant Judd, sentant que l'équilibre s'était modifié, a cherché à m'amadouer.

«J'espère que vous m'avez pardonné, Tante Lydia, m'a-t-il dit.

— Quoi donc, Commandant Judd?» ai-je demandé de mon ton le plus affable.

Se pourrait-il qu'il ait à présent un petit peu peur de moi?

«Les mesures rigoureuses que j'ai dû prendre au début de notre association, m'a-t-il expliqué. Afin de séparer le bon grain de l'ivraie.

— Oh! Je suis sûre que vous aviez de nobles intentions.

— Je le pense. Mais il n'empêche que c'étaient de sévères mesures.»

J'ai souri sans faire de commentaire.

«Dès le départ, j'ai vu le bon grain chez vous.»

J'ai continué à sourire.

«Votre fusil était chargé à blanc, a-t-il ajouté. J'ai pensé que ça vous ferait plaisir de le savoir.

— C'est très gentil à vous», ai-je répondu.

Les muscles de mon visage commençaient à me faire mal. Il est des circonstances où sourire constitue un véritable exercice de musculation.

«Je suis pardonné, alors?»

Si je n'avais connu sa préférence pour les jeunes filles à peine nubiles, j'aurais pensé qu'il flirtait. J'ai pioché un petit souvenir dans le sac fourre-tout du passé révolu:

«L'erreur est humaine, le pardon divin, comme l'a dit quelqu'un autrefois.»

Il a souri.

«Que vous êtes érudite!»

Hier soir, après avoir fini mes pages et rangé mon manuscrit dans l'antre du cardinal Newman, j'étais en route pour le Café Schlafly quand Tante Vidala m'a accostée.

«Tante Lydia, puis-je vous dire deux mots?»

C'est une requête à laquelle on doit toujours répondre oui. Je l'ai invitée à m'accompagner au café.

De l'autre côté de la cour, le siège de l'Œil, blanche bâtisse aux multiples colonnades, était vivement éclairé : fidèles à leur nom, l'Œil de Dieu sans paupière, ils ne dorment jamais. Plantés sur l'escalier blanc menant à leur bâtiment principal, trois d'entre eux fumaient une cigarette. Ils n'ont pas tourné la tête de notre côté. Pour eux, les Tantes sont des ombres – leurs propres ombres ; elles en effraient certains, mais pas eux.

En passant devant ma statue, j'ai jeté un coup d'œil vers les offrandes : moins d'œufs et d'oranges que d'habitude. Ma popularité est-elle en train de décliner ? J'ai résisté à l'envie pressante de fourrer une orange dans ma poche : je pouvais revenir plus tard.

Tante Vidala a éternué, prélude à une grave remarque. Puis elle s'est éclairci la gorge.

« Je saisis cette occasion pour vous signaler que d'aucuns ont exprimé une certaine gêne à propos de votre statue.

— Vraiment ? Comment cela ?

— Les offrandes. Les oranges. Les œufs. Tante Elizabeth estime que cette attention excessive est dangereusement proche du culte de la personnalité. Ce qui serait de l'idolâtrie. Un grave péché.

— Assurément. Quelle clairvoyance édifiante !

— Et c'est aussi gaspiller une nourriture précieuse. Elle considère que ça équivaut pratiquement à du sabotage.

— Je suis absolument d'accord. Personne plus que moi ne tient à éviter le culte de la personnalité, ne serait-ce qu'en apparence. Et je défends, vous le savez, des règles strictes quant à l'apport nutritionnel. Nous, les dirigeantes du Hall, devons donner l'exemple, même quand il s'agit de se resservir, surtout en œufs durs. »

Ici, je me suis interrompue : j'ai une vidéo de Tante Elizabeth au réfectoire en train de glisser de la nourriture dans ses manches. Ce n'était cependant pas le moment de partager cette information.

«Pour ce qui est des offrandes, ce genre de manifestation est indépendant de ma volonté. Je ne peux empêcher des inconnus de déposer des témoignages d'affection, de respect, de loyauté et de remerciement sous forme de plats préparés et de fruits au pied de mon effigie. Ce dont je suis totalement indigne, cela va sans dire.

— On ne peut les en empêcher, a insisté Tante Vidala, mais on peut peut-être les localiser et les punir.

— Nous n'avons aucune loi relative à ce type d'actions, de sorte que nul n'a enfreint la loi.

— En ce cas, nous devrions en préparer une, a poursuivi Tante Vidala.

— Je ne manquerai pas d'y réfléchir. De même qu'à un châtiment approprié. En la matière, le tact s'impose.»

Quel dommage que de renoncer aux oranges, me suis-je dit : compte tenu de l'imprévisibilité des arrivages, elles ne sont pas toujours disponibles.

«Mais vous avez autre chose à ajouter, je crois?»

Nous étions maintenant devant le café Schlafly et nous nous sommes assises à l'une des tables roses.

«Une tasse de lait chaud? lui ai-je proposé. Je vous invite.

— Je ne bois pas de lait, a-t-elle répondu d'un ton irrité. Ça entraîne la formation de mucus.»

Je propose toujours à Tante Vidala un lait chaud sur mon compte, histoire d'afficher ma générosité – le lait ne fait pas partie de nos rations ordinaires, c'est un article optionnel, que l'on paie avec les jetons qui nous sont remis en fonction de notre statut. Elle refuse toujours avec irritation.

«Oh, désolée, j'avais oublié. Une infusion à la menthe alors?»

Une fois nos boissons servies, elle en est venue à son principal souci.

« Le fait est, a-t-elle déclaré, que j'ai personnellement vu Tante Elizabeth déposer de la nourriture au pied de votre statue. Des œufs durs, en particulier.

— Fascinant. Pourquoi ferait-elle cela ?

— Pour rassembler des preuves contre vous. À mon avis.

— Des preuves ? »

Je croyais qu'Elizabeth se contentait de boulotter ces œufs. Là, on avait un usage plus créatif : ça m'a rendue assez fière d'elle.

« Je pense qu'elle s'apprête à vous dénoncer. Pour détourner l'attention de sa personne et de ses activités déloyales. C'est peut-être elle le traître parmi nous, ici à Ardua Hall – qui travaille avec les terroristes de Mayday. Il y a longtemps que je la soupçonne d'hérésie », a ajouté Tante Vidala.

J'ai éprouvé une brusque pointe d'excitation. C'était là un développement que je n'avais pas anticipé : Vidala en train de cafarder Elizabeth – et auprès de moi en plus, alors qu'elle me hait depuis si longtemps. On n'en finit jamais de s'étonner.

« Voilà une nouvelle choquante, si elle est vraie. Merci de m'avoir alertée. Vous en serez récompensée. Bien que nous n'ayons encore aucune preuve, je vais prendre la précaution de transmettre vos soupçons au Commandant Judd.

— Merci, a dit Tante Vidala à son tour. J'avoue avoir douté autrefois de votre aptitude à nous guider, ici à Ardua Hall, mais j'ai prié à ce sujet. J'ai eu tort de nourrir de tels doutes. Je vous prie de m'en excuser.

— Tout le monde commet des erreurs, ai-je déclaré, magnanime. Nous sommes des êtres humains, voilà tout.

— Sous Son Œil », a-t-elle déclaré en inclinant la tête.

Garde tes amis près de toi, et tes ennemis plus près encore, me suis-je dit. N'ayant pas d'amis, je dois faire avec mes ennemis.

XII.

TAPIZ

30.

J'étais en train de te raconter le moment où Elijah m'a dit que je n'étais pas celle que je croyais être. Je n'aime pas repenser à ce que j'ai éprouvé. Ça a été comme un gouffre qui s'ouvre et t'avale – pas seulement toi, mais aussi ta maison, ta chambre, ton passé, tout ce que tu savais sur toi-même, jusqu'à ce à quoi tu ressemblais –, ça a été une dégringolade, une asphyxie, des ténèbres, tout à la fois.

J'ai dû rester assise là une minute au moins, bouche bée. J'avais l'impression de suffoquer. Je me sentais glacée des pieds à la tête.

Bébé Nicole, avec sa bouille ronde et ses yeux qui n'avaient conscience de rien. Chaque fois que j'avais fixé cette fameuse photo, c'était moi que j'avais regardée. Rien que par sa naissance, ce bébé avait causé des tas de problèmes à des tas de gens. Comment est-ce que je pouvais être cette personne-là ? Dans ma tête, j'étais dans le déni, je hurlais non. Sauf que rien ne sortait.

« Ça ne me plaît pas, ai-je fini par marmonner d'une petite voix.

— Ça ne plaît à personne d'entre nous, a répondu Elijah avec bienveillance. On aimerait tous que la réalité soit différente.

— J'aimerais qu'il n'y ait pas de Galaad, ai-je ajouté.

— C'est notre objectif, m'a dit Ada. Pas de Galaad.»

Elle a sorti ça à sa façon pragmatique, comme si pas de Galaad était aussi simple que de réparer un robinet qui fuit.

«Tu veux un café?»

J'ai refusé d'un signe de tête. J'étais encore en train d'essayer d'absorber ces révélations. Donc j'étais une réfugiée, comme les femmes effrayées que j'avais vues à SanctuHome; comme les autres réfugiés à propos desquels tout le monde se disputait sans arrêt. Mon carnet de santé, seule preuve de mon identité, était un faux. Je n'avais jamais été une résidente légale du Canada. Je pouvais être déportée n'importe quand. Ma mère était une Servante. Et mon père…

«Alors, mon père était un de ces types? Un Commandant?»

Je frissonnais à l'idée qu'une partie de lui était une partie de moi – dans mon corps même.

«Heureusement, non, m'a répondu Elijah. Du moins d'après ta mère, qui n'a cependant pas envie de mettre ton père en danger en révélant la vérité, car il est peut-être encore à Galaad. Mais Galaad fait valoir ses droits sur toi au nom de ton père officiel. C'est sur cette base qu'ils ont toujours exigé ton retour. Le retour de Bébé Nicole.»

Galaad n'avait jamais renoncé à me retrouver. Ils n'avaient jamais cessé de me chercher; ils étaient extrêmement tenaces. Selon eux, je leur appartenais, et ils avaient le droit de me traquer et de me rapatrier par n'importe quels moyens, légaux ou illégaux. J'étais mineure, et bien qu'on ait perdu de vue le fameux Commandant – très vraisemblablement à la suite d'une purge –, en vertu de leur système juridique, j'étais sa fille; et il avait des proches encore vivants, de sorte que si l'affaire passait en jugement, ces derniers avaient des chances d'obtenir ma garde. Et Mayday, classé par le monde entier comme une organisation terroriste, ne pourrait pas me protéger. Mayday n'avait qu'une existence clandestine.

«Au fil des années, on les a lancés sur plusieurs fausses pistes, m'a confié Ada. Tu as été vue à Montréal, ainsi qu'à Winnipeg. Puis il a été dit que tu étais en Californie et ensuite au Mexique. On t'a fait bouger.

— C'est pour ça que Neil et Melanie ne voulaient pas que j'aille à la manifestation ?

— En un sens, a répondu Ada.

— Et moi, j'y suis allée. C'est de ma faute. Non ?

— Comment ça ? m'a demandé Ada.

— Ils ne voulaient pas qu'on me voie. Ils ont été tués parce qu'ils me cachaient.

— Pas exactement, a dit Elijah. Ils ne voulaient pas que des photos de toi circulent, ni que tu passes à la TV. On peut concevoir que Galaad analyse les images de la manifestation, et essaie de trouver des correspondances. Ils avaient une photo de toi bébé ; ils doivent avoir une idée approximative de ce à quoi tu ressembles aujourd'hui. Mais, au bout du compte, ils soupçonnaient déjà Neil et Melanie d'appartenir à Mayday.

— Ils m'ont peut-être suivie, a ajouté Ada. Ils m'ont peut-être associée à SanctuHome, et après à Melanie. Ils ont déjà envoyé des indics qui ont infiltré Mayday – au moins une fausse Servante en fuite, mais peut-être davantage.

— Peut-être même au sein de SanctuHome», a suggéré Elijah.

J'ai pensé aux gens qui assistaient régulièrement aux réunions chez nous. C'était écœurant de penser que l'un d'entre eux avait pu envisager d'éliminer Neil et Melanie tout en se goinfrant de raisins secs et de fromage.

«Donc ce point-là n'a rien à voir avec toi», a repris Ada.

Est-ce qu'elle disait ça juste pour que je me sente moins mal ? Je me suis posé la question.

«Je déteste être Bébé Nicole, ai-je marmonné. Je n'ai pas demandé à l'être.

— La vie, ça craint, un point c'est tout, a conclu Ada. Maintenant, il faut qu'on réfléchisse à ce qu'on va faire.»

Elijah est parti en disant qu'il reviendrait d'ici quelques heures.

«Ne sortez pas, ne vous mettez pas à la fenêtre, nous a-t-il recommandé. Pas de coups de fil. Je vais nous trouver une autre voiture.»

Ada a ouvert une boîte de soupe au poulet; elle a décrété que j'avais besoin d'avaler quelque chose, alors j'ai fait de mon mieux.

«Et s'ils déboulent? je lui ai demandé. À quoi est-ce qu'ils ressemblent au juste?

— À tout le monde.»

Dans l'après-midi, Elijah est revenu. George, le vieux sans-abri qui, selon moi, suivait Melanie, l'accompagnait.

«C'est pire que ce qu'on pensait, a déclaré Elijah. George a tout vu.

— Il a vu quoi? a fait Ada.

— Il y avait un panneau FERMÉ sur la boutique. Elle n'était jamais fermée dans la journée, donc ça m'a paru bizarre, a expliqué George. Là-dessus, trois mecs sont sortis et ont installé Neil et Melanie dans la bagnole. Ils les soutenaient, comme s'ils étaient bourrés. Ils bavardaient, on aurait dit qu'ils avaient passé un moment à discuter ensemble et se disaient juste au revoir. Melanie et Neil sont restés assis dans la voiture. En y réfléchissant… ils étaient affalés, comme s'ils dormaient.

— Ou qu'ils étaient morts, a avancé Ada.

— Oui, c'est possible, a reconnu George. Les trois mecs sont partis. Une minute plus tard à peu près, la bagnole a sauté.

— C'est bien pire que ce qu'on pensait, s'est exclamée Ada. Par exemple, va savoir ce qu'ils ont pu lâcher avant dans la boutique ?

— Ils n'auront rien dit, a déclaré Elijah.

— On n'en sait rien, a rétorqué Ada. Tout dépend des tactiques employées. Les agents de l'Œil sont des brutes.

— Il faut qu'on se barre d'ici vite, a enchaîné George. Je ne sais pas s'ils m'ont vu. Je ne voulais pas venir ici, mais ne sachant pas quoi faire j'ai appelé SanctuHome, et Elijah m'a récupéré. Et on fait quoi s'ils ont collé mon téléphone sur écoute ?

— On le démolit, a proposé Ada.

— Quel genre de mecs ? s'est enquis Elijah.

— Costards. Hommes d'affaires. L'air respectable. Ils avaient des attachés-cases.

— Un peu, mon neveu, a grommelé Ada. Et ils en ont planté un dans la bagnole.

— Je suis vraiment désolé pour tout ça, m'a dit George. Neil et Melanie étaient des gens bien.

— Il faut que j'y aille », j'ai bredouillé parce que j'étais sur le point de pleurer.

Je suis allée dans ma chambre et je m'y suis enfermée.

J'y suis pas restée longtemps. Dix minutes plus tard, on a frappé à ma porte, et Ada a ouvert.

« On s'en va, m'a-t-elle annoncé. Tout de suite. »

J'étais au lit, la couette remontée jusqu'au nez.

« Où ?

— La curiosité, c'est pas forcément bon pour la santé. Allons-y. »

On a descendu le grand escalier, mais au lieu de sortir on est entrées dans un des appartements du rez-de-chaussée, dont Ada avait la clé.

Il ressemblait à celui de l'étage : meublé de neuf, sans rien de personnel. Il semblait habité, mais tout juste. Il y avait une couette sur le lit, identique à celle de l'étage. Dans la chambre, un sac à dos noir. Dans la salle de bains, une brosse à dents, mais rien dans l'armoire de toilette. Je le sais, j'ai regardé. Melanie disait que quatre-vingt-dix pour cent des gens regardaient dans les armoires de toilette des autres, qu'il ne fallait donc jamais y ranger ses trucs secrets. Là, je me suis demandé où elle rangeait ses trucs secrets, parce qu'elle avait dû en avoir une flopée.

« Qui habite ici ? ai-je lancé à Ada.

— Garth. C'est lui qui va nous conduire. Maintenant, on est sages comme des images.

— Qu'est-ce qu'on attend ? Quand est-ce qu'il va se passer quelque chose ?

— Patience, tu ne seras pas déçue. Il va se passer quelque chose. Mais ça ne te plaira peut-être pas. »

31.

Quand je me suis réveillée, il faisait nuit, et un homme était là. Grand et mince, il avait peut-être vingt-cinq ans. Il portait un jean et un T-shirt noir, sans logo.

« Garth, je te présente Daisy », a dit Ada.

J'ai marmonné « Salut ».

Il m'a considérée avec intérêt :

« Bébé Nicole ?

— S'il te plaît, m'appelle pas comme ça.

— D'accord. Je ne suis pas censé prononcer ce nom.

— On est parés ? a lancé Ada.

— À mon avis, elle devrait se couvrir. Et toi aussi.

— Avec quoi ? a protesté Ada. J'ai pas pris mon voile de Galaad. On va s'installer à l'arrière. C'est ce qu'on peut faire de mieux. »

Le van avec lequel on était venues n'était plus là, à la place il y en avait un nouveau – un van de livraison sur lequel était écrit Débouchage Drain Exprès et en anglais *Speedy Drain Snaking* avec la photo d'un adorable serpent émergeant d'une canalisation. On est montées à l'arrière, Ada et moi. Il y avait du matériel de plomberie, mais aussi un matelas, et on s'est assises dessus. Il faisait sombre et étouffant là-dedans, heureusement on roulait assez vite, pour autant que j'ai pu en juger.

«Comment est-ce qu'on m'a sortie de Galaad? j'ai demandé à Ada au bout d'un moment. Quand j'étais Bébé Nicole?

— Ça, il n'y a pas de mal à te le dire. Ce réseau-là est démantelé, Galaad a fermé ce passage; il y a des chiens renifleurs tout du long aujourd'hui.

— À cause de moi?

— Tout n'est pas de ta faute. En tout cas, voici ce qui s'est passé : ta mère t'a laissée à des amis de confiance; ils ont pris l'autoroute pour t'embarquer vers le nord, puis ils ont coupé par les forêts du Vermont.

— Tu en faisais partie?

— On a dit qu'on allait chasser le cerf. J'ai bossé comme guide dans ce coin, je connaissais du monde. On t'avait fourrée dans un sac à dos et filé une pilule pour que tu ne brailles pas.

— Tu as drogué un bébé. Tu aurais pu me tuer, ai-je protesté avec indignation.

— Mais on ne t'a pas tuée. On a franchi les montagnes avec toi, puis on est entrés au Canada à Trois-Rivières. Dans le temps, c'était une voie privilégiée pour faire passer les gens en douce.

— Quand ça?

— Oh, autour de 1740. Ils kidnappaient des filles de Nouvelle-Angleterre, les retenaient en otages et les négociaient, ou bien les mariaient. Une fois qu'elles avaient eu un enfant, elles ne voulaient plus repartir. C'est à ça que je dois mon ascendance mixte.

— Comment ça mixte?

— Moitié volée, moitié voleuse. Je suis ambidextre.»

Assise dans le noir au milieu du matériel de plomberie, j'ai réfléchi à tout ça.

«Et elle est où maintenant? Ma mère?

— Top secret. Moins il y aura de gens pour le savoir, mieux ce sera.

— Elle s'est juste tirée en m'abandonnant?

250

— Elle était dans la mouise jusqu'au cou. Tu as de la chance d'être en vie. Elle aussi, à ce qu'on sait, ils ont déjà essayé de la tuer à deux reprises. Ils n'ont pas oublié la manière dont elle les avait eus avec Bébé Nicole.

— Et mon père ?

— C'est la même histoire. Il est tellement noyé dans la clandestinité qu'il lui faut un tuba.

— Je suppose qu'elle m'a oubliée, ai-je dit d'un ton lugubre. Elle en a rien à foutre.

— Personne ne peut juger ce que les autres ont à foutre, a répliqué Ada. C'est pour ton bien qu'elle n'est pas venue te voir. Elle ne voulait pas t'exposer. Mais elle t'a suivie autant qu'elle a pu, compte tenu des circonstances. »

Ça m'a fait plaisir, même si je n'avais pas envie de lâcher ma colère.

« Comment ? Elle passait chez nous ?

— Non. Elle n'aurait pas pris le risque de faire de toi une cible. Mais Neil et Melanie lui envoyaient des photos.

— Ils ne prenaient jamais de photos de moi. C'était un de leurs principes – pas de photos.

— Ils prenaient des tas de photos. La nuit. Quand tu dormais. »

C'était flippant, et je l'ai dit.

« Le flip, c'est ce qu'on en fait.

— Donc ils lui envoyaient ces photos ? Comment ? Si c'était tellement secret, ils n'avaient pas peur...

— Par coursier.

— Tout le monde sait que ces services de coursiers sont de vraies passoires.

— Je n'ai pas parlé de services de coursiers, j'ai dit coursier. »

Après un instant de réflexion, je me suis exclamée :

« Oh ! C'est toi qui les lui portais ?

— Je ne les lui portais pas, pas directement, je les lui faisais passer. Ta mère aimait vraiment ces photos.

Les mamans aiment toujours les photos de leurs enfants. Elle les regardait, puis elle les brûlait, comme ça Galaad ne risquait pas de tomber dessus.»

Au bout d'une heure peut-être, on est arrivés devant une boutique de vente de tapis en gros à Etobicoke. Elle avait un logo de tapis volant et s'appelait Tapiz.

En façade, Tapiz était un authentique grossiste en tapis, avec une salle d'exposition et des tas de tapis partout, mais au fond, derrière la section où on entreposait les marchandises, se cachait une pièce encombrée avec une demi-douzaine de box sur les côtés. Dans certains, il y avait des sacs de couchage ou des couettes. Étalé sur le dos, un homme en caleçon dormait dans l'un d'eux.

Il y avait également une zone centrale avec des bureaux, des sièges et des ordinateurs, ainsi qu'un canapé esquinté poussé contre le mur. Sur les murs, des cartes : Amérique du Nord, Nouvelle-Angleterre, Californie. Plusieurs hommes et trois femmes travaillaient devant des ordinateurs; ils étaient habillés comme des gens qu'on voit dehors l'été, en train de siroter un *latte* glacé. Ils nous ont jeté un bref coup d'œil, puis se sont remis au boulot.

Elijah était assis sur le canapé. Il s'est levé pour venir à notre rencontre et nous a demandé si tout allait bien. J'ai dit que ça allait et est-ce que je pourrais avoir de l'eau, parce que subitement j'avais très soif.

Là-dessus, Ada a fait remarquer :

«On n'a pas mangé depuis un moment. Je vais y aller.

— Vous devriez rester ici, toutes les deux», a décrété Garth.

Il est reparti vers l'entrée.

«Personne ici ne sait qui tu es, à part Garth, m'a glissé Elijah à voix basse. Ils ne savent pas que tu es Bébé Nicole.

— On va faire en sorte que ça continue, a lancé Ada. Langue trop bien pendue, navire perdu.»

Garth nous a apporté des croissants fourrés rassis du petit déjeuner dans un sac en papier et quatre tasses de café dégueulasse. On est allés dans un box où on s'est assis sur des sièges de bureau usés, et Elijah a allumé le petit écran qui était là afin qu'on puisse regarder les informations en mangeant.

On parlait encore du Chien habillé, mais personne n'avait été arrêté. Un expert a dénoncé des terroristes, ce qui était vague, vu l'éventail de choix. Un autre a évoqué des «agents de l'extérieur». Le gouvernement canadien a dit explorer toutes les pistes possibles, et Ada a marmonné que la piste préférée des Canadiens, c'était la poubelle. Galaad a fait une déclaration officielle annonçant qu'ils ignoraient tout de cet attentat. Il y avait une manifestation devant le consulat de Galaad à Toronto, mais la foule était très clairsemée : Neil et Melanie n'étaient pas célèbres, et ce n'étaient pas des politiciens.

De mon côté, je ne savais pas si je devais être triste ou en colère. Que Neil et Melanie aient été assassinés me mettait en colère, et c'était pareil si je repensais à toutes les choses chouettes qu'ils avaient faites de leur vivant. Mais des trucs qui auraient dû me mettre en colère, du genre pourquoi Galaad s'en tirait impuni, ne faisaient que m'attrister.

Tante Adrianna – la Perle missionnaire retrouvée pendue à une poignée de porte dans un appartement – refaisait parler d'elle aux informations. La police avait écarté la thèse du suicide et soupçonnait un acte criminel. L'ambassade de Galaad à Ottawa avait porté plainte, clamant que l'organisation Mayday était responsable de cet homicide, que les autorités canadiennes couvraient ces terroristes et qu'il était grand temps de démanteler Mayday et son fonctionnement totalement illégal, et de le traduire en justice.

En revanche, il n'était pas du tout question de ma disparition. Mon école n'aurait-elle pas dû la signaler ? j'ai demandé.

« Elijah s'en est occupé, m'a expliqué Ada. Il connaît des gens dans l'établissement, c'est comme ça qu'on a pu t'y inscrire. Du coup, tu es restée dans l'ombre. C'était plus sûr. »

32.

Cette nuit-là, j'ai dormi tout habillée sur un des matelas. Au matin, Elijah a voulu qu'on discute tous les quatre.

«Ça pourrait aller mieux, a-t-il déclaré. Il se peut que nous soyons obligés de quitter cet endroit très vite. Galaad fait pression sur le gouvernement canadien pour qu'il sévisse contre Mayday. Galaad dispose d'une armée supérieure en nombre qui ferait la guerre pour un rien.

— Des hommes des cavernes, ces Canadiens, a dit Ada. Éternue un coup et ils tombent sur le cul.

— Pire encore, il paraîtrait que Galaad pourrait cibler Tapiz.

— Comment on sait ça?

— Par notre source interne, a expliqué Elijah, mais ça remonte à avant le cambriolage du Chien habillé. Et depuis on a perdu contact avec lui ou elle, ainsi qu'avec la plupart de nos correspondants à Galaad en charge des sauvetages. On ignore ce qui leur est arrivé.

— Alors, où est-ce qu'on peut la cacher? a demandé Garth en me désignant d'un signe de tête. Pour qu'ils ne mettent pas la main sur elle?

— Et là où est ma mère? ai-je suggéré. Vous avez dit qu'ils avaient essayé de la tuer et qu'ils avaient échoué, donc elle doit être dans un endroit sûr, en tout cas plus sûr qu'ici. Je pourrais y aller.

— Plus sûr, c'est une question de temps pour elle, a rétorqué Elijah.

— Et pourquoi pas dans un autre pays ?

— Il y a encore quelques années, on aurait pu te faire sortir par Saint-Pierre, a poursuivi Elijah, mais les Français ont verrouillé ce passage. Et depuis les émeutes des réfugiés, l'Angleterre, c'est mort, pareil pour l'Italie, l'Allemagne – et les petits pays européens. Aucun d'entre eux ne veut avoir de problèmes avec Galaad. Ni susciter l'indignation de leurs citoyens, vu l'ambiance actuelle. Même la Nouvelle-Zélande a fermé ses portes.

— Certains se disent prêts à accueillir des fugitives de Galaad, mais dans la plupart d'entre eux tu ne tiendrais pas une journée, tu serais récupérée par le trafic sexuel, a déclaré Ada. Et oublie l'Amérique du Sud, trop de dictateurs. Difficile d'entrer en Californie à cause de la guerre, et la république du Texas a la trouille. La guerre avec Galaad s'est terminée sur un match nul, mais ils n'ont aucune envie d'être envahis. Ils évitent les provocations.

— Donc je ferais mieux de baisser les bras, parce que tôt ou tard ils me tueront ? »

Je ne le pensais pas vraiment, mais c'est ce que j'ai ressenti à ce moment-là.

« Oh non, a protesté Ada. Toi, ils n'ont pas l'intention de te tuer.

— Liquider Bébé Nicole serait très mauvais pour leur réputation. Ils te veulent à Galaad, vivante et souriante, a dit Elijah. Même si nous n'avons plus aucun moyen de savoir ce qu'ils ont en tête. »

J'ai réfléchi à la remarque d'Elijah.

« Vous aviez un moyen avant ?

— Notre source à Galaad, m'a expliqué Ada.

— Quelqu'un de Galaad vous aidait?

— On ignore qui c'était. On nous a alertés sur des raids, on nous a prévenus quand une route était bloquée, on nous a fait passer des cartes. Les informations ont toujours été pertinentes.

— Mais Neil et Melanie n'ont pas été alertés, j'ai dit.

— Apparemment, la source ne disposait pas d'un total accès aux rouages de l'Œil, a avancé Elijah. Elle n'est donc pas au sommet de la hiérarchie. Un fonctionnaire de moindre importance, on suppose. Mais qui risque sa vie.

— Pourquoi faire ça?

— Aucune idée, mais ce n'est pas pour l'argent», a répondu Elijah.

D'après Elijah, la source utilisait des micropoints, une vieille technologie – tellement vieille que Galaad n'y avait pas pensé. On les faisait avec un appareil photo spécial, et ils étaient quasiment invisibles : Neil les lisait avec un microscope placé à l'intérieur d'un stylo. Galaad avait toujours traqué avec beaucoup de zèle tout ce qui risquait de franchir ses frontières, mais Mayday utilisait les brochures des Perles pour faire passer son courrier.

«Ça a été totalement fiable pendant un moment, a dit Elijah. Notre source photographiait les documents pour Mayday et les collait dans les brochures sur Bébé Nicole. Et on pouvait compter que les Perles passeraient au Chien habillé : Melanie était sur leur liste de gens susceptibles de se convertir, puisqu'elle acceptait toujours leur matériel. Neil avait un appareil à micropoints, de sorte qu'il mettait ses réponses sur les fameuses brochures, que Melanie rendait alors aux Perles. Celles-ci avaient l'ordre de rapporter à Galaad tous les exemplaires restants, afin qu'ils soient réutilisés dans d'autres pays.

— Mais on ne peut plus recourir aux micropoints, a expliqué Ada. Neil et Melanie sont morts, et Galaad s'est emparé de leur appareil photo. En plus ils ont arrêté tout le monde sur la route d'évasion du nord de l'État de New York. Une bande de quakers, quelques trafiquants, deux guides de chasse. Préparez-vous à une pendaison collective. »

Je me sentais de plus en plus désespérée. Galaad avait tout pouvoir. Ils avaient assassiné Neil et Melanie, ils pourchasseraient ma mère inconnue et la tueraient, elle aussi, et ils élimineraient Mayday. D'une façon ou d'une autre, ils me coinceraient et m'embarqueraient de force à Galaad, où les femmes ne valaient pas beaucoup plus que des chats domestiques, et où il n'y avait que des fanatiques religieux.

« Qu'est-ce qu'on peut faire ? j'ai demandé. Rien, on dirait.

— J'y viens, m'a répondu Elijah. En réalité, il y a peut-être une possibilité, un vague espoir, pourrait-on dire.

— Mieux vaut un vague espoir que pas d'espoir du tout », a remarqué Ada.

La source, a continué Elijah, avait promis de livrer un très gros jeu de documents confidentiels à Mayday. D'après elle, le contenu, quel qu'il soit, pulvériserait Galaad. Mais il ou elle n'avait pas fini de tout rassembler avant le cambriolage du Chien habillé, et le lien avait été rompu.

Néanmoins, la source avait concocté un plan B, qu'il ou elle avait partagé avec Mayday plusieurs micropoints auparavant. Une jeune femme affirmant avoir été convertie par les Perles à la foi de Galaad pourrait facilement entrer dans le pays – un grand nombre l'avait fait. Et la jeune femme la plus apte à se charger du transfert du fameux document – à dire vrai, la seule jeune femme que la source accepterait – était Bébé

Nicole. La source ne doutait pas une seconde que Mayday savait où elle était.

La source avait été claire : pas de bébé Nicole, pas de document secret ; et sans lui, Galaad continuerait sur sa lancée ; Mayday capoterait ; et Neil et Melanie seraient morts en vain. Et ne parlons pas de la vie de ma mère. Mais si Galaad devait s'effondrer, tout serait différent.

« Pourquoi seulement moi ?

— La source a été très ferme sur ce point. Elle a dit que tu représentais la meilleure option. Déjà, s'ils te démasquent, ils n'oseront pas te tuer. Ils se sont trop remués pour donner un statut d'icône à Bébé Nicole.

— Je ne peux pas détruire Galaad, ai-je protesté. Je ne suis qu'une personne.

— Tu ne serais pas seule, bien entendu, s'est écrié Elijah. Mais tu transbahuterais les munitions.

— Je ne pense pas pouvoir. Je n'arriverais pas à me faire passer pour une convertie. Ils ne me croiraient jamais.

— On te formerait, a repris Elijah. Pour que tu saches prier et te défendre. »

On aurait juré une sorte de parodie télévisée.

« Me défendre ? Contre qui ?

— Tu te souviens de la Perle retrouvée morte dans l'appartement ? a dit Ada. Elle travaillait pour notre source. »

Ce n'était pas Mayday qui l'avait tuée, a précisé Elijah. C'était l'autre Perle, sa partenaire.

« Adrianna a dû essayer de l'empêcher de communiquer ses soupçons. Il a dû y avoir une bagarre. Et Adrianna a perdu.

— Ça fait beaucoup de morts, ai-je constaté. Les quakers, Neil et Melanie, la Perle.

— Galaad n'a jamais peur de tuer, a ajouté Ada. Ce sont des fanatiques. »

Elle a dit qu'en principe ils menaient a une vie pieuse et vertueuse, mais que les fanatiques, ils estimaient qu'on pouvait vivre vertueusement en assassinant aussi des gens. Ils pensaient que c'était vertueux d'assassiner des gens, ou certaines gens. Ça, je le savais, parce qu'on avait travaillé sur les fanatiques à l'école.

33.

Je ne sais pas trop comment ça s'est fait, mais j'ai accepté d'aller à Galaad sans avoir jamais accepté carrément. J'ai dit que j'allais y réfléchir et puis, le lendemain matin, tout le monde a fait comme si j'avais dit oui, Elijah a déclaré que j'étais très courageuse, que j'allais bousculer une foule de choses, apporter de l'espoir à des tas de gens pris au piège, et du coup j'ai pas trop osé revenir là-dessus. De toute façon, j'avais le sentiment d'avoir une dette envers Neil et Melanie et les autres morts. Si j'étais la seule personne que la prétendue source puisse accepter, alors il fallait que j'essaie.

Ada et Elijah ont déclaré qu'ils voulaient me préparer du mieux possible dans le peu de temps dont on disposait. Ils ont installé une petite salle de gym dans un des box, avec un punching-ball, une corde à sauter et une medecine ball en cuir. Garth s'est occupé de cette partie de mon entraînement. Au début, il me disait pas grand-chose, à part sur ce qu'on faisait : saut à la corde, coups de poing dans le punching-ball et maniement de la medecine ball d'avant en arrière. Mais au bout d'un moment il s'est un peu dégelé. Il m'a dit qu'il venait de la République du Texas. Ils avaient déclaré leur indépendance lorsque Galaad s'était créé, et Galaad l'avait mal accepté ; il y avait eu une guerre, qui s'était terminée sans vainqueur ni vaincu, mais avec une nouvelle frontière.

Donc, à l'heure actuelle, le Texas était officiellement neutre et interdisait à ses citoyens toute action contre Galaad. D'accord, le Canada était neutre aussi, a-t-il ajouté, mais de façon plus floue. « Plus floue », ce sont ses mots, pas les miens, et j'ai jugé ça insultant jusqu'à ce qu'il précise que le flou du Canada était chouette. Il était donc venu au Canada avec quelques amis pour intégrer les Résistants de la Légion étrangère, la Mayday Lincoln Brigade. Il était trop jeune pour avoir participé à la guerre contre Galaad, il n'avait que sept ans à l'époque. Mais ses deux frères aînés avaient été tués au combat, et une de ses cousines enlevée et emmenée à Galaad ; depuis ils n'avaient jamais plus entendu parler d'elle.

Dans ma tête, j'ai calculé son âge. Il était plus vieux que moi, mais pas tant que ça. Est-ce qu'il me voyait autrement que comme une simple mission ? Et pourquoi je perdais du temps à réfléchir à ça ? Il fallait que je me concentre sur ce que j'avais à faire.

Au début, je me suis entraînée deux fois deux heures tous les jours, pour développer mon endurance. Garth a déclaré que ma forme n'était pas mauvaise, ce qui était vrai – à l'école, époque qui me paraissait remonter à très longtemps, j'étais bonne en sport. Puis il m'a montré quelques types de blocages et de coups de pied, ainsi que la manière de balancer un coup de genou dans les testicules d'un mec, et aussi de flanquer un coup de malade à quelqu'un – tu serres le poing en plaçant le pouce par-dessus les phalanges des premier, deuxième et troisième doigts, puis tu frappes en gardant le bras bien droit. On a beaucoup répété ce geste ; si j'en avais l'occasion, il fallait que j'attaque direct, selon lui, parce qu'alors je profiterais de l'effet de surprise.

« Cogne-moi », me disait-il.

Puis il me poussait de côté et me balançait un coup de poing dans le bide – pas trop fort, mais suffisamment pour que je le sente.

«Bande tes muscles, me criait-il. T'as envie d'une rupture de la rate?»

Si je pleurais – soit de douleur, soit de frustration –, loin de me manifester la moindre compassion, il prenait un air écœuré.

«Tu veux y arriver ou pas?» grognait-il.

Ada nous a apporté une tête de mannequin en plastique moulé, avec des yeux en gel de silicone, et Garth a essayé de m'apprendre à arracher les yeux à quelqu'un; mais la perspective d'écrabouiller des globes oculaires avec mes pouces me collait des frissons. C'était comme marcher pieds nus sur des vers de terre.

«Merde. Ça leur ferait vraiment mal, je disais. Des pouces dans les yeux.

— Il faut que tu leur fasses mal, répliquait Garth. Il faut que tu veuilles leur faire mal. Eux, ils le voudront, tu peux en être sûre.

— C'est dégueulasse», j'ajoutais, quand il insistait pour pratiquer ce coup-là.

Je les voyais très nettement, ces yeux. Des raisins sans peau.

— Tu as envie d'une table ronde pour savoir s'il faut que tu meures ou pas? me lançait Ada qui assistait à la session. Ce n'est pas une vraie tête. Alors, frappe!

— Beurk.

— Beurk ne va pas changer le monde. Tu dois te salir les mains. Et avec un sacré cran en prime. Allez, réessaie. Comme ça.»

Pour sa part, elle n'avait pas de scrupules.

«Lâche pas. Tu as du potentiel, me disait Garth.

— Mille mercis», je répondais.

Je prenais mon ton sarcastique, mais j'étais sincère : je voulais vraiment qu'il pense que j'avais du potentiel. J'avais le béguin pour lui, un béguin de petite fille, sans espoir. Je pouvais me raconter n'importe quoi, dans un coin de ma tête, le coin réaliste, je ne voyais aucun avenir là-dedans. Une fois à Galaad, je ne le reverrais probablement jamais.

«Comment ça va? demandait Ada à Garth tous les jours après notre entraînement.

— Mieux.

— Elle peut tuer avec ses pouces maintenant?

— Elle y vient.»

L'autre partie de leur formation, c'était la prière. Ada essayait de m'enseigner ça. Elle me paraissait très bonne dans ce domaine. Mais moi, j'étais nulle.

«Comment tu connais tout ça? je lui ai demandé.

— Là où j'ai grandi, tout le monde connaissait ça.

— Où ça?

— À Galaad. Avant que ça devienne Galaad. J'ai vu venir le coup et j'ai quitté le pays à temps. Beaucoup de gens autour de moi ne l'ont pas fait.

— C'est pour ça que tu bosses avec Mayday? C'est personnel?

— Tout est personnel, au fond.

— Et Elijah? C'est personnel pour lui aussi?

— Il était prof dans une fac de droit, m'a-t-elle répondu. Il était sur une liste. Quelqu'un l'a prévenu. Il a rejoint la frontière sans rien à part ses fringues. Maintenant, reprenons. *Notre Père qui êtes aux cieux, pardonnez-moi mes péchés, et bénissez...* s'il te plaît, arrête de glousser.

— Pardon. Neil disait toujours que le bon Dieu était un ami imaginaire, et qu'on pouvait aussi bien croire à la putain de petite souris. Sauf qu'il disait pas *putain*.

— Il faut que tu prennes ça au sérieux, a répliqué Ada, parce que, dans ce domaine, Galaad ne plaisante pas, c'est certain. Et encore un truc: arrête de jurer.

— Je ne jure pratiquement jamais.»

L'étape suivante, m'ont-ils dit, c'était qu'il fallait que je m'habille comme une sans-abri et que je fasse la manche, dans la rue ou quelque part où les Perles me verraient. Quand elles en viendraient à me baratiner, il faudrait que je les laisse me persuader de les suivre.

«Comment vous savez que les Perles vont vouloir m'emmener?

— C'est très probable, m'a répondu Garth. C'est ce qu'elles font.

— Je ne suis pas capable de jouer les sans-abri, je ne saurai pas me débrouiller.

— Comporte-toi avec naturel, m'a conseillé Ada.

— Les autres sans-abri verront bien que je triche… et s'ils me demandent comment ça se fait que je sois là, où sont mes parents, qu'est-ce que je raconterai?

— Garth sera à côté de toi. Il dira que tu ne parles pas beaucoup, que tu as été traumatisée, m'a expliqué Ada. Que tu viens d'un foyer violent. Tout le monde gobera ça.»

J'ai pensé à Neil et Melanie. Eux, violents? C'était ridicule.

«Et s'ils ne m'aiment pas? Les autres sans-abri?

— Et si? a riposté Ada. Ce serait le guignon. Dans ta vie, tu ne vas pas rencontrer que des gens qui t'aimeront.»

Le guignon. Où elle allait chercher des mots pareils?

«Mais parmi eux… il n'y a pas des criminels?

— Des dealers, des shootés, des alcoolos. La totale. Mais Garth t'aura à l'œil. Il se fera passer pour ton copain et s'interposera si quelqu'un essaie de t'embêter. Il restera avec toi jusqu'à ce que les Perles t'embarquent.

— Ça durera combien de temps?

— Pas trop longtemps, à mon avis, a poursuivi Ada. Après qu'elles t'auront cueillie, Garth ne pourra pas te suivre. Mais elles te couveront comme un œuf. Tu seras une précieuse Perle de plus à leur collier.

— Note, une fois à Galaad, ce sera peut-être différent, m'a avertie Elijah. Tu seras obligée de porter ce qu'on te demandera de porter, de surveiller ton langage et de respecter leurs coutumes.

— Cela étant, si tu connais trop de choses au départ, ils nous soupçonneront de t'avoir coachée, a dit Ada. Donc il faudra observer un équilibre délicat.»

J'ai réfléchi : étais-je suffisamment intelligente pour y parvenir?

«Je ne sais pas si j'en suis capable.

— En cas de doute, joue les idiotes, m'a conseillé Ada.

— Vous avez déjà envoyé de fausses converties là-bas?

— Quelques-unes, a dit Elijah. On a eu des résultats mitigés. Cela étant, elles n'avaient pas la protection que tu vas avoir.

— Tu veux dire de la source?»

La source... tout ce que je pouvais me figurer, c'était quelqu'un avec un sac à patates sur la tête. C'était qui en réalité? Plus j'entendais parler de la source, plus elle me paraissait bizarre.

«Ce n'est qu'une supposition, mais on pense que c'est une des Tantes», m'a confié Ada.

Mayday ne savait pas grand-chose sur les Tantes : on ne parlait pas d'elles dans les médias, pas même dans les médias de Galaad; c'étaient les Commandants qui donnaient des ordres, établissaient les lois et communiquaient. Les Tantes œuvraient en coulisse. C'est tout ce qu'on nous avait appris à l'école.

«Il paraît qu'elles ont énormément de pouvoir, a ajouté Elijah. À ce qui se raconte. On n'a pas des masses de détails.»

Ada avait quelques photos d'elles en sa possession, mais pas beaucoup. Tante Lydia, Tante Elizabeth, Tante Vidala, Tante Helena : les prétendues Fondatrices.

«Pelletée de méchantes harpies, a-t-elle grommelé.

266

— Génial, ai-je conclu. On dirait que je vais me marrer.»

Garth m'a dit que quand on serait dans la rue, il faudrait que je respecte les ordres, parce que c'était lui qui savait se débrouiller. Pas question qu'une provocation de ma part amène des gens à se battre avec lui, donc je pouvais me dispenser de balancer des remarques du genre «Je suis pas ta bonne» ou «C'est pas toi qui commandes».

«Je devais avoir huit ans la dernière fois que j'ai sorti des trucs pareils.

— Tu les as sortis hier», a répliqué Garth.

Il fallait que je me choisisse un autre nom, a-t-il ajouté. Si ça se trouve, on était à la recherche d'une Daisy, et je ne pouvais certainement pas être Nicole. Du coup, j'ai choisi Jade. Je voulais quelque chose de plus dur qu'une pâquerette, qu'une marguerite comme Daisy.

«La source a dit qu'il fallait qu'elle ait un tatouage sur l'avant-bras gauche, a annoncé Ada. Ça a toujours été une requête non négociable.»

J'avais voulu me faire tatouer quand j'avais treize ans, mais Neil et Melanie s'y étaient vivement opposés.

«Cool, mais pourquoi? On ne se promène pas les bras nus à Galaad, alors qui va le voir?

— On pense que c'est pour les Perles, m'a expliqué Ada. Quand elles vont te prendre en main. Elles auront reçu l'ordre de le chercher.

— Elles sauront qui je suis, genre la fameuse Nicole?

— Elles suivent les instructions, c'est tout, a répondu Ada.

— Quel tatouage il faudrait que je choisisse, un papillon?»

C'était une blague, mais elle n'a fait rire personne.

«La source a dit qu'il devrait ressembler à ça», a répondu Ada.

Et elle a écrit :

<pre>
         D
   T' A I M E
         E
         U
</pre>

«Je ne peux pas me balader avec ça sur le bras, ai-je protesté. Pour moi, c'est pas bien.»

C'était tellement hypocrite : ça aurait choqué Neil.

«Ce n'est peut-être pas bien pour toi, a répliqué Ada, mais ça colle à la situation.»

Ada a fait venir une femme qu'elle connaissait pour se charger du tatouage et du reste de mon maquillage de rue. Elle avait des cheveux vert pastel et, d'entrée de jeu, elle a choisi la même teinte pour les miens. Ça m'a plu : j'ai trouvé que je ressemblais à un dangereux avatar de jeu vidéo.

«C'est un début», a décrété Ada en évaluant le résultat.

Le tatouage n'était pas un simple tatouage, c'était une scarification avec des lettres en relief. Et il m'a fait un mal de chien. Mais je me suis comportée comme si c'était rien parce que je voulais montrer à Garth que j'étais capable d'endurer un truc pareil.

Au milieu de la nuit, une sale idée m'a traversé l'esprit. Et si la source n'était qu'un leurre destiné à tromper Mayday ? Et s'il n'y avait pas d'importants documents secrets ? Et si la source n'était en réalité qu'une méchante harpie ? Et si toute cette histoire était un piège – une ruse pour m'attirer à Galaad ? J'entrerais, et je ne pourrais plus ressortir. Après quoi il y aurait des tas de manifestations, avec des drapeaux, des chants et des prières, des cortèges géants dans le style de ceux qu'on avait vus à la TV, et j'en serais l'élément-clé. Bébé Nicole, de retour dans son pays, alléluia. Un sourire pour Galaad TV.

Au matin, pendant qu'on prenait notre petit déjeuner ultra gras, j'ai partagé mes craintes avec Ada, Elijah et Garth.

« On a envisagé cette possibilité, m'a dit Elijah. C'est un risque à prendre.

— Tous les jours en se levant, on prend un risque, a ajouté Ada.

— Cette fois-ci, le risque est plus sérieux, a poursuivi Elijah.

— Moi, je mise sur toi, a déclaré Garth. Ce serait vraiment génial si tu gagnais. »

XIII.

Sécateur

Le Testament olographe d'Ardua Hall

34.

Cher lecteur, j'ai une surprise pour toi. C'en a été une pour moi aussi.

Profitant de l'obscurité et aidée d'un foret, de pinces et d'un peu de mortier, j'ai installé deux caméras de surveillance à piles dans le piédestal de ma statue. J'ai toujours été assez bonne en bricolage. J'ai soigneusement remis la mousse en place en me disant qu'il serait bon que je fasse nettoyer mon effigie. La mousse ajoute une note de respectabilité, mais seulement jusqu'à un certain point. Je commençais à avoir l'air poilue.

J'ai attendu le résultat avec une certaine impatience. Ce serait une bonne chose d'avoir un stock de photos d'Elizabeth la montrant sans contestation possible en train de déposer œufs durs et oranges devant mes pieds en pierre pour me discréditer. Même si ce n'était pas moi qui accomplissais ces actes d'idolâtrie, que d'autres s'en chargent me nuirait gravement : il serait dit que je les avais tolérés, voire encouragés. Elizabeth pourrait se servir de telles médisances pour me déboulonner de mon piédestal. Quant à la loyauté du Commandant Judd à mon égard, je ne me faisais aucune illusion : s'il avait la possibilité de trouver un moyen sûr – sûr pour lui – de me dénoncer, il n'aurait aucun scrupule à le faire. Il a une grande pratique en matière de dénonciation.

Mais voici la surprise. Plusieurs jours se sont écoulés sans la moindre activité – ou sans activité digne d'être mentionnée, dans la mesure où je compte pour rien les trois jeunes Épouses éplorées qu'on avait autorisées, du fait de leur mariage à des agents de l'Œil haut placés, à approcher les lieux et qui ont offert en tout et pour tout un muffin, une petite miche de pain de maïs et deux citrons. De l'or ou quasiment, les citrons, en ce moment, vu les catastrophes naturelles en Floride et notre impossibilité à gagner du terrain en Californie. Je suis heureuse de les avoir, et j'en ferai bon usage : si la vie te sert des citrons, fais de la citronnade. Je veillerai également à découvrir comment ils sont arrivés ici. Inutile de tenter de sévir contre les activités du marché gris – il faut bien que les Commandants aient de petits avantages –, mais je souhaite savoir qui vend quoi, et comment ces articles sont introduits dans le pays, c'est bien naturel. Les femmes ne sont qu'une des marchandises – j'hésite à les qualifier ainsi, mais quand il y a de l'argent en jeu, c'est ce à quoi elles sont réduites – transférées clandestinement. Serait-ce qu'on importe des citrons en échange d'une exportation de femmes ? Je vais consulter mes sources sur le marché gris : elles n'aiment pas trop la concurrence.

Dans leur quête de fertilité, ces Épouses éplorées tentaient d'en appeler à mes pouvoirs obscurs, les malheureuses. *Per Ardua Cum Estrus*, ont-elles entonné, comme si le latin était plus efficace que l'anglais. Je vais voir ce qu'on peut faire pour elles, ou plutôt qui peut le faire – les maris s'étant révélés d'une singulière inefficacité en la matière.

Mais revenons-en à ma surprise. Le quatrième jour, juste comme l'aube se levait, qui a surgi dans le champ de la caméra sinon le gros nez rouge de Tante Vidala, suivi de ses yeux et de sa bouche ? La seconde caméra m'a fourni un plan plus large : Tante Vidala portait des gants – la finaude ! – et, d'une de ses poches, elle a sorti un œuf, puis une orange. Ayant surveillé les alentours pour s'assurer que personne ne l'observait, elle a placé ces offrandes votives à mes pieds, accompagnées d'un petit bébé en plastique. Puis, par terre à côté de la statue, elle a laissé tomber un mouchoir brodé de lilas, accessoire dont tout le monde sait qu'il me revient depuis un projet de l'école Tante Vidala il y a plusieurs années, dans le cadre duquel les élèves brodaient des jeux de mouchoirs ornés de fleurs illustrant les prénoms des Tantes Fondatrices. J'ai eu les lilas, Elizabeth les échinacées, Helena les héllébores, Vidala les violettes. Cinq pour chacune de nous – que de broderies. Mais d'aucuns ont jugé que cette initiative se rapprochait dangereusement de la lecture, et elle est passée à la trappe.

Maintenant, après m'avoir confié que Tante Elizabeth essayait de m'incriminer, Tante Vidala en personne déposait une preuve contre moi par le biais de cette innocente pièce d'artisanat. Où l'a-t-elle dénichée ? Je suppose qu'elle l'a chapardée à la blanchisserie. Histoire de contribuer au culte hérétique de ma personne. Quelle dénonciation magistrale ! Tu peux imaginer mon ravissement. Tout faux pas de ma principale rivale était un cadeau du destin. J'ai rangé les photos en vue d'un éventuel usage ultérieur – il est toujours bon de mettre de côté chutes et rogatons qui te tombent sous la main, en cuisine comme ailleurs – et décidé d'attendre les prochains développements.

Mon estimée collègue Fondatrice, Elizabeth, devait être informée sans tarder que Vidala l'accusait de déloyauté. Et fallait-il aussi que j'inclue Helena ? S'il fallait en sacrifier une, laquelle serait la plus à même d'être écartée ? En cas de besoin, qui pourrait être la plus facile à coopter ? Quelle serait la meilleure façon de dresser les unes contre les autres les membres du triumvirat désireuses de me renverser, pour mieux les abattre une par une? Et comment se positionnait Helena par rapport à moi? De toute façon, elle irait dans le sens du courant, quel qu'il soit. Elle avait toujours été la plus faible des trois.

J'arrive à un moment décisif. La roue de la Fortune tourne, changeante comme la lune. D'ici peu, ceux qui étaient en bas se retrouveront en haut. Et vice versa, bien sûr.

Je vais annoncer au Commandant Judd que Bébé Nicole – une jeune fille à présent – est enfin pratiquement à ma portée, et peut-être sur le point d'être attirée à Galaad. Je dirai *pratiquement* et *peut-être* pour le tenir en haleine. Il sera plus qu'enthousiaste, dans la mesure où il y a belle lurette qu'il a saisi les vertus d'un rapatriement de Bébé Nicole en termes de propagande. Je lui dirai que mes objectifs sont en très bonne voie, mais que, pour l'instant, je préférerais les garder par-devers moi : c'est un calcul délicat, un mot imprudent et malvenu risquerait de tout gâcher. Les Perles sont impliquées, et elles sont sous ma supervision; elles appartiennent à la sphère spéciale des femmes, où les hommes à la main lourde ne doivent pas intervenir, ajouterai-je en agitant devant son nez un doigt malicieux.

«Le trophée vous reviendra sous peu. Faites-moi confiance, gazouillerai-je.

— Tante Lydia, vous êtes trop bien», me lancera-t-il, radieux.

Trop bien pour être vraie, songerai-je. Trop bien pour cette terre. Bien, sois mon mal.

Pour que tu comprennes l'évolution des choses, je vais te raconter une petite histoire. Un incident passé presque inaperçu à l'époque.

Il y a de cela neuf ans environ – l'année où ma statue a été dévoilée, quoique pas à la même saison –,

276

j'étais dans mon bureau en train d'étudier les filiations en vue d'un mariage quand j'ai été interrompue par l'apparition de Tante Lise, cils papillonnants et coiffure prétentieuse (un chignon banane revu et corrigé). Elle est entrée en se tordant nerveusement les mains ; devant son comportement tellement romanesque, j'ai eu honte pour elle.

« Tante Lydia, je suis sincèrement désolée d'empiéter sur votre temps si précieux », a-t-elle commencé.

Elles répètent toutes la même antienne, mais ça ne les empêche jamais de continuer. J'ai souri en espérant ne pas paraître trop revêche.

« Quel est le problème ? » ai-je demandé.

Nous avons un répertoire de problèmes très normé : conflits entre Épouses, révoltes des filles, mécontentement de Commandants déçus par la sélection d'Épouses qui leur a été proposée, fuites de Servantes, accidents à la naissance. Un viol à l'occasion, que nous punissons sévèrement si nous décidons de le rendre public. Ou un meurtre : il la tue, elle le tue, elle la tue et, de temps à autre, il le tue. Parmi les classes Écono, de furieux accès de jalousie prennent parfois le dessus et c'est le bal des couteaux, mais parmi les élus, les meurtres entre mâles restent métaphoriques : coup de poignard dans le dos.

Les jours calmes, je me surprends à rêver de quelque chose de franchement original – un cas de cannibalisme, par exemple –, mais sur ce, je me sermonne : *Gare à ce que tu souhaites.* J'ai souhaité diverses choses par le passé et j'ai été exaucée. Si tu veux faire rire Dieu, parle-Lui de tes plans, comme on disait – bien qu'à l'heure actuelle l'idée que Dieu puisse rire soit un quasi-blasphème. Un gars ultra-sérieux, Dieu le Père, de nos jours.

« Nous avons eu une nouvelle tentative de suicide parmi les élèves de Rubis en Préparation prémaritale », m'a annoncé Tante Lise en arrimant une mèche de cheveux vagabonde.

Elle avait ôté le vilain couvre-chef de style babouchka que nous sommes obligées de porter en public de crainte d'enflammer les hommes, même si l'idée qu'un homme puisse s'enflammer soit devant Tante Lise, impressionnante de profil mais affreusement ridée, soit devant moi, avec mon corps taillé en sac à patates et mes cheveux gris paille, est tellement ridicule qu'il n'est guère utile de la formuler.

Pas un suicide ; pas encore une fois, ai-je songé. Mais Tante Lise avait parlé d'une *tentative*, ce qui signifiait que le suicide avait échoué. Il y a toujours une enquête lorsqu'elles réussissent, et des doigts accusateurs ont tôt fait de pointer Ardua Hall. En général, on nous reproche un choix de conjoint inapproprié – étant donné que nous possédons toutes les informations sur les filiations, c'est nous au Hall qui avons la responsabilité de la première sélection. Toutefois les opinions divergent quant à ce qui est approprié ou non.

« Et qu'est-ce que c'était, cette fois-ci ? Une overdose d'anxiolytiques ? Si seulement les Épouses arrêtaient de laisser traîner ces pilules partout ! N'importe qui peut mettre la main dessus. Ça et les opiacés : quelle tentation ! Ou bien a-t-elle essayé de se pendre ?

— Non, pas de pendaison. Elle a tenté de se taillader les poignets avec un sécateur. Celui dont je me sers pour les arrangements floraux.

— C'est direct au moins. Et que s'est-il passé ?

— Eh bien, elle ne s'est pas blessée très profondément. Même s'il y a eu beaucoup de sang et pas mal de... bruits.

— Ah. »

Par bruits, elle voulait dire des cris : pas très distingué.

« Et alors ?

— J'ai appelé les secours, ils lui ont donné des sédatifs et l'ont emmenée à l'hôpital. Ensuite, j'ai avisé les autorités concernées.

— Très bien. Les Gardiens ou l'Œil ?

— Un peu des deux. »

J'ai acquiescé d'un signe de tête.

« Vous me semblez avoir géré les choses du mieux possible. En quoi voulez-vous me consulter encore ? »

Tante Lise m'a paru heureuse des louanges que je lui avais adressées, mais elle a vite changé d'expression pour prendre un masque de profonde inquiétude.

« Elle a dit qu'elle recommencerait, si... à moins qu'il n'y ait un changement de projet.

— Un changement de projet ? »

Je voyais très bien de quoi il s'agissait, mais mieux valait exiger des éclaircissements.

« À moins que le mariage ne soit annulé, a précisé Tante Lise.

— Nous avons des thérapeutes. Ils ont fait leur travail ?

— Ils ont essayé toutes les méthodes habituelles, sans succès.

— Vous l'avez menacée de la peine ultime ?

— Elle a déclaré ne pas avoir peur de la mort. C'est la vie qu'elle refuse. Dans ces circonstances.

— C'est ce candidat particulier qu'elle refuse, ou bien le mariage en général ?

— En général. En dépit des avantages.

— Les arrangements floraux ne l'ont pas motivée ? » ai-je lancé sèchement.

Tante Lise en fait grand cas.

« Non.

— Est-ce la perspective de l'accouchement ? »

Compte tenu du taux de mortalité, des nouveau-nés d'abord, mais aussi des mères, je pouvais comprendre. Des complications surviennent, surtout lorsque les enfants ne sont pas normalement formés. L'autre jour, on en a eu un qui n'avait pas de bras, ce qui a été interprété comme l'expression d'un avis divin défavorable à la mère.

« Non, pas de l'accouchement. Elle dit qu'elle aime les bébés.

— Alors quoi ? »

La pousser à cracher le morceau m'enchantait : c'est bon pour Tante Lise de se confronter à la réalité de temps à autre. Elle passe trop de temps à finasser dans les pétales.

Elle a recommencé à tripoter sa mèche de cheveux.

« Je n'aime pas en parler. »

Elle a baissé les yeux.

« Allez-y. Vous ne me choquerez pas. »

Elle s'est tue, a rougi, s'est éclairci la voix.

« Eh bien. Ce sont les pénis. On jurerait une phobie.

— Les pénis, ai-je répété d'un ton pensif. Encore eux. »

Dans les tentatives de suicide des jeunes femmes, c'est souvent le cas. Peut-être faudrait-il que nous modifiions notre programme scolaire, ai-je pensé : moins de rumeurs effrayantes, moins de ravisseurs au profil de centaure et d'organes génitaux masculins s'enflammant furieusement. Cela étant, si nous devions trop insister sur les joies théoriques du sexe, nous susciterions très certainement curiosité et expérimentations, avec à la clé dégénérescence morale et lapidations publiques.

« Serait-il envisageable de l'amener à considérer la chose en question comme un moyen de parvenir à une fin ? Un prélude aux bébés ?

— Absolument pas, m'a répondu Tante Lise avec fermeté. On a essayé.

— Soumission des femmes, comme prévu depuis la Création ?

— Tout ce à quoi on a pu penser.

— Vous avez tenté de la priver de sommeil et de lui imposer des sessions de prières de vingt-quatre heures, avec roulement de superviseurs ?

— Elle est catégorique. Elle dit également avoir reçu un appel suprême, même si, nous le savons, elles recourent souvent à ce prétexte. Mais j'espérais que nous... que vous... »

J'ai soupiré.

« Il ne sert à rien de détruire sans raison la vie d'une jeune femme. Sera-t-elle capable de lire et d'écrire ? Est-elle suffisamment intelligente ?

— Oh oui. Un peu trop intelligente, a dit Tante Lise. Trop d'imagination. Je crois que c'est ce qui s'est passé, à propos de... ces choses.

— Ah oui, dans les expériences de pensée, les pénis peuvent devenir incontrôlables. Ils vivent leur existence propre. »

Je me suis interrompue ; Tante Lise se tortillait.

« On va la prendre à l'essai, ai-je fini par dire. On lui donnera six mois et on verra si elle peut apprendre. Ainsi que vous le savez, nous avons besoin de reconstituer nos effectifs, à Ardua Hall. Nous, la vieille génération, ne vivrons pas éternellement. Cependant, nous devons procéder avec prudence. Un maillon faible... »

Je connais bien ces filles d'une sensibilité hors du commun. Il ne sert à rien de les forcer : elles sont incapables d'accepter une réalité charnelle. Quand bien même elles auront consommé leur nuit de noces, on les retrouvera vite accrochées à une suspension ou dans le coma sous un rosier, après avoir avalé toutes les pilules qui traînaient chez elles.

« Merci, a dit Tante Lise. Ç'aurait été tellement dommage.

— De la perdre, vous voulez dire ?

— Oui. »

Tante Lise a le cœur tendre ; c'est pour ça qu'on lui a confié les arrangements floraux et tout le tralala.

Dans sa vie passée, elle enseignait la littérature française du XVIIIe siècle, d'avant la Révolution. Donner des cours aux élèves de la Préparation prémaritale des Rubis est ce qui la rapproche le plus du salon qu'elle n'aura pas eu.

J'essaie d'assortir responsabilités et qualifications. C'est préférable, et je suis vraiment partisane du mieux. À défaut du parfait.

Car c'est ainsi que nous vivons à présent.

J'ai donc dû m'impliquer dans le problème de la jeune Becka. Au début, il est toujours plus judicieux que je m'intéresse personnellement à ces jeunes filles suicidaires qui se disent désireuses de grossir nos rangs.

Tante Lise l'a amenée à mon bureau : c'était une fille mince, jolie dans un style fragile, avec de grands yeux lumineux et le poignet gauche bandé. Elle portait encore la tenue vert printemps de la jeune fille à marier.

« Entre, lui ai-je dit. Je ne vais pas te mordre. »

Elle a tressailli comme si elle en doutait.

« Tu peux t'asseoir sur ce siège. Tante Lise va s'installer à côté de toi. »

Quoique hésitante, elle a obtempéré, les genoux pudiquement serrés, les mains jointes sur les cuisses. Elle me considérait d'un air méfiant.

« Donc tu veux devenir Tante. »

Elle a acquiescé.

« C'est un privilège, pas un droit, ai-je précisé. J'espère que tu le comprends. Et il ne s'agit pas de te récompenser de la sottise qui t'a poussée à attenter à tes jours. Ça, c'était une faute, et un affront à Dieu. Je compte que cela ne se reproduira pas, en supposant que nous t'acceptions parmi nous. »

Un hochement de tête ; une larme, une seule, qu'elle n'a pas essuyée. Était-ce une larme de pure forme, cherchait-elle à m'impressionner ?

J'ai prié Tante Lise d'aller attendre dehors. Puis j'ai entonné mon boniment : Becka se voyait offrir une seconde chance dans la vie, mais elle comme nous devait être certaine que c'était la voie qui lui convenait, car la vie d'une Tante ne convenait pas à tout le monde. Elle devrait promettre d'obéir aux ordres de ses supérieures, elle devrait se préparer à suivre des études difficiles ainsi qu'à accomplir les tâches domestiques qui lui seraient confiées, elle devrait prier matin et soir pour que Dieu la guide ; puis, après six mois, si tel était bien son choix et si nous-mêmes étions satisfaites de son évolution, elle prononcerait les vœux d'Ardua Hall et renoncerait à tout autre chemin ; et même là elle ne serait encore qu'une Tante Suppliante jusqu'à ce qu'elle ait mené à bien son travail de Perle missionnaire à l'étranger, ce qui ne se produirait pas avant plusieurs années. Était-elle prête à assumer tout ça ?

Oh oui, a répondu Becka. Elle était tellement reconnaissante ! Elle ferait tout ce qu'on exigerait d'elle, parce que nous l'avions sauvée de, de... Elle a bredouillé, puis s'est tue en rougissant.

« T'est-il arrivé un événement malheureux plus tôt dans ta vie, mon enfant ? ai-je demandé. Un événement impliquant un homme ?

— Je ne veux pas en parler », s'est-elle écriée.

Elle était plus pâle que jamais.

« Tu as peur d'être punie ? »

Signe de tête.

« Tu peux t'ouvrir à moi, ai-je poursuivi. J'ai entendu de nombreuses histoires déplaisantes. Je comprends un peu ce que tu as pu traverser. »

La voyant toujours réticente, je n'ai pas insisté.

« La meule des dieux moud lentement, mais elle n'en moud que plus fin, ai-je dit.

— Pardon ? »

Elle m'a lancé un regard perplexe.

«Je veux dire que peu importe de qui il s'agit, il sera puni en temps et en heure. Chasse-le de ton esprit. Tu seras en sécurité ici, parmi nous. Il ne te fera plus jamais de mal.»

Nous autres à Ardua Hall ne travaillons jamais ouvertement sur de telles affaires, mais nous y travaillons quand même.

«À présent, j'espère que tu te montreras à la hauteur de la confiance que j'ai placée en toi.

— Oh oui! s'est-elle exclamée. Je le serai!»

Elles sont toutes comme ça au début : ramollies par le soulagement, abjectes, prostrées. Ça peut changer avec le temps, bien entendu : nous avons eu des renégates, nous avons eu de secrètes escapades par une porte de service afin d'aller rejoindre un Roméo malavisé, nous avons eu des fugueuses insoumises. Il est rare que ce genre d'histoire connaisse un dénouement heureux.

«Tante Lise va t'emmener chercher ton uniforme, ai-je repris. Demain, tu auras ta première leçon de lecture, et tu commenceras à apprendre nos règles. Mais il faudra d'abord que tu choisisses ton nouveau prénom. Il y a une liste de noms disponibles. Et maintenant, va. C'est aujourd'hui le premier jour du reste de ta vie, ai-je ajouté aussi allègrement que je le pouvais.

— Je ne vous remercierai jamais assez, Tante Lydia! a dit la petite Becka, les yeux brillants. Je vous suis tellement reconnaissante!»

J'ai souri de mon sourire glacial.

«Ça me fait plaisir d'entendre ça.»

Et ça m'a vraiment fait plaisir. La gratitude a de la valeur pour moi : j'aime l'épargner pour les jours difficiles. On ne sait jamais quand elle pourra être utile.

Il y a beaucoup d'appelées mais peu d'élues, ai-je songé. Ce n'est pourtant pas le cas à Ardua Hall : seule une poignée d'appelées a dû être écartée. Il est très probable que la jeune Becka fera partie de celles que nous garderons. C'était une plante d'intérieur abîmée par la vie, mais si on prenait bien soin d'elle, il y avait tout lieu de croire qu'elle s'épanouirait.

«Ferme la porte derrière toi», lui ai-je ordonné.

Elle sautillait presque en sortant de la pièce. Quelle jeunesse, quelle vivacité. Quelle touchante innocence! Ai-je jamais été comme ça? J'étais incapable de m'en souvenir.

XIV.

ARDUA HALL

35.

Quand Becka s'est tailladé le poignet avec le sécateur, que son sang s'est répandu sur les grandes marguerites blanches et qu'on l'a emmenée à l'hôpital, je me suis beaucoup inquiétée pour elle : allait-elle se remettre, serait-elle punie ? Mais l'automne, puis l'hiver ont passé sans que j'aie de nouvelles. Même les Marthas ne savaient rien de son sort.

Shunammite a décrété que Becka cherchait juste à attirer l'attention. Je n'étais pas d'accord, et je crains que ça n'ait jeté un froid entre nous jusqu'à la fin de la classe.

Le printemps approchait quand Tante Gabbana a proposé trois candidats à Paula et au Commandant Kyle. Elle est venue à la maison, nous a montré leurs photos et, le nez vissé sur son bloc-notes, nous a dévidé leur histoire, leurs titres et leurs qualités, que Paula et le Commandant Kyle ont écoutés en hochant la tête. À ce stade, je devais regarder les photos et suivre les échanges, mais m'abstenir de commentaires. J'avais une semaine pour réfléchir, a dit Tante Gabbana, parce que mes préférences seraient naturellement prises en compte. La remarque a fait sourire Paula.

« Bien sûr », s'est-elle exclamée.

Je n'ai rien dit.

Le premier candidat était un Commandant de haut rang, encore plus vieux que le Commandant Kyle. Il avait le nez rouge, des yeux légèrement globuleux – un signe de forte personnalité, a déclaré Tante Gabbana, la personnalité de quelqu'un sur qui on pouvait compter pour qu'il défende sa femme et subvienne à ses besoins. Il avait une barbe blanche et des bajoues dessous, ou peut-être même des caroncules : des plis de chair dégoulinants. C'était un des premiers Fils de Jacob, il était donc extrêmement pieux ; il avait été un élément-clé dans les premières phases de la lutte pour la création de la République de Galaad. En fait, il aurait appartenu au groupe qui avait monté l'offensive contre le Congrès corrompu des anciens États-Unis. Il avait déjà eu plusieurs épouses – mortes, hélas ! – et s'était vu octroyer cinq Servantes, mais n'avait pas encore eu le bonheur d'avoir un enfant.

C'était le Commandant Judd, mais je ne suis pas sûre que cette information te soit bien utile si tu tentes d'établir sa véritable identité, étant donné que les premiers Fils de Jacob changeaient souvent de nom à l'époque où ils planifiaient secrètement la création de Galaad. Pour ma part, je ne connaissais alors rien de ces changements d'identité, j'ai découvert ça par la suite, grâce à mes incursions dans les Archives généalogiques d'Ardua Hall. Mais même là le nom d'origine de Judd avait été oblitéré.

Le deuxième candidat était plus jeune et plus mince. Il avait le haut de la tête pointu et des oreilles bizarrement grandes. Il était doué pour les chiffres, a précisé Tante Gabbana, et c'était un intellectuel, ce qui n'est pas toujours souhaitable – chez les femmes surtout –, mais chez un mari, ça passait. Il avait réussi à avoir un enfant de son ancienne Épouse, décédée dans un asile pour malades mentaux, mais le pauvre petit avait été emporté avant son premier anniversaire.

Non, a dit Tante Gabbana, ce n'était pas un Malbébé. Il n'avait aucune malformation à la naissance. Il était mort d'un cancer, affection pédiatrique qui progressait de manière préoccupante.

Le troisième homme, benjamin d'un Commandant d'un rang plus modeste, n'avait que vingt-cinq ans. Il avait beaucoup de cheveux, mais un cou épais et des yeux très rapprochés. Ce n'était pas un aussi bon parti que les deux autres, a poursuivi Tante Gabbana, mais la famille était très enthousiaste à la perspective de cette union, ce qui signifiait que les beaux-parents m'apprécieraient vraiment. Ce n'était pas à négliger, car des beaux-parents hostiles étaient à même de pourrir la vie de leur bru : ils la critiquaient et se rangeaient toujours du côté du mari.

«Ne vous précipitez pas pour décider, Agnes, m'a conseillé Tante Gabbana. Prenez votre temps. Vos parents veulent votre bonheur.»

C'était une gentille pensée, mais un mensonge : ils ne voulaient pas mon bonheur, ils me voulaient ailleurs.

J'ai passé la nuit allongée dans mon lit, avec, flottant devant mes yeux, les trois photos de ces hommes à marier. J'imaginais chacun d'eux sur moi – c'était là qu'ils seraient –, cherchant à fourrer son membre épouvantable dans mon corps totalement glacé.

Pourquoi pensais-je que mon corps serait totalement glacé ? J'ai fini par comprendre : il serait totalement glacé parce que je serais morte. Je serais aussi blafarde et exsangue que la pauvre Dekyle – qu'on avait ouverte pour lui prendre son bébé et qui gisait figée, enveloppée dans un drap en me fixant de ses yeux silencieux. Il y avait un certain pouvoir là-dedans, dans ce silence et cette fixité.

36.

J'ai envisagé de fuir la maison, mais comment m'y prendre et pour aller où ? Je ne connaissais rien en géographie : on ne l'avait pas étudiée à l'école, notre quartier nous suffirait, et quelle Épouse avait besoin de plus ? Je ne connaissais même pas la superficie de Galaad. Jusqu'où s'étendait le pays, où se terminait-il ? Sur un plan plus pratique, comment me serais-je déplacée, qu'aurais-je mangé, où aurais-je dormi ? Et si je m'enfuyais, Dieu me détesterait-il ? Je serais sûrement poursuivie ? Serais-je la cause de grandes souffrances pour les autres, comme la Concubine découpée en douze morceaux ?

Le monde était infesté d'hommes qui à coup sûr seraient tentés par une fille s'aventurant en des lieux interdits : ce genre de fille serait considérée comme une dépravée. Peut-être que je n'irais pas plus loin que le prochain pâté de maisons avant d'être mise en pièces, souillée et réduite à un tas de pétales verts fanés.

La semaine qui m'avait été accordée pour choisir mon mari s'écoulait lentement. Paula et le Commandant Kyle préféraient le Commandant Judd : c'est lui qui avait le plus de pouvoir. Ils se sont donné un mal de chien pour me persuader, vu qu'il était préférable que la mariée soit consentante. Des ragots avaient circulé sur des noces de haut rang qui s'étaient mal passées – gémissements, évanouissements, claques administrées par la mère de la mariée. J'avais surpris les Marthas évoquer des injections de tranquillisants avant certaines unions. Il fallait être très prudent avec le dosage : une démarche légèrement titubante et une élocution pâteuse pouvaient être mises sur le compte de l'émotion, le mariage étant un moment crucial dans la vie d'une jeune fille, mais une cérémonie avec une mariée inconsciente ne comptait pas.

Il était clair que je serais mariée au Commandant Judd, que ça me plaise ou non. Que je déteste cette idée ou pas. J'ai néanmoins gardé mon aversion pour moi et fait semblant de décider. Comme je l'ai dit, j'avais appris à jouer.

« Pense à la position que tu auras, me répétait Paula. Tu n'aurais pu rêver mieux. »

Le Commandant Judd n'était pas jeune et ne vivrait pas éternellement, et même si elle était loin de souhaiter une telle chose, il était très vraisemblable que je lui survive longtemps, et après sa mort je serais veuve et je disposerais d'une grande latitude pour choisir mon prochain mari. Pense combien ce serait avantageux ! Naturellement, tous mes proches de sexe masculin, y compris ceux par alliance, participeraient néanmoins au choix du second mari en question.

Puis Paula passait en revue les titres et qualités des deux autres candidats et dénigrait leur aspect physique, leur personnalité et leur situation sociale. Elle n'aurait pas dû se donner autant de mal : je les détestais l'un comme l'autre.

Pendant ce temps, je réfléchissais à d'autres options possibles. Il y avait le fameux sécateur des arrangements floraux à la française, du style de celui qui avait servi à Becka – Paula en avait un –, mais il était rangé dans l'abri de jardin, lequel était fermé. J'avais entendu parler d'une fille qui, pour ne pas se marier, s'était pendue avec la ceinture de son peignoir. L'année d'avant, Vera avait raconté l'histoire aux deux autres Marthas qui avaient hoché du chef en faisant des têtes d'enterrement.

« Le suicide, c'est la faillite de la foi, avait dit Zilla.

— Ça cause de sacrés dégâts, avait ajouté Rosa.

— Quelle tache sur la famille », avait conclu Vera.

Il y avait la Javel, mais, comme les couteaux, elle était dans la cuisine ; et les Marthas – elles n'étaient pas idiotes et elles avaient des yeux derrière la tête – avaient perçu mon désespoir. Elles lâchaient maintenant des aphorismes du genre « À quelque chose malheur est bon », « Plus dure la coque, plus sucré le fruit » et « Les diamants sont les meilleurs amis des femmes ». Rosa est même allée jusqu'à dire, comme si elle parlait toute seule : « Une fois que tu es mort, tu es mort pour toujours », tout en m'observant du coin de l'œil.

Il était inutile de demander aux Marthas de m'aider, même à Zilla. Aussi désolées qu'elles aient pu être pour moi, et bien que voulant mon bonheur, elles n'avaient aucun moyen d'infléchir le cours des choses.

À la fin de la semaine, on a annoncé mes fiançailles : comme prévu depuis le début, c'était avec le Commandant Judd. Il s'est présenté à la maison en grand uniforme, bardé de ses médailles, a échangé une poignée de main avec le Commandant Kyle, s'est incliné devant Paula et a lancé un sourire au sommet de ma tête. Paula est venue se placer à côté de moi, a passé le bras autour de mon dos et posé légèrement la main sur ma taille : elle n'avait encore jamais fait ça. Imaginait-elle que j'allais tenter de m'enfuir ?

« Bonsoir, ma chère Agnes », a dit le Commandant Judd.

Je me suis focalisée sur ses médailles : c'était plus facile de les regarder, elles, que lui.

« Tu peux dire bonsoir, m'a soufflé Paula à mi-voix en me pinçant discrètement de la main qu'elle avait cachée derrière mon dos. Bonsoir, monsieur.

— Bonsoir, ai-je réussi à chuchoter. Monsieur.»

Le Commandant s'est avancé, a organisé son visage autour d'un sourire flasque et collé sa bouche sur mon front en un chaste baiser. Ses lèvres étaient désagréablement chaudes et elles ont produit un bruit de succion en se retirant. J'ai visualisé sa bouche en train d'aspirer un petit bout de mon cerveau à travers la peau de mon front. Mille baisers plus tard, il ne me resterait plus rien dans le crâne.

«J'espère te rendre très heureuse, ma chère enfant», a-t-il déclaré.

Je sentais son haleine, où se mêlaient des relents d'alcool, de bain de bouche à la menthe pareil à celui de chez le dentiste et de caries. M'est venue alors sans que je l'aie voulu l'image de la nuit de noces : une énorme masse informe blanc opaque avançant sur moi à travers la pénombre d'une chambre inconnue. Elle avait une tête mais pas de visage : juste un orifice rappelant la bouche d'une sangsue. De quelque part à côté de son nombril un troisième tentacule s'agitait en tous sens. Elle est arrivée devant le lit où j'étais allongée, paralysée d'horreur, et nue – il fallait être nue, du moins suffisamment, avait dit Shunammite. Et ensuite ? J'ai fermé les yeux pour repousser cette scène intime, puis je les ai rouverts.

Le Commandant Judd s'est reculé en me regardant d'un œil sagace. Avais-je frémi pendant qu'il m'embrassait ? J'avais pourtant essayé de me contrôler. Quant à Paula, elle me pinçait la taille, plus fort. Je savais qu'il aurait fallu que je dise quelque chose, du style *Merci* ou *Moi aussi, je l'espère*, ou *Je suis sûre que vous y parviendrez*, mais j'en ai été incapable. J'avais la nausée : et si je dégobillais, là maintenant, sur le tapis ? Quelle honte ce serait !

«Elle est extraordinairement pudique, a dit Paula, qui serrait les lèvres et me décochait des regards mauvais à la dérobée.

— C'est un trait charmant, a commenté le Commandant Judd.

— Tu peux t'en aller à présent, Agnes Jemima, m'a ordonné Paula. Ton père et le Commandant Judd ont à discuter de certaines choses.»

Je me suis donc dirigée vers la porte. La tête me tournait un peu.

«Elle paraît docile, a dit le Commandant Judd comme je quittais la pièce.

— Oh oui, a confirmé Paula. C'est une enfant qui a toujours été extrêmement respectueuse.»

Quelle menteuse. Elle connaissait très bien l'énorme colère qui bouillonnait en moi.

Les trois arrangeuses du mariage, Tante Lorna, Tante Sara Lee et Tante Betty sont revenues à la maison afin de prendre mes mensurations pour ma robe de mariée; elles avaient apporté quelques croquis. On m'a consultée quant à la robe que je préférais. J'en ai désigné une au hasard.

«Elle va bien? a glissé Tante Betty à Paula. Elle a l'air drôlement fatiguée.

— Ce sont des moments très chargés en émotion pour elle, a répliqué Paula.

— Oh oui, s'est écriée Tante Betty. Énormément d'émotion!

— Vous devriez demander aux Marthas de lui préparer une boisson apaisante, a suggéré Tante Lorna. Une infusion à la camomille. Ou bien un sédatif.»

En plus de la robe, je devais avoir de nouveaux sous-vêtements, ainsi qu'une tenue spéciale pour la nuit de noces, avec des petits nœuds sur tout le devant – tellement faciles à défaire, un vrai paquet-cadeau.

«Je ne vois pas pourquoi s'embêter avec les fanfreluches, a lancé Paula à l'adresse des Tantes. Elle ne les appréciera pas.

— Ce n'est pas elle qui les verra», a rétorqué Tante Sara Lee avec une franchise inattendue.

Tante Lorna a réprimé un petit ricanement.

Quant à la robe de mariée elle-même, elle devait être «classique», a décrété Tante Sara Lee. Classique, c'était ce qu'il y avait de mieux comme style : selon elle, les lignes épurées seraient très élégantes. Un voile avec une simple guirlande de perce-neige et de myosotis en tissu. La confection de fleurs artificielles comptait au nombre des travaux manuels qu'on encourageait chez les Épouses Écono.

Il y a eu une discrète discussion sur un galon en dentelle – pour l'ajouter, ainsi que le recommandait Tante Betty, parce que ça ferait joli, ou pour s'en dispenser, ce qui, de l'avis de Paula, serait préférable, dans la mesure où faire joli n'était pas l'objectif majeur. Le non-dit : l'objectif majeur était d'en finir vite et de me consigner dans son passé où je serais enfouie quelque part, aussi inerte qu'un morceau de plomb, et ma colère désamorcée. Personne ne pourrait dire qu'elle n'avait pas fait son devoir d'Épouse de Commandant et de digne citoyenne de Galaad.

Le mariage lui-même aurait lieu dès que la robe serait prête – il était donc prudent de le prévoir d'ici deux semaines jour pour jour. Paula avait-elle les noms des personnes qu'elle aimerait inviter ? a demandé Tante Sara Lee. Toutes deux sont alors descendues au rez-de-chaussée pour dresser la liste : Paula récitait les noms, Tante Sara Lee les notait ; les Tantes prépareraient les invitations et les délivreraient verbalement : c'était un de leurs rôles, être les porteuses de messages empoisonnés.

«Tu n'es pas folle de joie ? m'a demandé Tante Betty pendant qu'elles rangeaient leurs croquis, Lorna et elle, et que je me rhabillais. Dans deux semaines, tu auras ta maison à toi ! »

Il y avait une sorte de mélancolie dans sa voix – elle-même n'aurait jamais de maison –, mais je n'y ai pas prêté attention. Deux semaines, me disais-je. Il ne me restait que quatorze petits jours de vie sur cette terre. Comment allais-je les passer ?

37.

Plus les jours s'écoulaient, plus j'étais désespérée. Où était l'échappatoire ? Je n'avais pas d'arme ni de comprimés pour me suicider. J'ai repensé à une histoire – colportée à l'école par Shunammite – sur une Servante qui avait avalé du déboucheur liquide.

« Tout le bas de son visage était bouffé, avait murmuré Shunammite avec délectation. Il s'était juste... dissous ! On aurait dit qu'il faisait de la mousse ! »

À l'époque, je ne l'avais pas crue, mais maintenant oui.

Une baignoire remplie d'eau ? Je n'arriverais plus à respirer, je tousserais et je remonterais prendre de l'air à la surface, et comment m'attacher une pierre autour du cou dans une baignoire ? Ce n'était pas comme dans un lac ou dans la mer. Mais je n'avais aucun moyen d'aller jusqu'à un lac, une rivière ou à la mer.

Je serais peut-être obligée de subir la cérémonie, puis j'assassinerais le Commandant Judd pendant la nuit de noces. Je lui planterais dans le cou un couteau que j'aurais chipé, puis je le planterais dans le mien. Il y aurait beaucoup de sang à enlever sur les draps. Mais ce ne serait pas moi qui nettoierais. Je visualisais la tête consternée de Paula en entrant dans la pièce du massacre. Quelle boucherie. Adieu son statut social.

Ces scénarios relevaient du pur fantasme, bien entendu. Derrière cet entrelacs de fantaisies, je savais très bien que je ne serais jamais capable ni de me tuer ni de tuer quelqu'un. Je me rappelais l'expression farouche de Becka quand elle s'était tailladé les veines : elle ne plaisantait pas, elle était vraiment prête à mourir. Elle avait une force que je n'avais pas. Je n'aurais jamais sa détermination.

La nuit, en m'endormant, je fantasmais sur des évasions miraculeuses, mais toutes exigeaient l'aide d'autres personnes, et qui m'aurait aidée ? Il aurait fallu que ce soit quelqu'un que je ne connaisse pas : un sauveteur, le gardien d'une porte invisible, le détenteur d'un mot de passe secret. Le matin au réveil, rien de tout cela ne me paraissait plus possible. Que faire, que faire ? me disais-je en repassant la situation en boucle dans ma tête. C'est à peine si j'arrivais à réfléchir, à manger.

« L'énervement d'avant le mariage, bénie soit son âme ! » disait Zilla.

Moi, je voulais bien que mon âme soit bénie, mais je ne voyais absolument pas comment c'était possible.

Il ne restait plus que trois jours quand j'ai eu une visite inattendue. Zilla est montée à ma chambre pour me prier de descendre.

« Tante Lydia est venue te voir, m'a-t-elle confié d'une voix étouffée. Bonne chance. C'est ce qu'on te souhaite toutes. »

Tante Lydia ! La principale Fondatrice, la photo dans le cadre doré au fond de chaque salle de classe, la Tante suprême – qui venait me voir ? Qu'est-ce que j'avais fait ? J'ai descendu l'escalier en tremblant.

Paula était sortie, ce qui était une chance – du moins je l'ai cru jusqu'à ce que je connaisse mieux Tante Lydia et me rende compte que la chance n'avait tenu aucun rôle là-dedans. Tante Lydia était assise sur le canapé du salon. Elle était plus petite que lors des funérailles de Dekyle, mais c'était peut-être parce que j'avais grandi. En fait, elle m'a souri, d'un sourire fripé qui a découvert ses dents jaunes.

«Ma chère Agnes, m'a-t-elle dit. J'ai pensé que tu aimerais peut-être avoir des nouvelles de ton amie, Becka.»

Elle m'impressionnait tellement que j'ai eu du mal à parler.

«Elle est morte? ai-je murmuré, le cœur serré.

— Pas du tout. Elle va bien et elle est heureuse.

— Où est-elle? ai-je réussi à bégayer.

— À Ardua Hall, avec nous. Elle souhaite devenir Tante, et nous l'avons acceptée en tant que Suppliante.

— Oh!»

Une lueur m'apparaissait, une porte s'entrouvrait.

«Toutes les jeunes filles ne sont pas faites pour le mariage, a-t-elle poursuivi. Pour certaines, c'est gâcher un potentiel, voilà tout. Une jeune fille ou une femme peut contribuer autrement au plan de Dieu. Un petit oiseau m'a dit que tu serais peut-être de cet avis.»

Qui l'avait avertie? Zilla? Elle avait compris que j'étais profondément malheureuse.

«Oui.»

Bien que différente dans la forme, était-ce une réponse aux prières que j'avais adressées à Tante Lydia, il y a bien longtemps?

«Becka a été appelée à servir une plus noble cause. Si tu as une vocation du même ordre, il est encore temps de nous en avertir.

— Mais comment est-ce que je... je ne sais pas comment...

— Il m'est personnellement impossible de te proposer franchement une ligne de conduite. Ce serait violer le droit fondamental d'un père quant au mariage de sa fille. Une vocation peut l'emporter sur les droits paternels, mais il faut déjà que tu nous approches. Je suis sûre que Tante Estée t'écouterait avec bienveillance. Si ta vocation s'avère suffisamment forte, tu trouveras bien un moyen de la contacter.

— Et le Commandant Judd, alors ?» ai-je demandé craintivement.

Il était tellement influent : si je me défilais, il serait sûrement très fâché, me disais-je.

«Oh, le Commandant Judd ne manque jamais de choix», m'a-t-elle répondu d'un air que je n'ai pas réussi à déchiffrer.

Ma nouvelle tâche a consisté à réfléchir au moyen d'accéder à Tante Estée. Il m'était impossible de formuler carrément mon intention : Paula m'aurait stoppée. Elle m'aurait bouclée dans ma chambre et assommée de médicaments. Elle voulait ce mariage à tout prix, et j'utilise cette formule à dessein, car elle aurait vendu son âme pour cela – même si, je l'ai appris par la suite, son âme était déjà la proie des flammes.

Le lendemain de la visite de Tante Lydia, j'ai soumis une requête à Paula. Je souhaitais discuter avec Tante Lorna de ma robe de mariée, que j'avais déjà essayée à deux reprises et qu'on était en train de retoucher. Je tenais à ce que tout soit parfait pour mon grand jour, ai-je dit. J'ai souri. À mes yeux, la robe ressemblait à un abat-jour, mais je comptais bien donner à Paula l'impression que j'étais gaie et reconnaissante.

Elle m'a décoché un regard acéré. Elle n'a sûrement pas été dupe de mon visage souriant ; mais, du moment qu'elle était à son goût, tant mieux si je jouais la comédie.

«Je suis heureuse que tu manifestes un peu d'intérêt, m'a-t-elle lancé sèchement. C'est une bonne chose que Tante Lydia soit venue te voir.»

Elle en avait naturellement entendu parler, même si elle ignorait ce qui s'était dit.

«Mais ce serait ennuyeux que Tante Lorna vienne chez nous», a-t-elle ajouté. Ce n'était pas commode, je devais m'en douter – il y avait le menu à commander, les fleurs à arranger, elle ne pouvait vraiment pas s'occuper d'une visite qui lui ferait perdre beaucoup trop de temps.

«Tante Lorna est chez Shunammite», ai-je précisé.

Je l'avais appris par Zilla : le mariage de Shunammite n'allait pas tarder non plus. En ce cas, notre Gardien pouvait m'y emmener, a décrété Paula. J'ai senti mon cœur battre plus vite, moitié de soulagement, moitié de peur : à présent, je serais bien obligée de mettre en œuvre mon plan audacieux.

Comment les Marthas savaient-elles où se trouvaient les unes et les autres? Elles n'avaient pas le droit d'utiliser l'ordinaphone ni de recevoir de lettres. Elles devaient être informées par d'autres Marthas, mais peut-être aussi par des Tantes, et certaines Épouses. Les Tantes, les Marthas, les Épouses : en dépit de l'envie, du ressentiment, peut-être même de la haine qu'elles nourrissaient les unes envers les autres, les nouvelles circulaient entre elles, comme par le canal d'invisibles fils d'araignée.

Paula a convoqué notre chauffeur Gardien et lui a donné des instructions. Je pense qu'elle était contente que je m'éloigne de la maison : mon accablement devait dispenser une odeur très irritante. Avant, Shunammite affirmait qu'on glissait des pilules du bonheur dans le lait chaud des futures mariées, mais personne n'en avait glissé dans le mien.

Je me suis installée sur le siège arrière de notre voiture pendant que notre Gardien me tenait la porte. Partagée entre griserie et terreur, j'ai pris une grande inspiration. Et si j'échouais? Et si je réussissais? D'un côté comme de l'autre, je plongeais dans l'inconnu.

J'ai bien consulté Tante Lorna qui se trouvait effectivement chez Shunammite. Cette dernière m'a dit que c'était chouette de me voir et qu'une fois mariées, on pourrait se rendre visite souvent! Elle m'a fait entrer en hâte, m'a emmenée admirer sa robe de mariée et écouter tout ce qu'elle avait à raconter sur le mari qu'elle allait bientôt avoir, qui (elle me l'a confié en chuchotant et en pouffant) ressemblait à une carpe avec son menton fuyant et ses yeux exorbités, mais était dans la moyenne haute des Commandants.

Que c'était formidable, ai-je répondu. J'ai donc admiré la robe qui – ai-je dit à Shunammite – était bien plus chic que la mienne. Dans un éclat de rire, Shunammite a ajouté qu'on lui avait rapporté que j'allais pratiquement épouser Dieu, tant mon futur mari était important, quelle chance j'avais ; j'ai baissé les yeux et j'ai marmonné que, en tout cas, sa robe était plus jolie. Ça lui a fait plaisir et elle a déclaré qu'elle était sûre que, toutes les deux, on se taperait la partie cul sans trop de chichis. On suivrait les conseils de Tante Lise, on penserait à un bel arrangement floral et ce serait vite terminé, et peut-être qu'on aurait même un vrai bébé, toutes seules, sans Servantes. Elle m'a demandé si je voulais un biscuit à l'avoine et a envoyé sa Martha en chercher. J'en ai pris un et l'ai grignoté, alors que je n'avais pas faim.

Je ne pouvais pas rester longtemps, ai-je déclaré, il y avait tellement de choses à régler, mais est-ce que je pouvais voir Tante Lorna ? On l'a dénichée dans une chambre d'appoint, de l'autre côté du couloir, penchée sur son bloc-notes. Je lui ai demandé d'ajouter un petit quelque chose à ma robe – un ruban blanc, un volant blanc, je ne me souviens pas. J'ai dit au revoir à Shunammite, l'ai remerciée pour le biscuit et lui ai répété que sa robe était vraiment ravissante. Je suis sortie par la grande porte, j'ai adressé des signes joyeux de vraie jeune fille à Shunammite et j'ai regagné notre voiture.

Après, le cœur battant, j'ai demandé à notre chauffeur si ça ne le dérangeait pas de s'arrêter à mon ancienne école, parce que je voulais remercier ma professeur, Tante Estée, pour tout ce qu'elle m'avait appris.

Debout à côté de la voiture, il m'avait ouvert la porte arrière. Il m'a lancé un coup d'œil renfrogné et méfiant.

« Ce ne sont pas les ordres qu'on m'a donnés. »

Je lui ai décoché un sourire que j'espérais plein de charme. Mon visage me faisait l'effet d'être amidonné, comme s'il était recouvert de colle en train de durcir.

« Il n'y a aucun risque. Ça ne dérangera pas l'Épouse du Commandant Kyle. Tante Estée est une Tante ! C'est son rôle de s'occuper de moi.

— Eh bien, je ne sais pas », a-t-il grommelé d'un ton hésitant.

J'ai relevé les yeux. Dans la mesure où je ne le voyais généralement que de dos, je n'avais jamais fait trop attention à lui. Il était taillé en torpille, petit en haut, épais au milieu. Il n'était pas soigneusement rasé et il avait des poils hirsutes et une flopée de petits boutons.

« Je serai bientôt mariée, lui ai-je dit. À un Commandant très puissant. Et j'aurai plus de pouvoir que Paula – que l'Épouse du Commandant Kyle. »

Je me suis interrompue pour lui laisser le temps d'enregistrer cette information, puis j'avoue avec honte avoir placé ma main légèrement sur la sienne, toujours serrée sur la portière.

« Je veillerai à ce que vous soyez récompensé », ai-je ajouté.

Il a tressailli un peu et a rosi.

« Bon, alors », a-t-il fait, sans toutefois sourire.

C'est donc ainsi que procèdent les femmes pour arriver à leurs fins, ai-je songé. Si elles sont prêtes à flatter, à mentir et à revenir sur leur parole. Je me dégoûtais, mais tu remarqueras que ça ne m'a pas stoppée. J'ai souri de plus belle, j'ai relevé ma jupe un tout petit peu, histoire de montrer ma cheville pendant que je faisais pivoter mes jambes pour m'asseoir.

« Merci. Vous ne le regretterez pas. »

Il m'a emmenée à mon ancienne école, comme je le lui avais demandé, il a parlé aux Anges en faction, le double portail s'est ouvert et nous sommes entrés. J'ai prié le chauffeur de m'attendre : je ferais vite. Puis j'ai pénétré calmement dans le bâtiment de l'école, qui me paraissait à présent bien plus petit que lorsque je l'avais quitté.

Les cours étaient terminés et j'ai eu de la chance que Tante Estée soit encore là, mais encore une fois ce n'était peut-être pas de la chance. Assise à son bureau dans sa salle de classe habituelle, elle notait des trucs sur son calepin. Elle a levé les yeux à mon entrée.

« Agnes ! Que tu as grandi ! »

Je n'avais rien envisagé au-delà de ce moment. J'ai eu envie de me jeter par terre à ses pieds et d'éclater en sanglots. Elle avait toujours été gentille avec moi.

« Ils m'obligent à épouser un homme horrible et répugnant ! Je vais me suicider avant ! »

Puis j'ai vraiment éclaté en sanglots et me suis effondrée sur son bureau. C'était du théâtre en un sens et sans doute du mauvais, mais c'était du vrai théâtre, si tu vois ce que je veux dire.

Tante Estée m'a relevée et guidée vers une chaise.

« Assieds-toi, mon petit, m'a-t-elle dit, et raconte-moi tout. »

Elle m'a posé les questions qu'elle avait le devoir de me poser. Avais-je réfléchi aux répercussions positives que ce mariage pourrait avoir sur mon avenir ? Je lui ai répondu que j'étais consciente des avantages qu'il m'apporterait, mais que je m'en moquais parce que je n'avais pas d'avenir, pas de ce genre. Et les autres candidats ? Un autre serait-il préférable ? Ils n'étaient pas mieux, ai-je dit, et de toute façon Paula avait décidé que ce serait le Commandant Judd. Étais-je sérieuse quant au suicide ? J'ai répondu que oui et que, si je ne réussissais pas avant le mariage, c'était sûr que je le ferais après et que je tuerais le Commandant Judd dès qu'il poserait la main sur moi. Je prendrais un couteau, ai-je ajouté. Je lui trancherais la gorge.

J'ai sorti ça avec conviction pour qu'elle voie que j'en étais capable et, sur le moment, j'y croyais. J'ai presque senti un flot de sang jaillir du Commandant. Puis mon propre sang aussi. Je le voyais presque : un brouillard rouge.

Contrairement à ce que Tante Vidala aurait peut-être fait, Tante Estée n'a pas dit que j'étais très mauvaise. À la place, elle a dit qu'elle comprenait ma détresse.

« Mais as-tu l'impression que tu pourrais peut-être contribuer autrement au bien commun ? As-tu reçu un appel en ce sens ? »

J'avais oublié cet aspect de la question, mais là ça m'est revenu.

« Oh oui, ai-je balbutié. Oui. Je suis appelée à servir une plus noble cause. »

Tante Estée m'a regardée un long moment d'un œil scrutateur. Puis elle m'a demandé si elle pouvait prier en silence : elle avait besoin d'aide pour savoir que faire. Je l'ai observée tandis qu'elle joignait les mains, fermait les yeux et penchait la tête. J'ai retenu mon souffle : S'il vous plaît, Seigneur, envoyez-lui le bon message. J'ai prié, moi aussi.

Elle a fini par rouvrir les yeux et m'a souri.

« Je vais parler à tes parents. Et à Tante Lydia.

— Merci. »

J'ai recommencé à pleurer, de soulagement cette fois.

« Tu veux venir avec moi ? m'a-t-elle proposé. Pour parler à tes parents ?

— C'est impossible. Ils m'attraperaient et m'enfermeraient dans ma chambre, et après ils me donneraient un médicament. Vous le savez. »

Elle n'a pas nié.

« C'est parfois préférable, a-t-elle reconnu, mais dans ton cas, je ne pense pas. Cependant, tu ne peux pas rester à l'école. Je ne pourrais pas empêcher l'Œil de venir te chercher et te faire changer d'avis. Tu n'as pas envie que l'Œil fasse ça. Il vaut mieux que tu me suives. »

Elle avait dû jauger Paula et jugé qu'elle était capable de tout. J'ignorais alors comment Tante Estée avait eu cette information sur Paula, mais aujourd'hui je le sais. Les Tantes avaient leurs méthodes, et leurs informateurs : aucun mur n'était trop épais pour elles, aucune porte ne leur était fermée.

On est sorties et elle a prié mon chauffeur de dire à l'Épouse de son Commandant qu'elle était navrée d'avoir retenu Agnes Jemima si longtemps et qu'elle espérait ne pas avoir suscité d'inquiétudes injustifiées. Il devait également la prévenir qu'elle, Tante Estée, allait rendre visite à l'Épouse du Commandant au sujet d'une décision importante.

« Et elle ? » a-t-il marmonné en parlant de moi.

Tante Estée a répondu qu'elle me prenait sous sa responsabilité, qu'il n'avait pas à se tracasser. Il m'a lancé un regard de reproche – en fait, un regard mauvais : il avait compris que je lui avais joué un tour et qu'il était maintenant dans le pétrin. Mais il a réintégré sa voiture et il a franchi le portail. Les Anges étaient les Anges de l'École Vidala : ils obéissaient à Tante Estée.

À l'aide de son bipeur, Tante Estée a ensuite appelé son chauffeur Gardien, et on s'est installées dans sa voiture.

« Je t'emmène en lieu sûr, a-t-elle décrété. Tu devras y rester pendant que je parlerai à tes parents. Une fois qu'on sera arrivées, promets-moi de manger quelque chose, d'accord ?

— Je n'aurai pas faim. »

Je retenais toujours mes larmes.

« Ça viendra, après que tu te seras installée. En tout cas, tu boiras un verre de lait chaud. »

Elle m'a pris la main et l'a pressée.

« Tout ira bien, m'a-t-elle assuré. Tout, sans exception. »

Puis elle l'a lâchée et m'a donné une légère tape dessus.

C'était réconfortant, d'accord, mais j'avais de nouveau envie de pleurer. La gentillesse fait parfois cet effet.

« Comment ? ai-je demandé. Comment est-ce que ça pourra jamais aller bien ?

— Je ne sais pas. Mais ça ira. J'ai confiance. »

Elle a soupiré.

« Par moments, c'est difficile d'avoir confiance. »

38.

Le soleil se couchait. L'air printanier était saturé de cette brume jaune qui apparaît souvent à cette époque de l'année : poussière ou pollen. Le feuillage des arbres avait ce bel aspect luisant des nouvelles feuilles tout juste déroulées – comme si chacune d'elles était un cadeau qui se déballait de lui-même, par à-coups, pour la première fois. «Comme si Dieu venait de les créer», nous disait tante Estée pendant le cours d'Appréciation de la Nature, ce qui m'évoquait une image de Dieu qui, d'un geste de la main au-dessus des arbres dépouillés par l'hiver, les poussait à bourgeonner et à se déplier. «Chaque feuille est unique, ajoutait Tante Estée, tout comme vous !» C'était une magnifique pensée.

Tante Estée et moi avons roulé de par les rues dorées. Reverrais-je jamais ces maisons, ces arbres, ces trottoirs ? Trottoirs vides, rues paisibles. Les lumières s'allumaient dans les maisons ; dedans, il devait y avoir des gens heureux, des gens qui ne doutaient pas de la place qui était la leur. Moi, j'avais déjà le sentiment d'être une paria ; mais comme je m'étais bannie moi-même, je n'avais aucun droit de m'apitoyer sur mon sort.

«Où on va ? ai-je demandé à tante Estée.

— À Ardua Hall. Tu y resteras pendant que j'irai voir tes parents.»

J'avais toujours entendu les gens évoquer Ardua Hall à voix basse, parce que c'était un lieu réservé aux Tantes. Ce qu'elles faisaient à notre insu ne nous concernait pas, disait Zilla ; elles ne se mélangeaient pas à nous et nous n'avions pas à nous mêler de leurs affaires.

« Mais je ne voudrais pas être à leur place, ajoutait Zilla.

— Pourquoi ? lui avais-je lancé une fois.

— Vilaines histoires, avait bougonné Vera, occupée à passer du porc au hachoir pour sa tourte. Elles se salissent les mains.

— Pour qu'on n'ait pas à le faire, avait précisé Zilla à mi-voix en abaissant la pâte de la tourte.

— Elles se salissent l'esprit aussi, avait ajouté Rosa. Qu'elles le veuillent ou non. »

Elle était en train de hacher des oignons avec un grand couperet.

« Avec leurs lectures ! »

Elle a collé un nouveau coup de couperet avec fracas.

« Moi, ça ne m'a jamais plu.

— Moi non plus, a renchéri Vera. Va savoir ce dans quoi elles sont obligées de fouiner ! Des souillures et des cochonneries.

— Je préfère pour elles que pour nous, a dit Zilla.

— Elles peuvent jamais se marier, a précisé Rosa. C'est pas que je voudrais un mari, mais quand même. Ni avoir de bébés. Pour elles, c'est impossible.

— De toute façon, elles sont trop vieilles, a décrété Vera. Elles sont complètement desséchées.

— La pâte est prête, a annoncé Zilla. On a du céleri ? »

En dépit de ces points de vue peu réjouissants sur les Tantes, l'idée d'Ardua Hall m'avait intriguée. Depuis que j'avais appris que Tabitha n'était pas ma mère, tout ce qui tenait du secret m'attirait. Plus jeune, j'avais enjolivé Ardua Hall dans ma tête, je lui avais prêté des proportions énormes, des propriétés magiques : le siège d'un pouvoir tellement sous-jacent, quoique méconnu, devait être un édifice imposant. Était-ce un gigantesque château, ou cela ressemblait-il davantage à une prison ? Était-ce à l'image de notre école ? Ses portes étaient sûrement équipées d'une multitude de très gros cadenas en laiton, que seule une Tante pouvait ouvrir.

L'esprit se fait un devoir de combler le vide, quand il y en a un. Auquel cas, la peur est toujours disponible pour y suppléer, la curiosité aussi. Et j'ai une vaste expérience de l'une et de l'autre.

« Vous habitez là ? j'ai demandé à Tante Estée. À Ardua Hall ?

— Toutes les Tantes de la ville y habitent, m'a-t-elle répondu. Mais on va et vient. »

Tout juste allumés, les lampadaires teintaient l'air d'une lueur orange terne quand nous sommes arrivées devant une entrée aménagée dans un haut mur de brique rouge. Le portail était fermé. Notre voiture s'est arrêtée ; puis le portail s'est ouvert. Il y avait là des projecteurs, là des arbres. Au loin, un groupe d'hommes revêtus de l'uniforme noir de l'Œil était posté sur un large escalier devant un palais, ou ce qui ressemblait à un palais, vivement éclairé, en brique avec des piliers blancs. Je n'allais pas tarder à apprendre qu'il s'agissait d'une ancienne bibliothèque.

Notre véhicule a ralenti, puis le chauffeur a coupé le moteur et nous a ouvert la portière, d'abord à Tante Estée, et ensuite à moi.

« Merci, lui a dit Tante Estée. Attendez ici, je vous prie. Je n'en ai pas pour longtemps. »

Elle m'a prise par le bras et on a longé un grand bâtiment en pierre grise, puis on est passées devant la statue d'une femme au milieu de plusieurs autres. À Galaad, on ne voyait généralement pas de statues de femmes, que d'hommes.

«C'est Tante Lydia, m'a expliqué Tante Estée. Ou sa statue.»

Était-ce un effet de mon imagination ou Tante Estée a-t-elle exécuté une petite révérence?

«Elle n'est pas comme dans la vraie vie», ai-je remarqué.

Ne sachant s'il fallait que je taise la visite que Tante Lydia m'avait rendue, j'ai ajouté :

«Je l'ai vue à un enterrement. Elle n'est pas si grande.»

Tante Estée est restée un moment sans répondre. Rétrospectivement, je me dis que c'était une question difficile : qui aurait envie d'être surprise à raconter qu'une personne de pouvoir est petite?

«Non, a-t-elle marmonné. Mais les statues ne sont pas des personnes réelles.»

On a tourné pour s'engager dans une allée pavée. D'un côté se dressait un long bâtiment en brique rouge de deux étages ponctués d'un grand nombre de portes identiques, auxquelles on accédait par une volée de marches, et dont chacune était surmontée d'un fronton triangulaire blanc. À l'intérieur du triangle, quelque chose était écrit, que je n'étais pas encore capable de déchiffrer. J'ai néanmoins été surprise de voir des inscriptions dans un lieu aussi public.

«C'est Ardua Hall», a dit Tante Estée.

Quelle déception : je m'attendais à quelque chose de bien plus grandiose.

«Entre. Tu seras en sécurité.

— En sécurité?

— Pour le moment. Et pour plus longtemps, je l'espère.

Elle m'a souri avec douceur.

«Aucun homme n'a le droit d'entrer ici sans la permission des Tantes. C'est la loi. Tu peux te reposer en attendant mon retour.»

Je serai peut-être protégée des hommes, ai-je songé, mais le serai-je des femmes? Paula pouvait très bien débarquer et m'emmener de force vers un lieu où il y avait des maris.

Tante Estée m'a fait traverser une pièce de taille moyenne meublée d'un canapé.

«Voici le salon commun. Il y a des toilettes derrière cette porte.»

On a ensuite gravi un escalier et on est entrées dans une chambre exiguë dotée d'un lit et d'un bureau.

«Une autre Tante va t'apporter une tasse de lait chaud. Après, tu ferais bien de t'offrir un petit somme. Ne t'inquiète pas, je t'en prie. Dieu m'a dit que tout irait bien.»

Je n'en étais pas aussi sûre qu'elle semblait l'être, mais ça m'a quand même rassurée.

Elle a attendu que le lait chaud arrive, apporté par une Tante mutique.

«Merci, Tante Silhouette», a-t-elle dit.

Cette dernière a hoché la tête et s'est esquivée sans bruit. Tante Estée m'a tapoté le bras, puis elle est sortie en refermant la porte derrière elle.

Je n'ai pris qu'une gorgée de lait : je me méfiais. Et si les Tantes m'administraient une drogue pour me kidnapper et me remettre à Paula ? Je ne pensais pas que Tante Estée ferait un truc pareil, mais Tante Silhouette m'en avait l'air capable. Les Tantes se rangeaient du côté des Épouses, du moins à ce que racontaient les filles à l'école.

J'ai arpenté la petite pièce, puis je me suis allongée sur le lit étroit. Mais j'étais trop tendue pour pouvoir dormir, donc je me suis relevée. Il y avait une photo accrochée au mur : Tante Lydia, souriant d'un sourire indéchiffrable. Sur le mur opposé, une photo de Bébé Nicole lui faisait face. C'étaient les mêmes que celles qu'on avait dans les salles de classe de l'École Vidala, et elles m'ont procuré un réconfort étonnant.

Sur le bureau, un livre était posé.

J'avais pensé et fait tant de choses interdites ce jour-là que je n'en étais plus à une près. Je me suis approchée et j'ai fixé le livre en question. Que renfermait-il pour être aussi dangereux pour des filles comme moi ? Il prenait feu ? Il déclenchait des catastrophes ?

39.

J'ai tendu la main. Je me suis saisie du livre.

J'ai ouvert la page de couverture. Aucune flamme n'en a jailli.

Il y avait de nombreuses pages blanches à l'intérieur, avec des tas de signes dessus. Ils ressemblaient à de petits insectes, des insectes noirs et brisés qui formaient des lignes, comme des fourmis. Je savais que les signes étaient porteurs de sons et de sens, mais de quelle manière ? je n'en avais pas idée.

« C'est vraiment dur au début », a dit une voix derrière moi.

J'ai sursauté et pivoté : c'était Becka. La dernière fois que je l'avais vue, c'était durant la classe d'arrangements floraux de Tante Lise, quand du sang jaillissait de son poignet entaillé. Son visage était extrêmement pâle ce jour-là, et déterminé, et triste. Elle avait l'air bien mieux. Elle portait une robe marron, vague en haut et ceinturée à la taille ; une raie partageait ses cheveux en bandeaux tirés en arrière.

« Becka !

— Je ne m'appelle plus Becka. Je suis Tante Immortelle maintenant ; je suis Suppliante. Mais tu peux m'appeler Becka si on est seules.

— Donc tu ne t'es pas mariée finalement. Tante Lydia m'a dit que tu avais été appelée à servir une plus noble cause.

— Oui. Je ne serai pas obligée d'épouser un homme, jamais. Mais, et toi alors ? J'ai entendu dire que tu allais épouser quelqu'un de très important.

— En principe, je dois. »

J'ai fondu en larmes.

« Mais je ne peux pas. Je ne peux pas, c'est tout ! »

Je me suis essuyé le nez sur ma manche.

« Je sais, a fait Becka. Moi, je leur ai dit que je préférais mourir. Tu as dû leur raconter la même chose. »

J'ai acquiescé.

« Tu as dit que tu avais été appelée ? À devenir Tante ? »

J'ai hoché la tête encore une fois.

« Tu as vraiment la vocation ?

— Je ne sais pas.

— Moi non plus. Mais j'ai réussi les six mois d'essai. Dans neuf ans – quand j'aurai l'âge –, je pourrai postuler pour partir comme missionnaire avec les Perles, et après je serai Tante à part entière. Peut-être qu'à ce moment-là je serai vraiment appelée. Je prie pour que ça arrive. »

J'avais séché mes larmes.

« Qu'est-ce que je dois faire ? Pour réussir la période d'essai ?

— Au début, il faut faire la vaisselle, briquer les sols, nettoyer les toilettes et donner un coup de main pour la buanderie et la cuisine, exactement comme les Marthas. Et apprendre à lire. C'est bien plus dur que de récurer les cabinets. Mais j'arrive à lire un peu maintenant. »

Je lui ai tendu le bouquin.

« Montre-moi. C'est mal, ce livre ? Est-ce qu'il y a plein de trucs interdits dedans, comme disait Tante Vidala ?

— Celui-ci ? »

Becka a souri.

« Pas celui-ci. Ce n'est que le Règlement d'Ardua Hall, avec l'histoire du lieu, les vœux, les cantiques. Plus le calendrier hebdomadaire des lessives.

— Vas-y ! Lis-le ! »

Je voulais voir si elle réussissait vraiment à traduire en mots les insectes noirs des signes. Mais comment est-ce que je saurais si c'était bien ça, vu que j'étais incapable de les lire ?

« Voilà, sur la première page, a-t-elle dit en ouvrant le bouquin : Ardua Hall. Théorie et Pratique, Protocoles et Procédures, *Per Ardua Cum Estrus.* »

Elle m'a montré.

« Tu vois ça ? C'est un A.

— C'est quoi un A ? »

Elle a soupiré.

« Ce n'est pas possible de faire ça aujourd'hui, je dois aller à la bibliothèque Hildegard, je suis de service de nuit, mais je te promets de t'aider si elles t'autorisent à rester. On peut demander à Tante Lydia la permission que tu vives ici avec moi. Il y a deux chambres inoccupées.

— Tu penses qu'elle acceptera ?

— Je ne sais pas trop, m'a répondu Becka en baissant la voix. Mais ne dis jamais rien de mal sur elle, même si tu te crois en lieu sûr comme ici. Elle a les moyens de savoir. »

Puis, dans un murmure :

« De toutes les Tantes, c'est vraiment elle qui te fiche la pire pétoche.

— Pire que Tante Vidala ? ai-je chuchoté en retour.

— Tante Vidala, elle veut que tu fasses des erreurs. Mais Tante Lydia… c'est difficile à décrire. Tu as l'impression qu'elle veut que tu sois meilleure que tu ne l'es.

— Ça paraît inspirant », ai-je remarqué.

Inspirant était un mot cher à Tante Lise : elle l'utilisait pour les arrangements floraux.

318

«Elle te regarde comme si elle te voyait vraiment.»
Tant de gens m'avaient traversée du regard.
«Je pense que ça me plairait.

— Non, s'est écriée Becka. C'est pour ça qu'elle fait tellement peur.»

40.

Paula a accouru à Ardua Hall pour tenter de me faire changer d'avis. Tante Lydia a déclaré qu'il était plus correct que je la rencontre et que je l'assure personnellement de la justesse et de la sanctité de ma décision, j'ai donc obtempéré.

Paula m'attendait à une table rose du Café Schlafly, où nous autres d'Ardua Hall avons le droit de recevoir des visiteurs. Elle était très en colère.

« N'as-tu pas idée des difficultés que nous avons dû surmonter, ton père et moi, pour sceller ta relation avec le Commandant Judd ? m'a-t-elle lancé. Tu déshonores ton père.

— Adhérer aux Tantes est loin d'être un déshonneur, ai-je pieusement riposté. J'ai été appelée à de plus nobles services. Il m'était impossible de refuser.

— Tu mens. Jamais Dieu ne distinguerait quelqu'un comme toi. J'exige que tu rentres immédiatement à la maison. »

J'ai bondi sur mes pieds et fracassé ma tasse de thé par terre.

« Comment oses-tu douter de la Volonté divine ? ai-je protesté en criant presque. Ton péché sera bientôt démasqué ! »

Je ne savais pas ce que c'était qu'un péché, mais tout le monde a un péché d'un genre ou d'un autre.

« Joue la dingue, m'avait conseillé Becka. Comme ça, elles ne voudront pas que tu te maries, parce que si tu commets quoi que ce soit de violent, ce sera leur responsabilité. »

Déconcertée, Paula n'a pas réagi pendant quelques secondes, puis elle m'a lancé :

« Les Tantes ont besoin de l'accord de Kyle, et il ne le donnera jamais. Donc prends tes affaires, parce que tu dégages, et maintenant. »

C'est à cet instant précis que Tante Lydia est entrée dans le café.

« Puis-je vous dire un mot ? » a-t-elle glissé à Paula.

Toutes deux sont allées s'installer à une table un peu plus loin. J'ai tendu l'oreille pour entendre ce que disait Tante Lydia, en vain. Pourtant, lorsque Paula s'est levée, elle avait l'air malade. Elle a quitté le café sans m'adresser une parole et, plus tard dans l'après-midi, le Commandant Kyle a signé l'autorisation officielle accordant aux Tantes toute autorité sur moi. Il s'est écoulé bien des années avant que je découvre ce que Tante Lydia avait dit à Paula pour l'obliger à capituler.

Ensuite, il m'a fallu passer les entretiens avec les Tantes Fondatrices. Becka m'avait donné des conseils sur la meilleure façon de me comporter avec chacune d'elles : Tante Elizabeth était une adepte de l'engagement pour le bien commun, Tante Helena voudrait en finir au plus vite, mais Tante Vidala aimait qu'on s'aplatisse et qu'on s'humilie, donc j'étais préparée.

J'ai passé le premier entretien avec Tante Elizabeth. Elle m'a demandé si j'étais contre le mariage ou juste contre le mariage avec le Commandant Judd. J'ai répondu que j'étais contre le mariage en général, ce qui a paru la satisfaire. Avais-je pensé à la peine que ma décision risquait de causer au Commandant Judd – à ses sentiments ? J'ai failli répondre que le Commandant Judd n'avait pas l'air d'avoir le moindre sentiment, mais Becka m'avait déconseillé de sortir quoi que ce soit d'irrespectueux, parce que les Tantes ne le toléreraient pas.

J'ai déclaré que j'avais prié pour le bien-être émotionnel du Commandant Judd, qu'il méritait le bonheur, ce qu'une autre Épouse lui apporterait, j'en avais la certitude, mais que le Seigneur notre guide m'avait confirmé que je ne serais pas capable de le lui apporter, pas plus à lui qu'à un autre homme, et que je souhaitais me consacrer au service de toutes les femmes de Galaad plutôt qu'à un homme et à une famille.

« Si tu es vraiment sincère, tu es bien placée spirituellement pour te plaire beaucoup à Ardua Hall, m'a-t-elle confié. Je vais voter en faveur de ton acceptation provisoire. Dans six mois, nous verrons si la vie que nous y menons correspond réellement au chemin pour lequel tu as été choisie. »

Je l'ai remerciée profusément en lui disant combien je lui étais reconnaissante, et elle m'a paru contente.

Mon entretien avec Tante Helena n'a rien eu de notable. Elle écrivait dans son bloc-notes et n'a pas relevé la tête. Elle m'a confié que Tante Lydia avait déjà pris sa décision, et qu'ainsi elle serait obligée d'accepter, bien entendu. Elle m'a laissé entendre que j'étais rasoir et que je lui faisais perdre son temps.

C'est mon entretien avec Tante Vidala qui a été le plus difficile : elle avait été une de mes profs, et elle ne m'appréciait pas à l'époque. Elle a décrété que je me dérobais à mes devoirs, qu'une jeune fille ayant la chance d'avoir un corps de femme avait l'obligation d'offrir ce corps en sacrifice à Dieu, pour la gloire de Galaad et du genre humain, et pour qu'il remplisse la fonction dont il avait hérité dès l'instant de la Création, que c'était la loi de la Nature.

J'ai répondu que Dieu avait aussi accordé d'autres dons aux femmes, tels ceux qu'Il lui avait octroyés.

322

De quoi pouvait-il bien s'agir ? m'a-t-elle demandé. De la faculté de lire, puisque toutes les Tantes disposaient de ce don. Elle a dit que la lecture des Tantes était une sainte lecture au service de tout ce qu'elle avait évoqué précédemment – et de se répéter –, et est-ce que je présumais être moi-même suffisamment sanctifiée ?

J'ai déclaré que j'étais prête à accepter n'importe quel dur labeur afin de devenir une Tante à son image, parce qu'elle représentait un véritable modèle, que je n'étais pas sanctifiée du tout, mais que la grâce et la prière m'aideraient peut-être à accomplir une certaine sanctification, même si je ne pouvais espérer atteindre jamais son niveau à elle.

Tante Vidala a déclaré que je faisais montre d'une humilité appropriée, ce qui augurait bien de mon intégration dans la communauté d'Ardua Hall. Elle m'a même décoché un de ses sourires pincés avant que je sorte.

Mon dernier entretien a été avec Tante Lydia. Les autres m'avaient inquiétée, mais là, plantée devant la porte du bureau de Tante Lydia, j'étais terrifiée. Et si elle revenait sur sa décision ? Outre le fait qu'elle passait pour quelqu'un de redoutable, elle avait la réputation d'être imprévisible. Je levais la main pour frapper quand sa voix m'est parvenue de l'intérieur :

« Ne reste pas vissée là toute la sainte journée. Entre. »

M'avait-elle observée avec une mini-caméra cachée ? D'après Becka, elle en installait des tonnes, du moins selon la rumeur. Comme je n'allais pas tarder à l'apprendre, Ardua Hall était une chambre d'écho : les rumeurs se nourrissaient les unes des autres, si bien qu'on n'était jamais trop sûre de leur provenance.

Je suis entrée. Tante Lydia était assise à sa table de travail, sur laquelle s'entassaient de hautes piles de dossiers.

« Agnes, m'a-t-elle dit. Je dois te féliciter. En dépit de nombreux obstacles, tu as réussi à arriver jusqu'ici et à répondre à l'appel qui t'a poussée à nous rejoindre. »

J'ai hoché la tête, inquiète à l'idée qu'elle ne m'inter-roge sur la nature de cet appel – avais-je entendu une voix ? Mais elle ne l'a pas fait.

« Tu es absolument certaine de ne pas vouloir épouser le Commandant Judd ? »

J'ai acquiescé de la tête.

« Voilà qui est sage.

— Quoi ? »

J'étais surprise : j'avais cru qu'elle me ferait peut-être la leçon sur les devoirs véritables des femmes ou quelque chose du même ordre.

« Je veux dire, pardon ?

— Je suis certaine que tu n'aurais pas été une Épouse qui lui convienne. »

J'ai poussé un soupir de soulagement.

« Non, Tante Lydia. Pas du tout. J'espère qu'il n'aura pas été trop déçu.

— J'ai déjà proposé quelqu'un de plus adapté pour lui, a-t-elle enchaîné. Ton ancienne camarade de classe, Shunammite.

— Shunammite ? Mais elle va épouser quelqu'un d'autre !

— Il est toujours possible de modifier ces arrange-ments. À ton avis, Shunammite sera-t-elle satisfaite de ce changement de mari ? »

J'ai repensé à Shunammite, tellement envieuse de mon sort qu'elle n'arrivait quasiment pas à le dissimu-ler, à sa surexcitation devant les avantages matériels que le mariage lui apporterait. Le Commandant Judd lui en offrirait dix fois plus.

« Je suis sûre qu'elle en sera profondément heureuse.

— Je suis d'accord avec toi. »

Elle a souri. C'était comme si un vieux navet avait souri – du genre séché de ceux que nos Marthas utili-saient pour leur bouillon de légumes.

« Bienvenue à Ardua Hall, a-t-elle ajouté. Tu es acceptée. J'espère que tu te montreras reconnaissante de cette opportunité et de l'aide que je t'ai apportée.

— Je le suis, Tante Lydia, ai-je réussi à bredouiller. Sincèrement.

— Je suis heureuse de l'entendre. Peut-être seras-tu un jour en mesure de m'aider comme tu l'as toi-même été. Il faut rendre le bien pour le bien. C'est une de nos règles, à Ardua Hall. »

XV.

Renard et chat

Le Testament olographe d'Ardua Hall

41.

Tout vient à point à celle qui sait attendre. Le temps passe et les œufs durent. La patience est mère de toutes les vertus. La vengeance m'appartient.

Si ces vieilles formules ne sont pas toujours vraies, elles le sont de temps à autre. Maintenant, en voici une qui l'est toujours : tout est dans le choix du moment. Comme pour les blagues.

Ce n'est pas qu'il en circule beaucoup par ici, des blagues. Qui souhaiterait être accusé de mauvais goût ou de frivolité ? Dans une hiérarchie de puissants, les seuls personnages à avoir le droit de blaguer sont les sommités, et ils le font en privé.

Mais venons-en au fait.

J'ai eu le privilège, fondamental pour mon développement mental, de pouvoir jouer les petites souris et de raser les murs ; ou, plus être plus précise, de coller l'oreille contre lesdits murs. Qu'elles sont instructives, ces confidences des jeunes femmes qui se croient seules. Au fil des années, j'ai augmenté la sensibilité de mes microphones afin de les régler sur le volume des chuchotements, et j'ai retenu mon souffle pour voir laquelle de nos jeunes recrues me fournirait ce type d'informations honteuses dont je me délecte et que je collecte.

Peu à peu, mes dossiers ont pris de l'épaisseur, telle une montgolfière se préparant au décollage.

En ce qui concerne Becka, ça a pris des années. Elle s'était toujours montrée extrêmement réticente quant aux causes premières de sa souffrance, même avec son amie d'enfance, Agnes. J'ai dû attendre que se développe entre elles un niveau de confiance suffisant.

C'est Agnes qui a abordé la question. J'utilise ici leurs prénoms d'avant – Agnes, Becka –, car ce sont ceux qu'elles utilisaient entre elles. Leur mutation en de parfaites Tantes était loin d'être achevée, ce qui me plaisait. Mais bon, personne n'est parfait aux moments décisifs.

« Becka, qu'est-ce qui t'est arrivé exactement ? a demandé Agnes un jour où elles étaient plongées dans l'étude de la Bible. Pour que tu sois tellement contre le mariage. »

Silence.

« Je sais qu'il s'est passé quelque chose. Je t'en prie, tu ne veux pas partager ça avec moi ?

— Je ne peux pas en parler.

— Fais-moi confiance, je ne dirai rien. »

Alors, par bribes, c'est sorti. Le minable Dr Grove ne s'était pas limité au tripotage de ses jeunes patientes sur le siège de dentiste. J'étais au courant depuis un moment – j'avais même rassemblé des preuves photographiques, mais je ne m'en étais pas servie, parce que des témoignages de jeunes filles (dans la mesure où on aurait pu le leur soutirer, ce dont je doutais dans ce cas) auraient compté pour rien ou quasiment. Ici à Galaad, même lorsqu'il s'agit de femmes adultes, il faut quatre témoignages féminins pour contrebalancer celui d'un homme.

Grove avait tablé là-dessus. De plus, le bonhomme jouissait de la confiance des Commandants : c'était un très bon dentiste, et les personnes de pouvoir accordent beaucoup de latitude aux professionnels capables de les soulager de leurs maux. Docteurs, dentistes, avocats, comptables : dans le nouveau monde de Galaad, comme dans l'ancien, il est fréquent que leurs péchés leur soient pardonnés.

Mais ce que Grove avait fait à la petite Becka – la toute petite Becka, et ensuite à la Becka plus grande mais encore petite –, ça, à mes yeux, ça exigeait un châtiment.

Il était impossible de compter sur Becka pour parvenir à mes fins. Elle ne voudrait pas témoigner contre Grove, j'en étais certaine. Sa conversation avec Agnes me l'a confirmé.

AGNES : Il faut qu'on en parle à quelqu'un.

BECKA : Non, il n'y a personne.

AGNES : On pourrait aller trouver Tante Lydia.

BECKA : Elle dirait que c'est mon père et qu'il faut obéir à ses parents, que c'est le plan de Dieu. C'est ce que lui-même me répétait.

AGNES : Mais ce n'est pas un vrai parent. Pas s'il t'a fait ça. Et on t'a arrachée à ta mère, tu leur as été confiée tout bébé…

BECKA : Il affirmait que Dieu lui avait donné toute autorité sur moi.

AGNES : Et ta prétendue mère ?

BECKA : Elle ne me croirait pas. Et, même si c'était le cas, elle dirait que je l'ai aguiché. Elles disent toutes ça.

AGNES : Mais tu avais quatre ans !

BECKA : Elles le disent quand même. Tu le sais. Elles ne vont pas commencer à accepter la parole de… de personnes comme moi. Et en supposant qu'on me croie vraiment, il serait tué, il serait déchiqueté par les Servantes lors d'une Dilacération, et ce serait de ma faute. Je ne le supporterais pas. Ce serait une sorte de meurtre.

Je n'ai pas ajouté les pleurs, les mots réconfortants d'Agnes, les promesses d'amitié éternelle, les prières. Mais ils étaient là. Il y avait de quoi faire fondre les cœurs les plus endurcis. Ça a failli faire fondre le mien.

Le résultat, c'est que Becka avait décidé d'offrir cette souffrance muette en sacrifice à Dieu. Je ne suis pas sûre de ce que Dieu en a pensé, mais moi, ça ne m'a pas convaincue. Juge un jour, juge toujours. J'ai jugé, j'ai prononcé la sentence. Mais comment l'exécuter ?

Après y avoir réfléchi un moment, j'ai décidé la semaine dernière de passer à l'action. J'ai invité Tante Elizabeth à prendre une infusion à la menthe au Schlafly Café.

Elle était tout sourire : elle avait eu l'honneur de faire l'objet de mon attention toute particulière.

« Tante Lydia, s'est-elle écriée. Quel plaisir inattendu ! »

Elle est d'une grande politesse lorsqu'elle le veut bien. Élève de Vassar un jour, élève de Vassar toujours, comme il m'arrive parfois de le penser en douce quand je la regarde massacrer les pieds d'une potentielle Servante récalcitrante au Centre Rachel et Leah.

« Je me suis dit que nous pourrions avoir un entretien confidentiel », lui ai-je expliqué.

Elle s'est penchée dans l'attente d'un ragot.

« Je suis tout ouïe », a-t-elle chuchoté.

Mensonge – ses oreilles ne représentent qu'une toute petite partie de sa personne –, mais je n'ai pas relevé.

« Je me suis souvent demandé, ai-je poursuivi, si vous étiez un animal, lequel seriez-vous ? »

Elle a eu un mouvement de recul, perplexe.

« Je ne peux pas dire que j'y aie jamais réfléchi. Étant donné que Dieu n'a pas voulu que je sois un animal.

— Faites-moi plaisir, ai-je insisté. Par exemple : renard ou chat ? »

Là, cher lecteur, je te dois une explication. Quand j'étais enfant, j'ai lu un livre intitulé *Les Fables d'Ésope*. Je l'avais emprunté à la bibliothèque de l'école : ma famille ne dépensait pas d'argent en bouquins. Or il y a dans *Les Fables* une histoire sur laquelle j'ai souvent médité. La voici :

Le Renard et le Chat débattaient de leurs moyens respectifs d'échapper aux chasseurs et à leurs chiens. Renard déclara qu'il avait plus d'un tour dans son sac et que, si les chasseurs se présentaient avec leurs chiens, il les utiliserait un à un – il reviendrait sur ses pas, traverserait l'eau en courant pour masquer son odeur, plongerait dans un terrier à plusieurs sorties. Lassés par l'esprit rusé de Renard, les chasseurs renonceraient et laisseraient Renard à sa carrière de voleur et d'estourbisseur de volailles et autres.

« Et toi, cher Chat, demanda-t-il, quels sont tes tours ?

— Je n'en ai qu'un, répondit le Chat. En dernier recours, je grimpe aux arbres. »

Le Renard remercia le Chat pour cet agréable échange préprandial et ajouta que l'heure du repas avait sonné et qu'il y avait du Chat au menu. Claquements de dents de Renard, touffes de poils de Chat. Plaque d'identité recrachée. Puis affiches agrafées à des poteaux téléphoniques signalant la disparition de Chat et requêtes sincères d'enfants affligés.

Pardon, je m'emballe. La suite de la fable :

Les chasseurs et leurs chiens arrivent sur place. Renard essaie ses tours un à un, mais les épuise tous et il est tué. Dans l'intervalle, le Chat a grimpé à un arbre et suit la scène avec flegme.

« Pas si rusé que ça, en fin de compte ! » ricane-t-il.

Ou quelque autre remarque mesquine.

Dans les premiers temps de Galaad, je me demandais régulièrement si j'étais Renard ou Chat. Fallait-il que je louvoie en me servant des secrets en ma possession pour manipuler les autres ou fallait-il que je me la boucle et me frotte les mains pendant que les autres jouaient au plus fin ? À l'évidence, j'étais les deux, étant donné que – contrairement à beaucoup d'autres – je suis toujours ici. J'ai toujours plus d'un tour dans mon sac. Et je suis toujours haut perchée dans l'arbre.

Mais Tante Elizabeth ne savait rien de mes réflexions personnelles.

« Honnêtement, je n'en ai pas idée. Un chat peut-être.

— Oui. Je vous ai classée dans la catégorie chat. Mais aujourd'hui vous devriez peut-être exploiter votre renard intérieur. Tante Vidala cherche à vous compromettre, ai-je ajouté. Elle prétend que vous déposez des œufs et des oranges au pied de ma statue pour m'accuser d'hérésie et d'idolâtrie. »

Bouleversée, Tante Elizabeth s'est écriée :

« Ce n'est pas vrai ! Pourquoi Vidala dirait-elle une chose pareille ? Je ne lui ai jamais fait de mal !

— Qui peut sonder les secrets de l'âme humaine ? Nous péchons tous. Tante Vidala est ambitieuse. Il se peut qu'elle ait deviné que vous étiez *de facto* ma numéro deux. »

À cette remarque, Elizabeth s'est déridée, car c'était tout à fait nouveau pour elle.

« Elle en aura déduit que c'est donc vous qui me succéderez à Ardua Hall. Elle en éprouve sans doute du ressentiment, car elle se considère comme votre supérieure, et comme la mienne aussi, étant donné qu'elle a compté parmi les premiers partisans de Galaad. Je ne suis plus toute jeune et mon état de santé n'a rien d'excellent ; elle doit penser que, pour revendiquer la position qu'elle estime devoir lui revenir de droit, il est nécessaire de vous éliminer. D'où son désir d'instaurer de nouvelles lois interdisant qu'on dépose des offrandes au pied de ma statue. Assorties de punitions. Elle cherche sans doute à obtenir mon expulsion des Tantes, et la vôtre par la même occasion. »

Elizabeth pleurait à présent.

« Comment peut-elle être aussi vindicative ? m'a-t-elle lancé en sanglotant. Je nous croyais amies.

— Il arrive que l'amitié soit superficielle, hélas ! Ne vous inquiétez pas. Je vous protégerai.

— Je vous en suis infiniment reconnaissante, Tante Lydia. Quelle intégrité vous avez !

— Merci. Il y a néanmoins une petite chose que j'aimerais que vous fassiez pour moi en retour.

— Oui, bien sûr. De quoi s'agit-il ?

— Je veux que vous fassiez un faux témoignage. »

Ce n'était pas une requête anodine : Elizabeth risquait gros. Galaad voit les faux témoignages d'un très mauvais œil – ils se pratiquent néanmoins couramment.

XVI.

LES PERLES

42.

Mon premier jour dans le rôle de Jade la fugueuse est tombé un jeudi. Melanie répétait que j'étais née un jeudi et que donc j'irais loin – c'était une vieille comptine qui disait aussi que l'enfant du mercredi avait beaucoup de malheurs, de sorte que lorsque j'étais mal lunée je grommelais qu'elle s'était trompée de jour et qu'en réalité j'étais venue au monde un mercredi. Là-dessus, elle protestait que non, voyons, elle savait très bien quand j'étais née, comment pourrait-elle jamais oublier ?

Quoi qu'il en soit, c'était un jeudi. J'étais assise en tailleur sur le trottoir avec Garth, vêtue d'un collant noir déchiré – c'était Ada qui me l'avait donné, mais je l'avais déchiré moi-même –, d'un short magenta par-dessus et de chaussures argent bien usées avec talons en gel, qui donnaient l'impression d'avoir transité par les intestins d'un raton laveur. J'avais un haut rose miteux – sans manches, parce que Ada avait décrété qu'il fallait que je montre mon nouveau tatouage –, un sweat à capuche noué autour de la taille et une casquette de baseball noire. Rien ne m'allait : il fallait que les gens croient que j'avais récupéré ces fringues dans des poubelles. J'avais sali mes nouveaux cheveux verts pour qu'on pense que j'avais dormi dehors. Le vert commençait déjà à s'estomper.

«Tu es superbe, avait dit Garth quand il m'avait vue habillée de pied en cap et prête à y aller.

— Superbement merdique.

— Une superbe merde», avait insisté Garth.

Convaincue qu'il cherchait juste à se montrer gentil, je l'avais eue mauvaise. Je voulais qu'il soit sincère.

«Mais quand tu seras à Galaad, il faudra vraiment que tu arrêtes les jurons. Tu aurais peut-être même intérêt à ce qu'ils te convertissent au bon parler.»

Il y avait énormément d'instructions à mémoriser. Je me sentais très nerveuse – j'étais sûre que j'allais cafouiller –, mais Garth m'a dit : «Joue l'idiote, c'est tout», et j'ai répondu : «Merci pour avoir dit *joue*.»

Je n'étais pas très douée pour le flirt. C'était nouveau pour moi.

On s'était installés tous les deux devant une banque, ce qui, d'après Garth, était un super emplacement si on cherchait à récolter du cash : en sortant, les gens sont plus susceptibles de te filer un petit quelque chose. Normalement, c'était quelqu'un d'autre – une femme en fauteuil roulant – qui occupait cette place, mais Mayday lui avait passé de l'argent pour qu'elle aille s'installer ailleurs aussi longtemps qu'on en aurait besoin : les Perles suivaient un certain parcours, et, du coup, on était sur leur route.

Le soleil cognait, donc on s'était rapprochés du mur, dans une étroite lamelle d'ombre. J'avais un vieux chapeau de paille posé devant moi avec un panneau en carton sur lequel était écrit au crayon de couleur SANS-ABRI AIDEZ-NOUS SVP. Quelques pièces traînaient au fond du chapeau. D'après Garth, si les gens voyaient qu'une tierce personne avait mis des sous dedans, ils avaient plus tendance à faire pareil. Quant à moi, j'étais censée jouer la fille paumée et désorientée, et c'était pas dur, vu que je me sentais vraiment comme ça.

Un pâté de maisons plus à l'est, George occupait un autre coin. En cas de problèmes soit avec les Perles, soit avec la police, il appellerait Ada et Elijah, qui circulaient dans les parages à bord d'un van.

Garth ne parlait pas beaucoup. J'avais décidé que c'était un hybride de baby-sitter et de garde du corps, qu'il n'était donc pas là pour faire la causette et qu'aucune règle ne l'obligeait à se montrer sympa avec moi. Il portait un T-shirt noir sans manches qui révélait ses propres tatouages – un calmar sur un biceps, une chauve-souris sur l'autre, noirs tous les deux. Il avait une de ces fameuses casquettes en tricot, noire également.

« Souris aux gens s'ils te filent quelque chose, m'a-t-il conseillé après qu'une vieille dame aux cheveux blancs m'avait donné une pièce sans que je réagisse. Dis quelque chose.

— Quoi, par exemple ?

— Il y en a qui disent "Dieu vous bénisse". »

Neil aurait été choqué si j'avais balancé un truc pareil.

« Ce serait un mensonge. Si je crois pas en Dieu.

— Bon, d'accord. "Merci" fera l'affaire, a-t-il précisé avec patience. Ou "Bonne journée".

— Je ne peux pas sortir des trucs comme ça. C'est hypocrite. J'ai pas envie de les remercier et je me contrefous de la journée pourrie qu'ils se taperont. »

Il s'est marré.

« L'idée de mentir te tracasse, maintenant ? Dans ce cas, pourquoi ne pas reprendre ton prénom, Nicole ?

— C'est pas moi qui ai choisi ce nom. Bordel, c'est vraiment le dernier que j'aurais pris, tu le sais. »

J'ai croisé les bras sur mes genoux et me suis détournée de lui. Je devenais de plus en plus gamine : c'était l'effet qu'il me faisait.

« Ne passe pas ta colère sur moi, c'est pas la peine, m'a conseillé Garth. Garde-la pour Galaad.

— Vous avez tous dit qu'il fallait que j'aie du caractère. Je suis le brief.

— Voilà les Perles, m'a-t-il lancé. Ne les dévisage pas. Fais comme si tu ne les voyais même pas. Comme si t'étais défoncée.»

Je ne sais pas comment il les avait repérées alors qu'il n'avait pas l'air de regarder – elles étaient encore loin dans la rue. Mais elles n'ont pas tardé à arriver à notre hauteur : elles étaient deux, dans leur longue tenue gris argent, avec leur col et leur chapeau blancs. Une rousse, vu les mèches de cheveux qu'on apercevait, et une brune, à en juger par les sourcils. Elles ont baissé les yeux vers moi et m'ont souri.

«Bonjour, mon petit, a dit la rousse. Comment tu t'appelles ?

— On peut t'aider, a ajouté la brune. Il n'y a pas de sans-abri à Galaad.»

Calée contre le mur, j'ai levé la tête vers elles, en espérant que j'avais l'air aussi malheureuse que je me sentais. Elles étaient toutes les deux tellement comme il faut et soignées ; j'avais l'impression d'être une grosse crasseuse à côté.

Garth a posé la main sur mon bras droit et m'a agrippée d'un geste possessif.

«Pas question qu'elle vous parle.

— Ce n'est pas à elle de décider ?» a répliqué la rousse.

J'ai jeté un regard en coulisse à Garth, comme si j'attendais une permission.

«Qu'est-ce que tu as sur le bras ? a poursuivi la plus grande, la brune.

— Il te maltraite, mon petit ?» a insisté la rousse.

L'autre a souri.

«Il te vend ? Nous, on peut t'offrir une vie bien meilleure.

— Allez vous faire foutre, salopes de Galaad», a grommelé Garth avec une sauvagerie impressionnante.

Je les ai regardées, si nettes, si propres avec leur robe nacrée et leur collier blanc, et, tu ne me croiras peut-être pas, une larme a roulé le long de ma joue. Je savais qu'elles avaient un objectif bien précis et qu'elles se foutaient royalement de moi, qu'elles voulaient juste me mettre le grappin dessus et m'ajouter à leur quota, mais leur bienveillance m'a ramollie. J'avais envie que quelqu'un me soulève de terre, me porte dans mon lit et me borde.

«Oh là là, s'est exclamée la rousse. Un vrai héros. Laisse-la prendre ça au moins.»

D'autorité, elle m'a collé entre les mains une brochure qui disait : À GALAAD, IL Y A UN FOYER POUR TOI !

«Dieu te bénisse.»

Et toutes deux se sont éloignées, en se retournant une fois.

«Je n'étais pas censée les laisser m'embarquer? ai-je demandé. Il faudrait pas que je les suive?

— Pas la première fois. Pas question de leur faciliter le travail, m'a répondu Garth. Si quelqu'un de Galaad les observe, ce serait trop suspect. T'inquiète, elles vont revenir.»

43.

Cette nuit-là, on a dormi sous un pont. Il enjambait un ravin, avec une rivière en bas d'où montait de la brume ; après la chaleur de la journée, il faisait froid et humide. Le sol empestait la pisse de chat, ou peut-être le sconse. J'ai enfilé le sweat gris à capuche, en abaissant doucement la manche sur la cicatrice de mon tatouage. C'était encore un peu douloureux.

Il y avait quatre ou cinq autres personnes sous le pont avec nous, trois hommes et deux femmes, je pense, mais compte tenu de l'obscurité, c'était difficile à dire. George était du nombre ; il se comportait comme s'il ne nous connaissait pas. Une des femmes nous a proposé des cigarettes, mais je me suis bien gardée d'en fumer une – j'aurais toussé et ça m'aurait trahie. Une bouteille a circulé aussi. Garth m'avait conseillé de ne pas fumer et de ne rien boire : allez savoir ce qu'il pouvait y avoir dedans ?

Il m'avait conseillé aussi de ne parler à personne : il était très possible qu'il y ait une taupe de Galaad parmi ces gens, et si la taupe en question essayait de me soutirer mon histoire et que je m'emmêlais les crayons, elle flairerait un piège et alerterait les Perles. C'est donc lui qui s'est chargé de la conversation, laquelle s'est résumée principalement à des grognements. Apparemment, il connaissait deux ou trois des mecs.

L'un d'eux a dit :

«C'est quoi? Une neuneu? Comment ça se fait qu'elle parle pas?»

Et Garth a répondu :

«Elle parle qu'à moi.»

L'autre a déclaré :

«Bon boulot, c'est quoi ton secret?»

On avait plusieurs sacs-poubelle en plastique vert pour s'allonger. Garth m'a prise dans ses bras, du coup j'ai eu plus chaud. Au début, j'ai repoussé son bras du dessus, mais il m'a chuchoté à l'oreille : «Oublie pas que tu es ma copine», alors j'ai cessé de gigoter. Même si je savais que c'était du cinéma, à ce moment-là, je m'en moquais. Sincèrement, j'avais presque le sentiment que c'était mon premier copain. C'était pas grand-chose, mais c'était déjà ça.

La nuit suivante, Garth s'est battu avec un des mecs sous le pont. Ça n'a pas duré longtemps et Garth a gagné. Je n'ai pas vu comment ça s'était passé – ça a été du rapide. Après, il a dit qu'il fallait qu'on change de crémerie, donc la nuit suivante on a dormi dans une église du centre-ville. Il avait une clé; je ne sais pas comment il l'avait eue. On n'était pas tout seuls là-dedans, à en juger par les cochonneries et les saletés sous les bancs – sacs à dos abandonnés, bouteilles vides, la seringue de service.

On mangeait dans des fast-foods, ce qui m'a guérie de la malbouffe. Avant, je pensais que c'était un peu glamour, sans doute parce que Melanie était contre, mais si tu manges ça à longueur de temps, t'as de méchants ballonnements. C'est là aussi que j'allais aux toilettes dans la journée, quand j'allais pas m'accroupir dans un ravin.

La quatrième nuit, ça a été un cimetière. Les cimetières étaient bien, a dit Garth, mais souvent il y avait trop de monde. Et certains zozos planqués derrière une pierre tombale trouvaient très marrant de jouer à te sauter dessus, mais c'étaient que des gamins qui s'étaient barrés de chez eux pour le week-end. Les gens de la rue savaient que, quand on foutait la trouille comme ça à quelqu'un dans le noir, on avait de bonnes chances de se choper un coup de couteau, vu que ceux qui traînaient dans les cimetières étaient pas tous totalement d'équerre.

«Comme toi», je lui ai balancé.

Il n'a pas réagi. Je devais lui taper sur les nerfs.

Il faut que je rapporte ici que Garth n'a jamais profité de la situation, même s'il devait avoir deviné mon béguin de gamine pour lui. Il était là pour me protéger, et il l'a fait, y compris de lui. J'aime penser qu'il a eu du mal.

44.

«Quand est-ce qu'elles vont revenir, les Perles? j'ai demandé le matin du cinquième jour. Peut-être qu'elles veulent pas de moi.

— Sois patiente, m'a conseillé Garth. Comme l'a dit Ada, on a déjà envoyé des filles à Galaad par ce canal. Certaines ont réussi, mais quelques-unes d'entre elles, qui ont montré trop d'enthousiasme et se sont laissées embarquer au premier passage, ont été démasquées avant même d'avoir franchi la frontière.

— Merci, ai-je déclaré d'un ton lugubre. Ça me donne confiance. Je vais tout foirer, je le sais.

— Te chauffe pas, ça va aller. Tu peux le faire. On compte tous sur toi.

— Surtout, pas de pression, hein? Tu dis "Saute", donc je saute!»

J'étais casse-pieds, mais c'était plus fort que moi.

Plus tard ce jour-là, les Perles sont revenues. Elles ont tournicoté, en passant pas loin, puis elles ont traversé la rue et sont parties dans la direction opposée en faisant du lèche-vitrines. Puis, quand Garth est allé nous chercher des burgers, elles se sont approchées et m'ont adressé la parole.

Elles m'ont demandé comment je m'appelais, et j'ai dit Jade. Puis elles se sont présentées : Tante Beatrice était la brune, Tante Dove la rousse aux taches de rousseur.

Elles m'ont demandé si j'étais heureuse, et j'ai fait non de la tête. Puis elles ont regardé mon tatouage et déclaré que j'étais vraiment spéciale pour avoir enduré toute cette souffrance pour Dieu, et qu'elles étaient contentes que je sois si sûre que Dieu me chérissait. Et Galaad me chérirait aussi, parce que j'étais une fleur précieuse, chaque femme en était une, surtout chaque jeune fille de mon âge, et si j'étais à Galaad, je serais traitée comme la jeune fille spéciale que j'étais, et protégée, et personne – aucun homme – ne me ferait jamais de mal. Et celui qui était avec moi… est-ce qu'il me frappait ?

Ça ne me plaisait pas du tout de mentir comme ça sur Garth, mais j'ai acquiescé.

« Et est-ce qu'il t'oblige à faire des choses pas bien ? »

J'ai affiché un air stupide, alors Tante Beatrice – la plus grande – a dit : « Est-ce qu'il te force à faire l'amour ? »

Là, j'ai à peine hoché la tête, comme si j'avais honte.

« Et est-ce qu'il te passe à d'autres hommes ? »

Là, ça allait trop loin – impossible d'imaginer Garth faisant ce genre de chose –, donc j'ai répondu non d'un signe de tête. Et Tante Beatrice a dit qu'il n'avait peut-être pas encore essayé, mais qu'il le ferait si je restais avec lui, c'était banal chez les hommes comme lui – ils mettaient la main sur des jeunes filles et faisaient semblant de les aimer, mais très vite ils les vendaient à tous ceux qui étaient prêts à payer.

« L'amour libre, a lâché Tante Beatrice d'un ton méprisant. Il ne va jamais sans contrepartie. Tout a un prix. Toujours.

— Ce n'est même jamais de l'amour, a ajouté Tante Dove. Pourquoi es-tu avec lui ?

— Je ne savais pas où aller sinon, ai-je répondu en fondant en larmes. Il y avait beaucoup de violence chez moi.

« — Il n'y a jamais de violence chez nous, à Galaad »,
a déclaré Tante Beatrice.

Puis Garth est revenu et il a fait le mec en colère. Il
m'a attrapée par le bras – le gauche, celui avec la scarification –, m'a obligée à me remettre debout, et j'ai crié
parce que ça faisait mal. Il m'a ordonné de me la boucler et a décrété qu'on partait.

Tante Beatrice a dit : « Puis-je vous dire un mot ? » Ils
se sont éloignés, Garth et elle, vers un endroit où il était
impossible de les entendre, et comme je pleurais, Tante
Dove m'a tendu un mouchoir en papier avant de me
glisser : « Est-ce que je peux te prendre dans mes bras
au nom de Dieu ? », et j'ai fait oui de la tête.

Tante Beatrice est revenue et a dit : « On peut y aller
maintenant », et Tante Dove a répondu : « Loué soit-Il ».
Garth était parti. Il n'avait même pas jeté un regard en
arrière. Je n'ai donc pas eu l'occasion de lui dire au
revoir, ce qui m'a fait pleurer encore plus.

« Tout va bien, tu es en sécurité maintenant, a décrété
Tante Dove. Sois forte. »

C'était le genre de trucs qu'on balançait aux réfugiées de Galaad qui débarquaient à SanctuHome, sauf
qu'elles allaient dans la direction opposée.

Tante Beatrice et Tante Dove marchaient tout près de
moi, une de chaque côté, comme ça personne ne m'em-
bêterait, m'ont-elles expliqué.

« Ce jeune homme t'a vendue, m'a confié Tante Dove
avec mépris.

— Ah bon ? »

Garth ne m'avait pas prévenue qu'il comptait faire ça.

« Je n'ai eu qu'à demander. Voilà la valeur qu'il t'accordait. Tu as de la chance que ce soit à nous qu'il t'ait
vendue, et pas à un réseau de prostitution, a précisé Tante
Beatrice. Il voulait beaucoup d'argent, mais j'ai réussi à
faire baisser le prix. Finalement, il a pris la moitié.

— Sale infidèle, a marmonné Tante Dove.

— Il a prétendu que tu étais vierge, que ça augmentait ton prix, a ajouté Tante Beatrice. Mais ce n'est pas ce que tu nous as dit, pas vrai ?»

J'ai vite calculé.

«Je voulais que vous me plaigniez, pour que vous m'emmeniez avec vous.»

Les deux femmes ont échangé un regard par-dessus ma tête.

«On comprend, a déclaré Tante Beatrice. Mais, à partir de maintenant, tu dois dire la vérité.»

J'ai hoché la tête et le leur ai promis.

Elles m'ont ramenée à l'appartement où elles logeaient. Je me suis demandé si c'était celui où on avait retrouvé la Perle morte. Mais, pour le moment, je comptais bien me la boucler un maximum ; je voulais pas me griller. Et j'avais pas envie non plus qu'on me retrouve attachée à une poignée de porte.

L'appartement était très moderne. Il avait deux salles de bains, l'une et l'autre équipées d'une baignoire et d'une douche, des fenêtres gigantesques et un grand balcon avec de vrais arbres dans des jardinières en ciment. J'ai vite constaté que la porte du balcon était fermée à clé.

Je mourais d'envie de prendre une douche : je puais, à cause de mes propres couches de squames crasseuses, de ma sueur, de mes pieds dans mes vieilles chaussettes, de la boue nauséabonde de sous les ponts, du graillon des fast-foods. Dans cet appartement si propre où flottait l'odeur d'un déodorant aux agrumes, je me suis dit que ma puanteur devait vraiment se remarquer.

Lorsque Tante Beatrice m'a demandé si je voulais me doucher, j'ai vite acquiescé. Mais il fallait que je fasse attention à mon bras, m'a prévenue Tante Dove : je ne devais pas le mouiller, la croûte risquait de tomber. Aussi hypocrite que cette sollicitude ait pu être – elles n'avaient aucune envie de ramener une épave purulente à Galaad au lieu d'une Perle –, je dois admettre qu'elle m'a touchée.

Quand je suis sortie de la douche, enveloppée dans une moelleuse serviette blanche, mes vêtements avaient disparu – ils étaient tellement sales que ce n'était même pas la peine de les laver, a expliqué Tante Beatrice – et elles m'avaient préparé une robe gris argent exactement comme la leur.

« Je suis censée mettre ça ? Mais je ne suis pas une Perle. Je pensais que c'était vous, les Perles.

— Celles qui récoltent et celles qui sont récoltées sont toutes des Perles, m'a expliqué Tante Dove. Tu es une Perle précieuse. Une Perle de Grand Prix.

— C'est pour ça que nous avons pris autant de risques pour toi, a enchaîné Tante Beatrice. Nous avons énormément d'ennemis ici. Mais ne t'inquiète pas, Jade. Nous te protégerons. »

De toute façon, a-t-elle continué, même si je n'étais pas officiellement une Perle, il faudrait que je porte la robe pour sortir du Canada, parce que les autorités canadiennes freinaient à présent l'exportation de converties mineures. Pour elles, c'était du trafic d'êtres humains ; ce qui était vraiment injuste, a-t-elle ajouté.

Puis Tante Dove lui a rappelé qu'il ne fallait pas qu'elle utilise le mot « exportation », parce que les jeunes filles n'étaient pas des marchandises ; et Tante Beatrice s'est excusée et a dit qu'elle avait voulu parler d'une « plus grande souplesse dans les échanges trans-frontaliers ». Toutes deux ont souri.

« Je ne suis pas mineure, ai-je dit alors. J'ai seize ans.

— Tu as une pièce d'identité ? » a demandé Tante Beatrice.

J'ai fait non de la tête.

« C'est ce qu'on pensait, a ajouté Tante Dove. On va t'en faire faire une.

— Mais pour éviter les problèmes, a dit Tante Beatrice, sur tes papiers, tu seras Tante Dove. Les Canadiens savent qu'elle est entrée, donc quand tu franchiras la frontière, ils te prendront pour elle.

— Mais je suis beaucoup plus jeune qu'elle. Et je ne lui ressemble pas.

— Il y aura ta photo sur tes papiers», m'a précisé Tante Beatrice.

La vraie Tante Dove resterait au Canada et repartirait sous le nom d'une autre Perle nouvellement arrivée dans le pays, avec la prochaine jeune fille qui serait recueillie. Elles avaient l'habitude de permuter ainsi.

«Les Canadiens ne nous distinguent pas les unes des autres, a dit Tante Dove. Pour eux, nous sommes toutes pareilles.»

Et les deux Tantes ont éclaté de rire, ravies de leur tour.

Puis Tante Dove m'a expliqué que le port de la robe argent avait une autre raison particulièrement importante : elle simplifierait mon entrée à Galaad puisque là-bas, les femmes ne s'exposaient pas avec des vêtements d'homme. J'ai répliqué que le legging n'était pas un vêtement d'homme, et elles m'ont répondu – calmement, mais fermement – que si, c'en était, comme il était écrit dans la Bible, que c'était une abomination et que, si je voulais rejoindre Galaad, je serais obligée de l'accepter.

Je me suis rappelé qu'il valait mieux ne pas discuter avec elles, j'ai donc mis la robe ; et le collier de perles, qui étaient fausses, comme Melanie me l'avait bien dit. Il y avait aussi un chapeau de soleil blanc, mais c'était seulement pour sortir que je devais le mettre. À l'intérieur, on avait le droit d'être en cheveux, sauf s'il y avait des hommes, parce que les cheveux plaisaient beaucoup aux hommes, ils les faisaient perdre le nord. En plus, les miens étaient verts, donc particulièrement provocants.

«Ce n'est qu'une teinture, ça va partir, ai-je dit pour me justifier, pour qu'elles sachent que j'avais déjà renoncé à mon choix irréfléchi.

— Tout va bien, mon petit, m'a répondu Tante Dove. Personne ne verra rien.»

La robe était en fait très agréable après mes vieux vêtements crasseux. Elle était fraîche et soyeuse.

Pour le déjeuner, Tante Beatrice a commandé une pizza qu'on a fait suivre d'une glace de leur congélateur. Je leur ai avoué être surprise qu'elles avalent des cochonneries : Galaad n'était pas contre, surtout pour les femmes ?

«Ça participe de notre mise à l'épreuve en tant que Perles, m'a expliqué Tante Dove. Nous sommes censées goûter aux tentations du monde afin de mieux les comprendre, pour ensuite les rejeter de nos cœurs.»

Elle a repris une bouchée de pizza.

«De toute façon, ce sera ma dernière occasion de les tester, a ajouté Tante Beatrice, qui avait terminé sa pizza et dégustait sa glace. Encore que, honnêtement, je ne voie pas ce qu'il y a de mal avec les glaces, du moment qu'il n'y a pas de produits chimiques dedans.»

Tante Dove lui a lancé un regard de reproche. Tante Beatrice a léché sa cuillère.

J'ai dit non à la glace. J'étais trop tendue. Et puis je ne les aimais plus. Elles me rappelaient trop Melanie.

Cette nuit-là, avant d'aller me coucher, je me suis étudiée dans le miroir de la salle de bains. En dépit de la douche et de la nourriture, j'étais une vraie loque. J'avais des cernes noirs sous les yeux ; j'avais perdu du poids. J'avais vraiment l'air d'une enfant abandonnée qui avait besoin d'être secourue.

Ça a été merveilleux de dormir dans un vrai lit plutôt que sous un pont. N'empêche, Garth me manquait.

La nuit, quand j'étais dans la chambre, elles fermaient ma porte à clé. Et quand j'étais réveillée, elles prenaient soin de ne jamais me laisser seule.

Les deux jours qui ont suivi ont été consacrés à préparer mes papiers de Tante Dove. On a pris ma photo et mes empreintes pour me faire établir un passeport, qui a été authentifié par l'ambassade de Galaad à Ottawa, puis renvoyé au consulat par coursier spécial. Ils avaient reporté le numéro d'identification de Tante Dove, mais avec ma photo et mes caractéristiques physiques à la place, et ils avaient même infiltré la base de données des services de l'Immigration canadienne, où l'entrée de Tante Dove dans le pays avait été enregistrée, pour en éliminer temporairement la vraie Tante Dove et lui substituer mes données personnelles, plus un scan de mon iris et une empreinte de mon pouce.

« On a beaucoup d'amis au sein de l'infrastructure du gouvernement canadien, m'a confié Tante Beatrice. Tu serais étonnée.

— Tant de supporteurs ! » a renchéri Tante Dove.

Puis, de concert, elles ont bramé : « Loué soit-Il. »

Sur une des pages, ils avaient mis un timbre en relief sur lequel était marqué PERLE. Ça impliquait que j'entrerais directement à Galaad sans qu'on me pose de questions : c'était comme être diplomate, m'a dit Tante Beatrice.

À présent, j'étais donc Tante Dove, mais une Tante Dove différente. Je disposais d'un visa canadien temporaire pour Perle missionnaire que je devrais rendre aux autorités de la frontière à ma sortie du pays. C'était simple, a continué Tante Beatrice.

« Garde bien la tête baissée quand vous passerez, m'a prévenue Tante Dove. On ne verra pas ton visage. D'ailleurs, c'est conforme à la pudeur. »

Une voiture noire du gouvernement de Galaad nous a emmenées à l'aéroport, Tante Beatrice et moi, et j'ai passé les contrôles de l'émigration sans problème. On n'a même pas eu droit à la fouille corporelle.

L'avion était un jet privé. Dessus, il y avait un œil avec des ailes. Il était argent, mais m'a paru noir – pareil à un énorme oiseau noir, attendant de m'emporter où ? dans un néant, car même si Ada et Elijah avaient essayé de m'apprendre un maximum de choses sur Galaad et même si j'avais vu les documentaires et les images à la télé, je n'imaginais toujours pas ce qui pouvait bien m'attendre là-bas. En dépit de la préparation que j'avais reçue, je ne me sentais pas du tout prête.

J'ai repensé à SanctuHome et aux réfugiées. Je les avais regardées, mais je ne les avais pas vraiment vues. Je n'avais pas réfléchi à ce que ça faisait de quitter un endroit qu'on connaissait et de tout abandonner pour se lancer dans l'inconnu. Qu'est-ce que ça devait te paraître vain et sombre, sauf peut-être pour ce qui était de la petite lueur d'espoir qui t'avait poussée à prendre un tel risque.

Très bientôt, moi aussi, j'allais éprouver ça. Je serais dans un lieu sombre, porteuse d'une minuscule étincelle de lumière, à essayer de trouver mon chemin.

45.

On a décollé avec du retard, et je me suis inquiétée à l'idée qu'on m'avait démasquée et qu'on allait finalement nous stopper. Mais, une fois en l'air, je me suis sentie plus légère. Je n'étais encore jamais montée en avion – au début, j'étais vraiment survoltée. Mais le temps s'est couvert et la vue est devenue monotone. J'ai dû m'endormir, parce que très vite Tante Beatrice m'a donné un petit coup de coude et m'a soufflé : « On est presque arrivées. »

J'ai regardé par le hublot. On volait moins haut, et j'ai aperçu de jolis bâtiments en contrebas, avec des flèches et des tours, une rivière qui serpentait, et la mer.

Puis l'appareil s'est posé. On a descendu un escalier intégré dans la porte. Il faisait chaud et sec, et il y avait du vent ; le bas de nos longues robes argent nous battait les jambes. Debout sur le tarmac, il y avait deux files d'hommes en uniforme noir et on est passées au milieu, bras dessus bras dessous.

« Ne regarde pas leurs figures », m'a chuchoté Tante Beatrice.

Je me suis donc concentrée sur leurs uniformes, mais je sentais des yeux, des yeux, des yeux, partout sur moi, comme des mains. Jamais je n'avais eu l'impression d'être autant exposée – même pas sous le pont avec Garth et plein d'inconnus autour.

Puis tous ces mecs ont salué.

«Qu'est-ce que c'est que ça? ai-je murmuré à l'oreille de Tante Beatrice. Pourquoi ils saluent?

— Parce que j'ai réussi ma mission. J'ai ramené une Perle précieuse. Toi.»

On nous a conduites à une voiture noire et emmenées en ville. Il n'y avait pas grand monde dans les rues, et les femmes portaient toutes ces fameuses robes longues de différentes couleurs, exactement comme dans les documentaires. J'ai même vu des Servantes qui allaient deux par deux. Il n'y avait aucune lettre sur les enseignes des magasins – juste des images. Une bottine, un poisson, une dent.

La voiture a marqué un arrêt devant un portail encastré dans un mur en brique. Deux gardes nous ont laissées passer. La voiture est entrée, s'est arrêtée, et on nous a ouvert nos portières. On est descendues, Tante Beatrice a glissé son bras sous le mien en disant :

«On n'a pas le temps que je te montre où tu vas dormir, l'avion a eu trop de retard. Il faut que nous allions directement à la chapelle, pour l'Action de Grâce. Fais ce que je te dis, c'est tout.»

Je savais que ce serait une sorte de cérémonie pour les Perles – Ada m'avait prévenue, Tante Dove me l'avait expliqué –, mais je ne leur avais pas prêté grande attention, je n'avais donc pas vraiment idée de ce à quoi m'attendre.

On est entrées dans la chapelle. Elle était déjà pleine : des femmes d'un certain âge arboraient l'uniforme marron des Tantes, de plus jeunes la robe des Perles. Chaque Perle était accompagnée d'une jeune fille d'à peu près mon âge, elle aussi habillée d'une robe argent temporaire, comme moi. Et juste devant il y avait une grande photo de Bébé Nicole dans un cadre doré, ce qui ne m'a pas du tout remonté le moral.

Tante Beatrice m'a entraînée dans l'allée centrale, alors que tout le monde chantait :

Elles ramènent les Perles,
Elles ramènent les Perles,
C'est pour nous l'allégresse,
Elles ramènent les Perles.

Elles souriaient et me saluaient d'un signe de tête : elles paraissaient vraiment heureuses. Peut-être que ce sera pas si terrible que ça après tout, me suis-je dit.

On s'est toutes assises. Puis une des femmes les plus âgées s'est dirigée vers le pupitre.

«Tante Lydia, a chuchoté Tante Beatrice. Notre principale Fondatrice.»

Elle était beaucoup plus vieille, enfin, j'ai trouvé, que sur la photo qu'Ada m'avait montrée, mais je l'ai reconnue.

«Nous sommes ici pour célébrer le bon retour de mission de nos Perles – où qu'elles aient pu aller à travers le monde, elles qui vont et viennent pour accomplir les bonnes œuvres de Galaad. Nous saluons leur bravoure physique et leur courage spirituel, et les remercions du fond du cœur. Je déclare à présent que nos Perles maintenant revenues ne sont plus des Suppliantes, mais des Tantes à part entière, avec tous les pouvoirs et privilèges associés à leur nouveau statut. Nous savons qu'elles feront leur devoir, où que ce devoir les appelle et de quelque manière qu'il les appelle.»

Tout le monde a dit : «Amen».

«Perles, présentez les Perles que vous avez recueillies, a déclaré Tante Lydia. En premier lieu, la mission du Canada.»

«Debout», m'a glissé Tante Beatrice à l'oreille.

Elle m'a guidée vers le chœur en me tenant par le bras gauche. Elle avait la main sur le DIEU T'AIME, et ça faisait mal.

Elle a ôté son collier de perles et l'a déposé dans un grand plat peu profond devant Tante Lydia en disant :

« Je vous rends ces perles dans le même état de pureté que celui où je les ai reçues, qu'elles soient bénies pour servir la prochaine Perle qui les portera avec fierté durant sa mission. Grâce à la Volonté divine, j'ajoute aujourd'hui au trésor de gemmes de Galaad. Puis-je vous présenter Jade, une précieuse Perle de Grand Prix, sauvée d'une destruction certaine. Puisse-t-elle être purifiée de la pollution de ce monde, débarrassée du désir charnel et immunisée contre le péché afin de se consacrer pleinement au service que Galaad lui confiera. »

Elle a placé les mains sur mes épaules et, d'une poussée, m'a forcée à m'agenouiller. Je ne m'y attendais pas – j'ai failli basculer sur le côté.

« Qu'est-ce que vous faites ? ai-je chuchoté.

— Chuuuut. Tais-toi. »

Puis Tante Lydia a dit :

« Bienvenue à Ardua Hall, Jade, et bénie sois-tu pour le choix que tu as fait, Sous Son Œil, *Per Ardua Cum Estrus*. »

Elle a posé la main sur mon crâne, l'a retirée, m'a adressé un petit signe de tête et un sourire glacial.

Tout le monde a répété :

« Bienvenue à la Perle d'un Grand Prix, *Per Ardua Cum Estrus*. Amen. »

Dans quoi est-ce que je me suis embringuée ? me suis-je dit. Putain, cet endroit est trop chelou.

XVII.

Des dents parfaites

Le Testament olographe d'Ardua Hall

46.

Ma bouteille d'encre bleue, mon stylo à plume, mes pages de cahier aux bords rognés pour tenir dans leur cachette : c'est à travers eux que je te confie mon message, cher lecteur. Mais de quelle sorte de message s'agit-il? Il est des jours où je me vois dans le rôle de l'Ange Scribe, consignant tous les péchés de Galaad, les miens compris, et d'autres où je repousse d'un haussement d'épaules ce ton hautement moralisateur. Ne suis-je pas, au fond, qu'une simple trafiquante de ragots sordides? Sur ce point, je crains de ne jamais connaître ton verdict.

Ce que je crains plus encore, c'est que tous mes efforts ne servent à rien, et que Galaad dure mille ans. La plupart du temps, c'est l'impression qu'on a ici, loin de la guerre, dans le calme du cœur de la tornade. Si paisibles, les rues; si tranquilles, si ordonnées; pourtant, sous la surface trompeusement placide, une vibration, du même genre que ce qu'on ressent à proximité d'une ligne à haute tension. On est tendus au maximum, tous autant qu'on est; on vibre, on tremble, on est perpétuellement sur le qui-vive. On parlait autrefois de *règne de la terreur*, mais la terreur ne règne pas, pas vraiment. Elle paralyse au contraire. D'où cette douceur anormale.

Mais il y a de petites satisfactions. Hier, j'ai regardé – sur la télévision en circuit fermé du bureau du Commandant Judd – la Dilacération présidée par Tante Elizabeth. Le Commandant Judd avait commandé du café – un excellent café d'une variété d'ordinaire introuvable ; je me suis bien gardée de lui demander comment il se l'était procuré. Il y a ajouté une rasade de rhum et m'en a proposé. J'ai décliné. Il m'a dit alors qu'il avait le cœur tendre et les nerfs fragiles et qu'il avait besoin de prendre des forces, car ces spectacles sanguinaires mettaient son organisme à rude épreuve.

« Je comprends, ai-je dit. Mais il nous incombe de voir que justice est faite. »

Il a soupiré, a vidé son verre et s'est resservi.

Deux condamnés devaient être dilacérés : un Ange qui s'était fait prendre en train de vendre au marché gris des citrons de contrebande introduits *via* le Maine, et le Dr Grove, le dentiste. Néanmoins, le vrai crime de l'Ange n'avait aucun lien avec les citrons : il était accusé d'avoir accepté des pots-de-vin de Mayday et d'avoir aidé plusieurs Servantes à franchir nos frontières. Mais les Commandants n'avaient pas du tout envie que ça se sache : ça aurait donné des idées aux gens. D'après la ligne officielle, il n'y a pas d'Anges corrompus, et encore moins de Servantes fugueuses ; qui, en effet, renoncerait au royaume de Dieu pour plonger dans l'étang de feu ?

Tout au long du processus qui allait mettre un terme à l'existence de Grove, Tante Elizabeth s'était montrée formidable. Elle avait fait du théâtre à l'université et interprété Hécube dans *Les Troyennes* – anecdote que j'avais glanée durant nos premières discussions quand Vidala, Helena, elle et moi travaillions à la trame de la sphère spéciale des femmes dans un Galaad embryonnaire. De telles situations nourrissent la camaraderie, on échange sur le passé. J'ai pris soin de ne pas partager trop de choses sur le mien.

Son expérience des planches n'avait pas fait défaut à Elizabeth. Conformément à mes ordres, elle avait pris rendez-vous avec le Dr Grove. Puis, au moment approprié, elle s'était relevée précipitamment du fauteuil, avait déchiré ses vêtements et hurlé que Grove avait essayé de la violer. Puis, en pleurs et déboussolée, elle s'était dirigée en titubant vers la salle d'attente où l'assistant dentaire, M. Wilson, avait pu constater son état d'âme ravagé et son apparence échevelée.

La personne d'une Tante est censée être sacrosainte. Pas étonnant que cette transgression ait tellement perturbé Tante Elizabeth, se sont dit les gens. Le bonhomme devait être un dangereux cinglé.

J'avais obtenu une séquence photographique grâce à la mini-caméra que j'avais placée dans un beau diagramme représentant une denture complète. Si jamais Elizabeth cherchait à se défaire de sa laisse, j'avais de quoi la menacer de révéler son mensonge.

Au procès, M. Wilson a témoigné contre Grove. Il n'est pas idiot : il a tout de suite compris que son boss était cuit. Il a dépeint la fureur de ce dernier au moment où il a été découvert. Il a prétendu que l'abominable Grove avait qualifié Tante Elizabeth de « putain de salope ». De tels explétifs n'ont pas été prononcés – en réalité, Grove s'était exclamé : « Pourquoi faites-vous ça ? » –, mais au procès, le récit de Wilson a été efficace. Réactions horrifiées de l'auditoire, qui réunissait l'entière population d'Ardua Hall : traiter une Tante de manière aussi vulgaire frisait le blasphème ! Pendant l'interrogatoire, Wilson a admis à contrecœur qu'il avait eu par le passé des raisons de soupçonner son employeur de certaines irrégularités. Placés entre de mauvaises mains, les anesthésiques représentent une formidable tentation, a-t-il reconnu d'un ton affligé.

Qu'aurait pu dire Grove pour sa défense, sinon qu'il était innocent de ce dont on l'accusait, et citer la Bible où cette accusatrice bien connue, l'Épouse de Putiphar, prétexte un viol qui n'a pas eu lieu. L'innocent qui nie sa culpabilité emploie les mêmes mots qu'un coupable, tu l'auras remarqué, j'en suis sûre, mon cher lecteur. L'auditoire aura tendance à ne croire ni l'un ni l'autre.

Grove ne pouvait guère avouer qu'il n'aurait jamais posé un doigt vicelard sur Tante Elizabeth, car seules les gamines l'excitaient.

Compte tenu de l'exceptionnelle performance de Tante Elizabeth, j'ai jugé plus que légitime de l'autoriser à mener la procédure de Dilacération au stade. Grove passait en second. Il a été obligé de regarder l'Ange se faire rouer de coups de pied, puis littéralement déchiqueter par soixante-dix Servantes hurlant à tue-tête.

Quand on l'a amené sur le terrain, les bras ligotés, il a beuglé : «Je suis innocent!» Tante Elizabeth, véritable incarnation de la vertu outragée, a soufflé dans son sifflet d'un air sévère. Deux minutes plus tard, le Dr Grove n'était plus. Des poings levés brandissaient des touffes de cheveux sanguinolents, arrachés avec la racine.

Tantes et Suppliantes étaient toutes là pour soutenir une des Fondatrices révérées d'Ardua Hall. D'un côté se tenaient les nouvelles recrues des Perles – elles étaient arrivées la veille seulement, de sorte que ce moment était pour elles un baptême. J'ai scruté leurs jeunes visages, mais à cette distance il m'a été impossible de décrypter quoi que ce soit. Répulsion, délectation, dégoût? Il est toujours bon de le savoir. La Perle la plus précieuse se trouvait parmi elles; juste après l'événement sportif que nous nous apprêtions à suivre, je l'installerais dans le logement le mieux adapté à mes desseins.

Pendant que les Servantes réduisaient Grove en bouillie, Tante Immortelle s'est évanouie, ce qui était prévisible : elle a toujours été sensible. Je pense qu'elle va se faire des reproches : aussi méprisable qu'ait été le comportement de Grove, pour elle, il incarnait le père.

Le Commandant Judd a éteint la télévision et soupiré.

«Dommage, a-t-il marmonné. C'était un bon dentiste.

— Oui. Mais on ne peut fermer les yeux sur un péché pour la simple raison que le pécheur excelle dans sa partie.

— Il était vraiment coupable? m'a-t-il demandé, moyennement intéressé.

— Oui, mais pas de ça. Il n'aurait pas été capable de violer Tante Elizabeth. C'était un pédophile.»

Le Commandant Judd a soupiré de plus belle.

«Pauvre homme. C'est une grave affliction. Nous devons prier pour son âme.

— En effet. Mais, par sa faute, bien des jeunes filles se sont détournées du mariage. Plutôt que d'accepter une union sacrée, ces fleurs précieuses se sont dirigées vers les Tantes.

— Ah! Est-ce ce qui s'est passé pour la petite Agnes? J'ai pensé qu'il avait dû y avoir quelque chose de cet ordre-là.»

Il voulait que je dise oui, car en ce cas l'aversion de la petite n'aurait rien à voir avec lui directement.

«Je ne peux en être sûre.»

Son visage s'est assombri.

«Mais je le crois.»

Il n'est pas bon de le pousser trop loin.

«On peut toujours s'en remettre à votre jugement, Tante Lydia, a-t-il déclaré. Pour ce qui est de Grove, vous avez fait le meilleur choix qui soit pour Galaad.

— Merci. Je prie pour qu'Il me guide. Mais, pour changer de sujet, je suis heureuse de vous annoncer que Bébé Nicole a été introduite subrepticement et sans incident à Galaad.

— Quel coup! Bien joué!

— Mes Perles ont été très efficaces. Elles ont suivi mes ordres. Elles l'ont prise sous leur aile au titre de nouvelle convertie et l'ont persuadée de nous rejoindre. Elles sont parvenues à soudoyer le jeune homme qui avait une certaine influence sur elle. C'est Tante Beatrice qui s'est chargée de la négociation, même si elle n'avait pas idée de la véritable identité de Bébé Nicole, bien entendu.

— Mais vous, oui, chère Tante Lydia. Comment avez-vous réussi à l'identifier ? Mes agents de l'Œil s'y emploient depuis des années. »

Ai-je décelé une note d'envie ou, pis, de soupçon ? J'ai rapidement balayé cette éventualité.

« J'ai mes petites méthodes. Et aussi des informateurs précieux (c'était un mensonge). Deux et deux font parfois quatre. Et nous, les femmes, myopes comme nous sommes, nous remarquons souvent les minuscules détails qui échappent parfois à la vision plus large et plus noble des hommes. Tante Beatrice et Tante Dove n'avaient reçu qu'une seule instruction, c'était de chercher un tatouage bien particulier que la malheureuse enfant s'est infligé. Et, par bonheur, elles l'ont trouvée.

— Elle s'est infligé un tatouage ? Une dépravée, comme toutes ces filles. Sur quelle partie du corps ? a-t-il demandé avec intérêt.

— Sur le bras seulement. Son visage n'a pas été touché.

— Dans toute présentation publique, elle aura les bras couverts.

— Elle répond au nom de Jade ; peut-être même croit-elle que c'est son véritable prénom. Je n'ai pas souhaité l'éclairer sur son identité réelle avant de vous avoir consulté.

— Excellente décision. Puis-je vous demander... quelle était la nature de sa relation avec ce jeune homme ? Il serait préférable qu'elle soit, façon de parler, intacte, mais dans son cas nous ferions abstraction du règlement. Ce serait du gâchis que d'en faire une Servante.

— Son statut de vierge n'est pas encore confirmé, mais sur ce point je la crois pure. Je l'ai installée avec deux de nos toutes jeunes Tantes, qui sont gentilles et compréhensives. Elle partagera sans aucun doute ses espoirs et ses peurs avec elles ; ainsi que ses convictions qui pourront, j'en suis persuadée, se calquer sur les nôtres.

— Excellent, encore une fois, Tante Lydia. Vous êtes vraiment précieuse. Dans combien de temps pourrons-nous produire Bébé Nicole devant Galaad et le monde ?

— Nous devons d'abord nous assurer que c'est une convertie sincère. Qu'elle a une foi solide. Cela exigera de la prudence et du tact. Ces nouvelles venues, emportées par l'enthousiasme, ont des attentes incroyablement irréalistes. Nous devons lui remettre les pieds sur terre, lui inculquer les devoirs qui l'attendent : ici, nous ne faisons pas que chanter des cantiques et mariner dans l'exaltation. Elle doit en outre découvrir sa propre histoire personnelle : ce sera pour elle un grand choc d'apprendre qu'elle est la célèbre et vénérée Bébé Nicole.

— Je laisse ces questions entre vos mains expertes. Êtes-vous sûre de ne pas vouloir une goutte de rhum dans votre café ? Ça fait circuler le sang.

— Une cuillère à thé peut-être », ai-je répondu.

Il s'est exécuté. Nous avons levé nos tasses pour les entrechoquer.

« Puissent nos efforts être couronnés de succès, a-t-il ajouté, comme je suis persuadé qu'ils le seront.

— Avec le temps », ai-je conclu en souriant.

Après tout le mal qu'elle s'était donné dans le cabinet du dentiste, lors du procès et durant la Dilacération, Tante Elizabeth s'est effondrée nerveusement. Je suis allée lui rendre visite en compagnie de Tante Vidala et de Tante Helena dans une de nos maisons de retraite où elle récupérait. Elle nous a accueillies les larmes aux yeux.

« J'ignore ce qui ne va pas chez moi. Je n'ai plus d'énergie, je suis vidée.

— Pas étonnant, après tout ce que vous avez traversé, a déclaré Helena.

— À Ardua Hall, on vous considère comme une sainte ou presque », ai-je dit.

Je savais ce qui l'agitait en réalité : elle s'était parjurée de manière irrévocable, ce qui, dans l'hypothèse où elle serait démasquée, signerait sa fin.

«Je vous suis tellement reconnaissante de vos conseils, Tante Lydia», m'a-t-elle lancé tout en glissant des coups d'œil en coulisse à Vidala.

À présent que j'étais sa solide alliée – à présent qu'elle avait répondu à ma requête peu orthodoxe –, elle devait penser que Tante Vidala ne pouvait plus rien contre elle.

«J'ai été heureuse de vous aider», ai-je répondu.

XVIII.

SALLE DE LECTURE

47.

C'est à l'Action de Grâce en l'honneur des Perles reve-nues avec leurs converties que Becka et moi avons vu Jade pour la première fois. Elle était grande, pas trop commode et ne cessait de regarder autour d'elle avec un naturel qui frisait l'audace excessive. Déjà là, j'ai eu l'impression qu'elle aurait du mal à s'adapter à Ardua Hall, sans parler de Galaad même. Mais, très prise par cette belle cérémo-nie, je ne me suis pas appesantie davantage sur elle.

Bientôt, ce serait notre tour, me disais-je. Becka et moi étions en train d'achever notre formation de Suppliantes ; nous étions presque prêtes à devenir des Tantes à part entière. Très bientôt, nous recevrions la robe argent des Perles, tellement plus jolie que notre marron habituel. Nous hériterions des colliers de perles ; nous entame-rions notre mission ; et Becka comme moi ramènerions une Perle convertie.

Durant mes premières années à Ardua Hall, c'est une perspective qui m'avait enchantée. J'avais encore la foi – sinon en tout ce qui touchait à Galaad, du moins dans le désintéressement des Tantes. Aujourd'hui, j'en suis moins sûre.

Nous n'avons pas revu Jade avant le lendemain. Comme toutes les nouvelles Perles, elle avait passé la nuit à prier et à méditer en silence dans le cadre d'une veillée à la chapelle. Après, elle avait dû troquer sa robe argent contre la tenue marron que nous portions toutes. Ce n'était pas qu'elle ait été destinée à devenir Tante – les Perles nouvellement arrivées étaient observées avec attention avant de se voir assigner une fonction potentielle, d'Épouses, d'Épouses Écono, de Suppliantes ou, dans quelques malheureux cas, de Servantes – mais, tant qu'elles étaient parmi nous, elles s'habillaient comme nous, sinon qu'elles portaient une grosse broche en nacre artificielle en forme de fin croissant de lune.

L'initiation de Jade aux usages de Galaad s'est révélée assez brutale dans la mesure où, dès le lendemain, elle a assisté à une Dilacération. Il est possible qu'elle ait été choquée de voir deux hommes littéralement déchiquetés par des Servantes ; même moi, je peux l'être, alors qu'au fil des années j'ai assisté à plusieurs de ces châtiments. Les Servantes sont en général très effacées et l'extrême rage qu'elles déploient alors peut être angoissante.

Ce sont les Tantes Fondatrices qui ont élaboré ces lois. Becka et moi aurions opté pour des méthodes moins radicales.

Un des hommes éliminés dans cette Dilacération était le Dr Grove, l'ancien dentiste et père de Becka, qui avait été condamné pour avoir violé Tante Elizabeth. Ou presque violé : vu mon expérience avec lui, la précision m'importait peu. Je suis désolée de dire que j'étais contente de le voir châtié.

Becka a réagi de manière très différente. Le Dr Grove l'avait honteusement traitée dans son enfance, et je n'arrivais pas à le lui pardonner, alors qu'elle le souhaitait. Elle était plus charitable que moi ; j'admirais ce trait de caractère, mais j'étais incapable de tant de bonté.

Quand le Dr Grove a été déchiqueté à la Dilacération, Becka s'est évanouie. Certaines Tantes ont mis sa réaction sur le compte de l'amour filial – le Dr Grove avait beau être un homme infâme, c'était néanmoins un homme, d'un statut élevé de surcroît, et aussi un père, auquel une fille obéissante devait le respect. Cependant, je savais ce qu'il en était : Becka se sentait responsable de sa mort. Elle était persuadée qu'elle n'aurait jamais dû me confier ses crimes. Je l'ai assurée que je n'avais partagé ses confidences avec personne, et elle m'a dit qu'elle me croyait mais que Tante Lydia avait dû découvrir la vérité d'une façon ou d'une autre. C'était la manière dont les Tantes tenaient leur pouvoir, en déterrant des choses. Des choses dont il n'aurait jamais fallu parler.

Becka et moi étions revenues de la Dilacération. J'avais préparé une tasse de thé pour Becka et lui avais suggéré de s'allonger – elle était encore pâle –, mais elle m'avait répondu qu'elle avait dominé son émotion et que ça irait. C'était le soir et nous étions plongées dans notre lecture de la Bible quand on a frappé à la porte. Nous avons été surprises de découvrir Tante Lydia et, avec elle, Jade, la nouvelle Perle.

« Tante Victoria, Tante Immortelle, vous avez été choisies pour assumer une responsabilité bien spéciale, nous a-t-elle annoncé. C'est à vous que Jade, notre nouvelle Perle, a été confiée. Elle dormira dans la troisième chambre, qui est libre, à ce que je comprends. Vous aurez pour tâche de l'aider de toutes les façons possibles, et de la familiariser en détail avec notre vie de dévotion ici à Galaad. Avez-vous assez de draps et de serviettes ? Sinon, je vous en ferai envoyer.

— Oui, Tante Lydia, loué soit-Il », ai-je dit.

Becka m'a fait écho.

Jade nous a souri, d'un sourire qui réussissait à être timide et buté à la fois. Elle ne ressemblait pas à la nouvelle convertie habituelle arrivant de l'étranger : en général, celles-ci étaient soit abjectes soit débordantes de zèle.

« Bienvenue, ai-je dit à Jade. Entre, je t'en prie.

— D'accord », a-t-elle répondu.

Elle a franchi notre seuil. Mon cœur s'est serré : j'avais déjà compris que l'existence en apparence placide que Becka et moi avions menée à Ardua Hall durant les neuf dernières années touchait à sa fin – l'heure du changement avait sonné –, mais je n'imaginais pas encore les bouleversements déchirants que ce changement allait entraîner.

J'ai dit que notre vie était placide, cependant ce n'est peut-être pas le mot juste. En tout cas, elle était ordonnée, quoique assez monotone. Nos journées avaient beau être remplies, on avait curieusement l'impression qu'elles ne passaient pas. J'avais quatorze ans lorsque j'avais été acceptée en tant que Suppliante, et, même si j'étais à présent adulte, je ne me sentais pas tellement plus vieille. C'était pareil pour Becka : on avait le sentiment d'être comme figées, préservées dans la glace.

Les Fondatrices et les Tantes les plus âgées étaient des coriaces. Elles avaient été formées à une époque antérieure à Galaad, elles avaient vécu des conflits qui nous avaient été épargnés, et ces conflits avaient broyé la gentillesse qui avait peut-être préexisté en elles. Nous, en revanche, n'avions pas eu à subir pareilles épreuves, ni à nous confronter à la brutalité des gens en général. Nous avions été protégées. Nous étions les bénéficiaires des sacrifices consentis par nos aïeux. On nous le rappelait constamment en nous ordonnant de nous montrer reconnaissantes. Mais il est difficile de l'être quand on ignore totalement ce à quoi on a échappé. Malheureusement, nous ne mesurions pas pleinement à quel point les représentantes de la génération de Tante Lydia s'étaient endurcies à l'épreuve du feu. Elles avaient une dureté qui nous manquait.

48.

Même si j'avais le sentiment que le temps s'était arrêté, en réalité j'avais changé. Je n'étais plus la même personne qu'à mon arrivée à Ardua Hall. Bien qu'inexpérimentée, j'étais à présent une femme; à l'époque, j'étais une enfant.

«Je suis très contente que les Tantes t'aient laissée rester», m'avait dit Becka le premier jour.

Elle avait posé son regard timide sur moi et m'avait fixée droit dans les yeux.

«Moi aussi, je suis contente.

— Je t'ai toujours admirée à l'école. Pas seulement à cause de tes trois Marthas et de ta famille de Commandant. Tu mentais moins que les autres. Et tu étais gentille avec moi.

— Je n'étais pas si gentille que ça.

— Tu étais plus gentille que les autres.»

Tante Lydia m'avait autorisée à vivre dans le même logement que Becka. Ardua Hall était divisé en de nombreux appartements, le nôtre portait la lettre C et la devise d'Ardua Hall : *Per Ardua Cum Estrus*.

«Ça veut dire "À travers l'adversité avec le cycle reproducteur de la femme", m'avait expliqué Becka.

— Tout ça?

— C'est du latin. Ça sonne mieux en latin.»

— C'est quoi, le latin ? »

Becka m'a dit que c'était une langue d'il y a long-temps que plus personne ne parlait, mais dont les gens se servaient pour écrire des devises. Avant, par exemple, la devise pour tout ce qui était à l'intérieur du Mur était *Veritas*, ce qui était le mot latin pour « vérité ». Mais ils avaient retiré ce mot à coups de burin et ils avaient peint par-dessus.

« Comment tu le sais ? j'ai demandé. Si le mot est effacé ?

— Grâce à la bibliothèque Hildegard. Elle nous est réservée, à nous les Tantes.

— C'est quoi, une bibliothèque ?

— C'est là où on garde les livres. Il y en a des salles et des salles pleines.

— C'est mal ? Ce qu'il y a dans ces livres ? »

Je me suis représenté tout ce matériel explosif entassé dans une pièce.

« Pas dans ceux que j'ai lus. Les plus dangereux sont dans la Salle de Lecture. Il faut une permission spéciale pour y entrer. Mais tu peux lire les autres livres.

— Elles t'ont laissée ? »

J'étais stupéfaite.

« Tu peux juste entrer là-dedans et lire ?

— Si tu as la permission. Sauf pour la Salle de Lecture. Si tu y vas sans permission, tu auras une Correction, en bas, dans une des caves. »

Chaque appartement d'Ardua Hall disposait d'une cave insonorisée, a-t-elle ajouté, qu'on utilisait autrefois pour jouer au piano, par exemple. À présent Tante Vidala administrait les Corrections dans la cave R. Une Correction, c'était une sorte de punition, quand on n'avait pas respecté les règles.

« Mais les punitions, elles ont lieu publiquement, me suis-je écriée. C'est pour les criminels. Tu sais, les Dilacérations, ou bien les pendaisons, où après on accroche les gens au Mur.

— Oui, je sais. J'aimerais bien qu'on ne les laisse pas si longtemps comme ça. L'odeur arrive jusque dans nos chambres, ça me provoque des nausées. En revanche, les Corrections dans la cave, c'est différent, c'est pour notre bien. Viens, on va te chercher une tenue, et après tu pourras te choisir un nom.»

Il y avait une liste de noms proposés par Tante Lydia et les autres Tantes les plus âgées. Becka m'a dit qu'ils s'inspiraient de marques de produits que les femmes avaient aimés dans le temps et qui donc les rassureraient, sauf qu'elle-même ne voyait pas à quoi ils avaient servi. Personne de notre âge ne le savait, a-t-elle ajouté.

Elle m'a lu la liste en question, puisque j'étais encore incapable de lire.

«Et que penses-tu de Maybelline? Ça sonne bien. Tante Maybelline.

— Non. Ça fait chochotte.

— Et Tante Ivory?

— Trop froid.

— En voilà un : Victoria. Je pense qu'il y a eu une reine Victoria. On t'appellerait Tante Victoria : même en tant que Suppliantes, on a le droit de porter le titre de Tante. Puis, une fois qu'on a achevé notre travail de Perle missionnaire en dehors de Galaad, on nous confère le statut de Tante à part entière.»

À l'École Vidala, on ne nous avait pas beaucoup parlé des Tantes – on nous avait seulement dit qu'elles étaient courageuses, qu'elles prenaient des risques et se sacrifiaient pour Galaad, et que nous devions les respecter.

«On va sortir de Galaad? Ce n'est pas effrayant d'être aussi loin? Galaad est vraiment très étendu, non?»

Ce serait comme tomber du monde, car Galaad n'avait sûrement pas de bords.

«Galaad est plus petit que tu ne penses, m'a expliqué Becka. Il y a d'autres pays tout autour. Je vais te montrer sur la carte.»

J'ai dû avoir l'air déconcertée, parce qu'elle a souri.

« Une carte, c'est comme une image. Ici, on apprend à lire les cartes.

— Lire une image ? Comment on fait ? Les images, ce n'est pas de l'écriture.

— Tu verras. Au début, moi non plus, je ne pouvais pas. »

Elle a souri encore une fois.

« Avec toi, ici, je ne me sentirai pas si seule. »

Qu'allait-il m'arriver au bout de six mois ? Ça m'inquiétait. Serais-je autorisée à rester ? Ça me dérangeait que les Tantes me regardent comme elles auraient examiné un légume. J'avais du mal à garder les yeux baissés ainsi qu'on l'exigeait : un tout petit peu plus haut, et je risquais de fixer leurs torses, ce qui était impoli, ou leurs yeux, ce qui était présomptueux. Il m'en coûtait aussi de devoir garder le silence tant qu'une Tante plus âgée ne m'avait pas adressé la parole. Obéissance, servilité, docilité : telles étaient les vertus requises.

Puis il y avait la lecture, que je trouvais décourageante. Peut-être étais-je trop vieille pour réussir à lire un jour, me disais-je. Peut-être que c'était comme la belle broderie : il fallait commencer toute jeune, sinon on restait toujours maladroit. Pourtant, petit à petit, je m'y suis mise.

« Tu es douée, m'a dit Becka. Tu es bien meilleure que je ne l'étais au début ! »

Les méthodes de lecture qu'on m'avait passées parlaient d'une fille et d'un garçon, Jane et Dick. C'étaient de très vieux manuels dont Ardua Hall avait retouché les images. Jane portait une jupe longue et des manches, mais on voyait bien, vu les endroits où la peinture avait été appliquée, qu'avant sa jupe s'arrêtait au-dessus du genou et ses manches au-dessus des coudes. Et ses cheveux n'étaient pas couverts.

La chose la plus stupéfiante dans ces livres, c'était que Jane, Dick et Bébé Sally habitaient dans une maison sans rien autour, sinon une clôture blanche en bois, tellement fragile et basse que n'importe qui aurait pu l'enjamber. Il n'y avait ni Anges ni Gardiens. Jane, Dick et Bébé Sally jouaient dehors à la vue de tous. Des terroristes auraient pu kidnapper Bébé Sally à n'importe quel moment et la faire passer clandestinement au Canada, comme Bébé Nicole et tous les autres innocents qui avaient été enlevés. Quant aux genoux dénudés de Jane, ils auraient pu attiser les mauvais désirs de n'importe quel homme qui serait passé par là, même si tout, à part son visage, avait disparu sous une couche de peinture. Becka m'a prévenue qu'on allait me demander de peindre les images de ce genre d'ouvrages, ça faisait partie des tâches assignées aux Suppliantes. Elle-même en avait peint beaucoup.

Il n'était pas acquis qu'on me permette de rester, a-t-elle ajouté : tout le monde n'était pas fait pour devenir Tante. Avant mon arrivée à Ardua Hall, elle avait connu deux filles qui avaient été acceptées, mais l'une d'elles avait changé d'avis au bout de trois mois seulement et sa famille l'avait reprise, et le mariage arrangé pour elle avant avait finalement eu lieu.

« Et qu'est-ce qui s'est passé pour l'autre ?

— Un truc moche. Elle s'appelait Tante Lily. Au départ, il n'y avait apparemment aucun problème. Il paraît qu'elle s'adaptait bien, mais elle s'est pris une Correction pour avoir répondu. Je ne crois pas que c'était une des pires Corrections possibles : Tante Vidala est capable de méchanceté. Quand elle se charge de la Correction, elle dit "Ça te plaît ?", et il n'y a jamais de bonnes réponses.

— Mais Tante Lily ?

— Elle n'a plus été la même après ça. Elle a demandé à quitter Ardua Hall – elle a dit qu'elle n'était pas faite pour –, et les Tantes ont déclaré que, dans ce cas, il fallait qu'elle se marie, comme prévu avant ; mais elle ne voulait pas de ça non plus.

— Qu'est-ce qu'elle voulait ? »

Tante Lily m'intéressait subitement beaucoup.

« Elle voulait vivre seule et travailler dans une ferme. Tante Elizabeth et Tante Vidala ont décrété que c'était ce qui se passait quand on apprenait à lire trop tôt : elle avait glané des idées fausses à la bibliothèque Hildegard avant que son esprit soit devenu suffisamment fort pour les rejeter, il fallait détruire des tas de livres contestables. Elles ont décidé qu'elle subirait une Correction encore plus sévère pour que ça l'aide à canaliser ses pensées.

— Et qu'est-ce que ça a été ? »

Je me suis demandé si mon esprit était suffisamment fort et si moi aussi j'allais subir plusieurs Corrections.

« Un mois à la cave, toute seule, à l'eau et au pain sec. Quand elle est ressortie, elle ne parlait plus à personne, à part pour dire oui et non. Tante Vidala a déclaré qu'elle était mentalement trop faible pour devenir Tante et qu'en fin de compte il allait falloir la marier.

« La veille du jour où elle devait quitter le Hall, elle n'a pas paru au petit déjeuner, ni au déjeuner. Personne ne savait où elle s'était volatilisée. Tante Elizabeth et Tante Vidala ont dit qu'elle avait dû s'enfuir, qu'il y avait une faille dans la sécurité, et elles ont lancé de grandes recherches. Mais on ne l'a pas retrouvée. Puis l'eau des douches s'est mise à sentir bizarre. Donc elles ont recommencé à chercher, en montant sur le toit cette fois-ci, elles ont ouvert la cuve de récupération des eaux de pluie qui nous sert pour notre toilette et elle était dedans.

— Oh, c'est épouvantable ! Est-ce que… quelqu'un l'avait tuée ?

— Au début, c'est ce que les Tantes ont dit. Tante Helena a piqué une crise de nerfs, elles ont même autorisé certains agents de l'Œil à entrer à Ardua Hall pour y recueillir des indices, en vain. Parmi les Suppliantes, on a été quelques-unes à monter examiner la cuve.

Il était impossible qu'elle soit tombée dedans : il y a une échelle, et puis une petite trappe.

— Tu l'as vue ?

— C'était un cercueil fermé. Mais elle l'a sûrement fait exprès. D'après les rumeurs, elle avait des pierres dans les poches. Elle n'a pas laissé de message ou, si elle l'a fait, Tante Vidala l'aura déchiré. Aux funérailles, elles ont déclaré qu'elle était morte d'une rupture d'anévrisme. Elles n'avaient aucune envie qu'on sache qu'une Suppliante avait autant failli. On a toutes récité des prières pour elle ; je suis sûre que Dieu lui a pardonné.

— Pourquoi elle a fait ça ? Elle voulait mourir ?

— Personne ne veut mourir, m'a répondu Becka. Simplement, il y a des gens qui refusent de vivre selon les normes imposées.

— Mais se noyer !

— Il paraît que c'est paisible. Tu entends des clochettes et des chants. Comme des anges. C'est ce que Tante Helena nous a dit, pour qu'on se sente moins mal. »

Une fois que je suis venue à bout des livres de Dick et Jane, on m'a passé *Dix Contes pour jeunes filles*, un manuel de poésies écrites par Tante Vidala. En voici une que je n'ai pas oubliée :

Regarde un peu Tirzah ! Elle est assise là,
Et ses cheveux lui tombent sur les bras ;
Vois comme elle arpente la chaussée
Tête haute et pleine de fierté.
Vois comme elle croise le regard du Gardien,
Et l'aguiche avec des petits riens.
Jamais elle ne change ses manières
Jamais elle ne s'agenouille en prière !
Bientôt, elle basculera dans le péché, c'est sûr,
Et se retrouvera pendue au Mur.

Les contes de Tante Vidala répertoriaient les choses que les filles ne devaient pas faire et les horreurs qui les attendaient si elles désobéissaient. Je me rends compte aujourd'hui que ce n'était pas de la très bonne poésie et, déjà à l'époque, je n'aimais pas entendre parler de ces malheureuses sévèrement punies ou même tuées pour des erreurs commises ; néanmoins, j'étais ravie d'être capable de lire n'importe quoi.

Un jour où je lisais à haute voix l'histoire de Tirzah à Becka pour qu'elle puisse me reprendre, mon amie s'est écriée :

« Moi, ça ne m'arriverait jamais.

— Pourquoi donc ?

— Je ne provoquerais jamais un Gardien comme ça. Je ne croiserais jamais leurs regards. Je ne veux pas poser les yeux sur eux. Ni sur aucun homme. Ils sont horribles. Y compris le Dieu de Galaad.

— Becka ! Pourquoi tu dis ça ? Et ça signifie quoi, le Dieu de Galaad ?

— Pour elles, Dieu ne doit être qu'une seule chose. Elles font silence sur des trucs. Dans la Bible, il est dit que nous sommes faits à l'image de Dieu, homme et femme. Tu verras, quand les Tantes te laisseront la lire.

— Ne dis pas des choses pareilles, Becka. Tante Vidala… pour elle, ce serait de l'hérésie.

— Je peux te les dire, Agnes, a-t-elle protesté. J'ai tellement confiance en toi que je mettrais ma vie entre tes mains.

— Ne fais pas ça. Je ne suis pas comme toi, je ne suis pas quelqu'un de bien. »

Au cours de mon deuxième mois à Ardua Hall, Shunammite m'a rendu visite. Je l'ai rencontrée au Café Schlafly. Elle portait la robe bleue des Épouses officielles.

« Agnes ! s'est-elle écriée en me tendant les mains. Je suis si heureuse de te voir. Tu vas bien ?

— Bien sûr. Je m'appelle Tante Victoria maintenant. Veux-tu une infusion à la menthe ?

— C'est juste que Paula a laissé entendre que tu avais peut-être perdu… qu'il y avait quelque chose qui clochait…

— Que j'étais folle », ai-je résumé en souriant.

J'avais noté qu'elle mentionnait Paula comme une bonne amie. Shunammite jouissait désormais d'un statut supérieur à Paula, ce qui avait dû considérablement agacer cette dernière – une aussi jeune fille propulsée au-dessus d'elle.

« Je sais qu'elle le pense. Et, à propos, félicitations pour ton mariage.

— Tu n'es pas fumasse contre moi ? m'a-t-elle demandé en en revenant au ton qui était le nôtre à l'école.

— Pourquoi est-ce que je serais fumasse contre toi, comme tu dis ?

— Ben, je t'ai piqué ton mari. »

C'est ce qu'elle pensait ? Qu'elle avait remporté une compétition ? Comment le nier sans faire injure au Commandant Judd ?

« J'ai été appelée à de plus nobles devoirs », ai-je dit de la manière la plus guindée possible.

Elle a pouffé de rire.

« C'est vrai ? Bon alors, moi, j'ai été appelée à en remplir de moins nobles. J'ai quatre Marthas ! Si tu voyais ma maison !

— Je suis sûre qu'elle est ravissante.

— Dis, tu vas vraiment bien ? »

Peut-être que ses préoccupations à mon sujet étaient en partie sincères.

« Cet endroit ne te mine pas ? C'est tellement lugubre.

— Ça va bien. Je te souhaite tout le bonheur possible.

— Becka est aussi dans ce cachot, non ?

— Ce n'est pas un cachot. Oui. On partage un appartement.

« — Tu n'as pas peur qu'elle t'agresse avec un sécateur ? Elle est toujours dingue ?

— Elle n'a jamais été dingue. Malheureuse, c'est
tout. Ça a été merveilleux de te voir, Shunammite, mais
il faut que je retourne à mes devoirs.

— Tu ne m'aimes plus, a-t-elle lancé, en plaisantant
à moitié.

— Je reçois une formation de Tante. Je ne suis pas
vraiment censée aimer qui que ce soit. »

49.

Mes progrès en lecture étaient lents et je trébuchais beaucoup. Becka m'aidait énormément. Pour s'entraîner, on prenait des versets de la Bible extraits de la sélection offerte aux Suppliantes. J'étais capable de lire, de mes propres yeux, des extraits des Écritures que jusque-là je n'avais qu'entendus. Becka m'a aidée à retrouver le passage auquel j'avais si souvent pensé à la mort de Tabitha :

Car mille ans sont à tes yeux comme le jour d'hier qui passe, comme une veille dans la nuit. Tu les emportes, tel un songe qui le matin passe comme l'herbe ; le matin, elle pousse et reverdit, le soir, elle se flétrit et se dessèche.

J'épelais les mots laborieusement. Ils me paraissaient différents sur la page : ils ne coulaient pas, n'avaient pas la grandiloquence dont ils se paraient lorsque je les récitais dans ma tête. Ils étaient plus plats, plus secs.

Becka m'a expliqué qu'épeler n'était pas lire : lire, c'était quand on entendait les mots, comme dans une chanson.

« Peut-être que je n'y arriverai jamais.

— Tu y arriveras, m'a affirmé Becka. Essayons de lire de vraies chansons. »

Elle est allée à la bibliothèque – je n'avais pas encore le droit d'y entrer – et en a rapporté un de nos livres de cantiques d'Ardua Hall. Il renfermait la chanson que Tabitha me chantait le soir, de sa voix qui tintinnabulait comme des clochettes argentées :

L'heure est venue de fermer les yeux
Et de prier le Seigneur pour qu'Il veille sur mon âme…

Je l'ai chantée à Becka, puis, au bout d'un moment, j'ai pu la lui lire.

« Que d'espérance ! s'est-elle écriée. J'aimerais penser qu'il y a toujours deux anges prêts à s'envoler avec moi. »

Puis elle a ajouté :

« Personne ne m'a jamais chanté de chansons le soir. Quelle chance tu as eue ! »

En plus de l'apprentissage de la lecture, il fallait que j'apprenne à écrire. C'était plus dur par certains côtés, et moins par d'autres. On se servait d'encre et de stylos droits à pointe de métal, ou parfois de crayons. Tout dépendait de ce que les entrepôts spécialisés dans les produits d'importation allouaient à Ardua Hall.

Les fournitures pour écrire étaient la prérogative des Commandants et des Tantes. Sinon, ces articles n'étaient généralement pas disponibles à Galaad ; les femmes n'en avaient pas l'usage et la plupart des hommes non plus, sauf pour leurs rapports et leurs inventaires. Sur quels autres sujets la plupart des gens auraient-ils bien pu écrire ?

À l'École Vidala, on avait appris à broder et à peindre, et Becka m'a dit qu'écrire revenait pratiquement au même – chaque lettre ressemblait à une image ou à une rangée de points de couture, et aussi à une note de musique ; il fallait juste apprendre à former ses lettres, puis à les attacher ensemble, comme des perles sur un fil.

Elle-même avait une belle écriture. Elle m'a souvent et patiemment montré ; puis, quand j'ai su écrire, quoique maladroitement, elle m'a choisi une série de devises bibliques à copier.

> *Présentement la foi, l'espérance et la charité demeurent toutes les trois ; mais la plus grande d'entre elles, c'est la charité.*
> *L'amour est fort comme la mort.*
> *Un oiseau emportera la voix et l'indiscrétion trouvera des ailes.*

Je les ai copiées et recopiées. Si je comparais mes différentes versions de la même phrase, je mesurerais mes progrès, m'avait dit Becka.

Je m'interrogeais sur les mots que j'écrivais. La charité était-elle vraiment plus grande que la foi, et étais-je vraiment dotée de l'une et de l'autre ? L'amour était-il aussi fort que la mort ? Et à qui appartenait cette voix que l'oiseau allait emporter ?

Ce n'était pas parce qu'on pouvait lire et écrire qu'on avait les réponses aux questions qui nous préoccupaient. Ça te menait à d'autres questions, puis encore à d'autres.

En plus de l'apprentissage de la lecture, j'ai réussi à accomplir toutes les autres tâches qu'on m'a confiées au cours de ces premiers mois. Certaines d'entre elles n'étaient pas pénibles : j'aimais bien peindre les jupes, les manches et les couvre-chefs des petites filles dans les livres sur Dick et Jane, et ça ne m'ennuyait pas de travailler dans la cuisine, à couper menu navets et oignons pour les cuisinières ou à faire la vaisselle. Tout le monde à Ardua Hall devait contribuer au bien-être de la communauté et il n'était pas question de mépriser les travaux manuels. Aucune Tante n'était considérée au-dessus de ces tâches, même si en pratique c'était les Suppliantes qui portaient la plupart des trucs lourds. Après tout, pourquoi pas ? On était plus jeunes.

Cependant, ce n'était pas agréable de récurer les toilettes, surtout quand tu étais obligée de les récurer de nouveau alors que tu les avais parfaitement nettoyées au départ, et que tu devais encore t'y remettre une troisième fois. Becka m'avait prévenue que les Tantes exigeraient que je recommence, que ça n'avait rien à voir avec l'état des toilettes. C'était une manière de tester mon obéissance.

« Mais nous obliger à briquer des toilettes à trois reprises – c'est déraisonnable, avais-je protesté. C'est gaspiller de précieuses ressources nationales.

— Le nettoyant W.-C. n'est pas une précieuse ressource nationale, m'avait-elle répondu. Contrairement aux femmes enceintes. Quant au côté déraisonnable… oui, c'est pour ça que c'est un test. Elles veulent voir si tu obéiras sans rechigner à des exigences déraisonnables. »

Pour que ce test soit encore plus pénible, elles confiaient à la Tante la plus jeune le soin de superviser notre besogne. Recevoir des ordres stupides de la part de quelqu'un qui a presque ton âge est bien plus irritant que s'ils viennent d'une personne âgée.

« Je déteste ça ! me suis-je écriée après quatre semaines d'affilée de nettoyage de toilettes. Je déteste vraiment Tante Abby ! Elle est tellement mesquine, et prétentieuse et…

— C'est un test, m'a rappelé Becka. Comme Job, que Dieu a mis à l'épreuve.

— Tante Abby n'est pas Dieu. Elle se prend juste pour Lui.

— Essayons de ne pas être trop dures, il le faut. Tu devrais prier pour te défaire de ta détestation. Imagine juste que tu l'expulses par le nez, comme si tu soufflais. »

Becka avait beaucoup de techniques de maîtrise de soi. Je m'efforçais de les mettre en pratique. Parfois, ça marchait.

Quand, au bout de six mois, j'ai réussi mon examen et que j'ai été acceptée en tant que Suppliante permanente, j'ai eu le droit d'entrer à la bibliothèque Hildegard. Difficile de décrire ce que j'ai éprouvé. La première fois que j'en ai franchi les portes, j'ai eu le sentiment qu'on m'avait remis une clé d'or – une clé qui ouvrirait une porte secrète après l'autre en me révélant les richesses à l'intérieur.

Au début, je n'ai eu accès qu'à la première salle, mais au bout d'un moment, j'ai reçu un badge me permettant de me rendre à la Salle de Lecture. Là, j'avais ma table de travail. L'une de mes tâches consistait à faire de belles copies des discours – peut-être devrais-je dire sermons – que Tante Lydia prononçait en des occasions spéciales. Elle réutilisait ces fameux discours, mais les modifiait à chaque fois, et nous devions réintégrer ses notes manuscrites dans le corps d'un texte dactylographié lisible. J'avais à présent appris à taper, même si j'étais lente.

Lorsque j'étais à ma table, Tante Lydia passait parfois à côté de moi en traversant la Salle de Lecture pour rejoindre sa pièce privée, où elle menait, paraît-il, d'importantes recherches qui feraient de Galaad un monde meilleur : c'était la mission de sa vie, affirmaient les Tantes plus âgées. Les précieuses Archives généalogiques des filiations que ces Tantes conservaient avec tant de soin, les bibles, les discours théologiques, les ouvrages dangereux de la littérature mondiale – tout était là, derrière cette porte fermée. Nous n'y aurions accès que le jour où notre esprit serait suffisamment fort.

Les mois et les années ont passé, et Becka et moi sommes devenues très proches ; nous nous sommes confiées, sur nous et nos familles, une foule de choses que nous n'avions jamais partagées avec personne. Je lui ai avoué combien j'avais détesté ma belle-mère, Paula, en dépit des efforts que j'avais prodigués pour surmonter ce sentiment. Je lui ai décrit la mort tragique de notre Servante, Crystal, et mon bouleversement. Elle m'a parlé du Dr Grove, de ce qu'il lui avait fait, je lui ai raconté mon histoire sur lui, et elle en a été bouleversée pour moi. On a discuté de nos vraies mères, de notre désir de savoir qui elles étaient. Peut-être n'aurions-nous pas dû partager tant de choses, mais c'était très réconfortant.

« J'aurais aimé avoir une sœur, m'a-t-elle dit un jour. Et que ce soit toi. »

50.

J'ai décrit notre vie comme paisible et, pour un regard extérieur, elle l'était ; mais elle était traversée par des orages et des tourments intérieurs qui, je l'ai appris depuis, ne sont pas rares chez les êtres désireux de se consacrer à une plus noble cause. Le premier de ces orages intérieurs a eu lieu quand, après quatre années passées à lire des textes plus élémentaires, j'ai finalement obtenu l'accès à la Bible intégrale. Nos bibles étaient sous clé, comme partout à Galaad : seules des personnes dotées d'un esprit fort et d'un caractère solide, ce qui éliminait les femmes, à l'exception des Tantes, avaient le droit de se les voir confiées.

Becka avait entamé plus tôt ses propres lectures de la Bible – ayant commencé avant moi, elle en savait plus et avait de l'avance –, mais les gens déjà initiés à ces mystères n'avaient pas le droit de parler de leurs expériences de lecture sacrée, de sorte que nous n'avions pas discuté de ce qu'elle avait appris.

Est arrivé le moment où le coffret en bois fermé à clé abritant la Bible qui m'était réservée allait m'être apporté dans la Salle de Lecture et où j'allais ouvrir ce livre tabou entre tous. J'étais surexcitée par cette perspective, mais ce matin-là Becka m'a lancé :

« Je dois te mettre en garde.

— Me mettre en garde ? Voyons, il est sacré.

— Il ne dit pas ce qu'elles disent qu'il dit.

— Comment ça ?

— Je ne veux pas que tu sois trop déçue. »

Elle s'est interrompue.

« Je suis sûre que Tante Estée voulait bien faire. »

Puis elle a ajouté : « Les Juges 19 à 21. »

C'est tout ce qu'elle a consenti à me confier. Mais lorsque j'ai pénétré dans la Salle de Lecture et que j'ai ouvert le coffret en bois, puis la Bible, ce sont les premiers passages que j'ai consultés. C'était la Concubine découpée en douze morceaux, l'histoire que Tante Vidala nous avait rapportée à l'école il y a très longtemps – celle qui avait tellement perturbé Becka quand elle était petite.

Je m'en souvenais bien. Et je me souvenais aussi de l'explication que Tante Estée nous en avait donnée. Elle avait déclaré que, si la concubine s'était fait tuer, c'était parce qu'elle regrettait d'avoir désobéi, elle s'était donc sacrifiée plutôt que de laisser les méchants Benjaminites violer son maître. Pour Tante Estée, la concubine avait été courageuse et noble ; elle avait fait un choix.

Mais je lisais à présent l'histoire dans sa totalité. J'ai cherché le côté noble et courageux, j'ai cherché le choix, or il n'y avait rien de tout cela. La jeune femme avait simplement été poussée à la rue et violée à mort, puis découpée comme une vache par un homme qui, de son vivant, l'avait traitée comme du bétail. Pas étonnant qu'elle se soit enfuie au départ.

Ça m'a valu un vilain choc : la gentille, l'aimable Estée nous avait menti. La vérité n'avait rien de noble, elle était épouvantable. C'était donc ce que les Tantes entendaient quand elles affirmaient que l'esprit des femmes était trop faible pour lire. Nous nous écroulerions, nous nous désagrégerions devant les contradictions, nous ne serions pas capables de résister.

Jusqu'alors, je n'avais pas douté sérieusement de la justesse et surtout de l'honnêteté de la théologie de Galaad. Si je ne parvenais pas à être parfaite, j'en déduisais que c'était de ma faute. Mais quand j'ai découvert ce que Galaad avait modifié, ajouté et omis, j'ai craint de perdre la foi.

Si tu n'as jamais eu la foi, tu ne comprendras pas ce que ça signifie. Tu as l'impression que ton meilleur ami est en train de mourir ; que tout ce qui te définissait se consume ; que tu vas rester tout seul. Tu te sens exilé, comme perdu au fond d'un bois obscur. C'était ce que j'avais éprouvé à la mort de Tabitha : le monde se vidait de son sens. Tout était creux. Tout se flétrissait.

J'ai confié à Becka un peu de ce qui se passait en moi.

« Je sais, m'a-t-elle dit. J'ai vécu la même chose. Tout le monde au sommet de Galaad nous ment.

— Qu'est-ce que tu veux dire ?

— Dieu n'est pas ce qu'ils prétendent. »

Elle a ajouté qu'on pouvait soit croire en Galaad, soit croire en Dieu, mais pas aux deux. C'était ainsi qu'elle avait géré sa propre crise.

J'ai répondu que je n'étais pas certaine de pouvoir choisir. Secrètement, je craignais d'être incapable de croire en l'un comme en l'autre. Pourtant, je voulais croire ; je le désirais ardemment et, au bout du compte, dans quelle mesure croire ne découle-t-il pas du désir ?

51.

Trois ans plus tard a eu lieu quelque chose d'encore plus alarmant. Comme je l'ai dit, une de mes tâches à la bibliothèque Hildegard consistait à recopier joliment les discours de Tante Lydia. Tous les jours, les pages sur lesquelles j'allais devoir travailler étaient déposées sur mon bureau dans une chemise argent. Un matin, j'en ai découvert une bleue, glissée sous la chemise argent. Qui l'avait mise là ? Y avait-il eu une erreur ?

Je l'ai ouverte. Le nom de ma belle-mère, Paula, était inscrit en haut de la première page. Suivait alors un compte rendu de la mort de son premier mari, celui qu'elle avait eu avant d'épouser mon prétendu père, le Commandant Kyle. Je te l'ai déjà dit, son mari, le Commandant Saunders, avait été assassiné dans son bureau par leur Servante. Du moins, d'après l'histoire qui avait circulé.

Paula avait affirmé que la fille était une dangereuse déséquilibrée, qu'elle avait volé une broche à la cuisine et tué le Commandant Saunders dans une attaque injustifiée. La Servante s'était enfuie, mais elle avait été rattrapée et pendue, et son cadavre exposé au Mur. Pourtant, Shunammite avait raconté que, d'après sa Martha, il y avait eu une liaison coupable et illicite – la Servante et le mari ayant l'habitude de forniquer dans le bureau du mari. C'est pour cette raison que la Servante avait eu les moyens de le tuer, et aussi pour cette raison qu'elle l'avait fait : les exigences qu'il lui avait imposées l'avaient poussée à la folie. Sinon, le reste de l'histoire de Shunammite était pareille : la découverte du corps par Paula, la capture de la Servante, la pendaison. Shunammite avait simplement ajouté un détail, que Paula avait été copieusement arrosée de sang lorsqu'elle avait enfilé son pantalon au défunt Commandant pour sauver les apparences.

Cependant, le rapport de la chemise bleue était très différent. Il était enrichi de photos, ainsi que de transcriptions de nombre de conversations enregistrées en secret. Il n'y avait pas eu de relation illicite entre le Commandant Saunders et sa Servante – juste les Cérémonies régulières fixées par la loi. Quant à Paula et au Commandant Kyle – mon ancien père –, ils avaient entamé une liaison avant même la mort de ma mère, Tabitha.

Paula s'était liée d'amitié avec la Servante et, sachant combien elle était malheureuse, lui avait offert de l'aider à s'enfuir de Galaad. Elle avait été jusqu'à lui fournir une carte, des itinéraires et les noms de plusieurs contacts Mayday sur sa route. Une fois la Servante partie, Paula avait elle-même embroché le Commandant Saunders. C'est pour ça qu'elle avait autant de sang sur elle, pas parce qu'elle lui avait remis son pantalon. En fait, il ne l'avait jamais retiré, en tout cas pas cette nuit-là.

Elle avait soudoyé sa Martha pour qu'elle valide l'histoire de la Servante criminelle, associant pots-de-vin et menaces. Puis elle avait appelé les Anges et accusé la Servante. On connaît la suite. La malheureuse avait été retrouvée en train d'arpenter les rues, désespérée car sa carte était fausse et qu'au final les fameux contacts Mayday n'existaient pas.

La Servante avait été interrogée. (La transcription de l'interrogatoire était incluse dans le dossier, et ce n'était pas agréable à lire.) Bien qu'elle eût admis sa tentative d'évasion et révélé le rôle que Paula avait joué, elle avait continué à se dire innocente du meurtre – elle ignorait même qu'il avait eu lieu – jusqu'à ce que la douleur devienne intolérable et qu'elle fasse de faux aveux.

Elle était innocente, c'était évident. Mais elle avait quand même été pendue.

Les Tantes connaissaient la vérité. L'une d'elles au moins. La preuve était là, dans le dossier devant moi. Et pourtant il n'était rien arrivé à Paula. À la place, une Servante avait été pendue pour ce crime.

J'en ai été abasourdie, comme si j'avais été frappée par la foudre. Et outre que cette histoire me stupéfiait, je m'interrogeais, perplexe, sur les raisons pour lesquelles elle avait atterri sur mon bureau. Pourquoi quelqu'un m'avait-il confié des informations aussi dangereuses ?

Une fois qu'une histoire qu'on croyait vraie se révèle fausse, on doute de toutes les autres. Quelqu'un cherchait-il à me dresser contre Galaad ? Cette preuve était-elle authentique ? Paula avait-elle renoncé à me marier au Commandant Judd parce que Tante Lydia l'avait menacée de dénoncer son crime ? Était-ce cette terrible histoire qui m'avait valu ma place à Ardua Hall ? Était-ce une façon de me dire que ma mère, Tabitha, n'était pas morte de maladie, mais qu'elle avait été assassinée sans qu'on sache comment par Paula et peut-être même par le Commandant Kyle ? Je ne savais que croire.

Je n'avais personne à qui me confier. Pas même à Becka : je ne voulais pas la mettre en danger en la rendant complice. La vérité cause parfois beaucoup de problèmes à ceux qui ne sont pas censés la connaître.

J'ai achevé mon travail, et j'ai laissé la chemise bleue comme je l'avais trouvée. Le lendemain, j'avais un nouveau discours sur lequel travailler et la chemise bleue de la veille avait disparu.

Durant les deux années qui ont suivi, j'ai trouvé des tas de chemises similaires sur mon bureau. Toutes comportaient les preuves de crimes variés. Celles concernant les crimes des Épouses étaient bleues, celles des Commandants noires, celles des professionnels – des médecins par exemple – grises, celles des classes Écono rayées, celles des Marthas vert terne. Pour ce qui était des Servantes ou des Tantes, il n'y en a pas eu une seule.

La plupart des dossiers en question étaient soit bleus soit noirs, et décrivaient de multiples délits. Les Servantes avaient été obligées de commettre des actes interdits par la loi, dont on leur avait ensuite attribué la responsabilité ; les Fils de Jacob avaient comploté les uns contre les autres ; pots-de-vin et faveurs avaient été échangés aux plus hauts niveaux ; des Épouses avaient intrigué contre d'autres ; des Marthas avaient écouté aux portes pour collecter des informations qu'elles avaient ensuite vendues ; il y avait eu de curieuses intoxications alimentaires, des bébés étaient passés d'une Épouse à une autre sur la base de rumeurs scandaleuses au demeurant infondées. Des Épouses avaient été pendues pour des relations adultères inexistantes, parce qu'un Commandant avait voulu une nouvelle Épouse, plus jeune. Des procès publics – visant à éliminer les traîtres et à épurer le haut commandement – avaient reposé sur de faux aveux arrachés sous la torture.

Le faux témoignage n'avait rien d'exceptionnel, c'était courant. Derrière sa façade pure et vertueuse, Galaad était pourri.

À part celui de Paula, c'est le dossier du Commandant Judd qui m'a touchée de près. Il était épais. Entre autres méfaits, il renfermait des preuves relatives au sort de ses précédentes Épouses, celles auxquelles il avait été marié avant mes brèves fiançailles avec lui.

Il s'était débarrassé de chacune d'elles. La première avait été poussée dans l'escalier ; elle s'était brisé le cou. Il était dit qu'elle avait trébuché et qu'elle était tombée. Comme me l'avait appris la lecture d'autres dossiers, ce n'était pas difficile de faire passer ce genre de drame pour un accident. Deux des Épouses étaient censées être mortes en couches, ou peu après ; les bébés étaient des Malbébés, mais le décès des Épouses était dû à une septicémie délibérément provoquée ou au choc. Dans l'un des cas, le Commandant Judd avait refusé d'accorder la permission d'opérer alors qu'un Malbébé à deux têtes était déjà engagé dans le bassin. Impossible d'intervenir, avait-il pieusement déclaré, puisqu'il y avait toujours un battement cardiaque.

Sur la suggestion du Commandant Judd qui avait eu la prévenance de lui acheter des couleurs, la quatrième Épouse s'était mise à peindre des fleurs en guise de passe-temps. Après quoi elle avait présenté des symptômes d'empoisonnement au cadmium. Le cadmium, signalait le document, était un carcinogène bien connu, et la quatrième Épouse n'avait pas tardé à succomber à un cancer de l'estomac.

Apparemment, j'avais échappé de peu à une condamnation à mort. Et on m'avait aidée en ce sens. Cette nuit-là, j'ai récité une prière de gratitude : en dépit de mes doutes, je continuais à prier. *Merci*, ai-je dit. *Viens au secours de mon peu de foi.* Et j'ai ajouté : *Et viens en aide à Shunammite, car elle en aura sûrement besoin.*

Au début, la lecture de ces dossiers m'a consternée, écœurée. Quelqu'un cherchait-il à m'angoisser ? Ou bien ces dossiers participaient-ils de mon éducation ? Mon esprit s'endurcissait-il ? Me préparait-on aux tâches qu'il me faudrait plus tard accomplir dans mon rôle de Tante ?

C'était ce qu'elles faisaient, je l'apprenais. Elles enregistraient. Elles attendaient. Elles se servaient de leurs informations pour atteindre des objectifs connus d'elles seules. Elles avaient pour armes des secrets puissants mais contagieux, ainsi que l'avaient toujours souligné les Marthas. Des secrets, des mensonges, des roueries, des duperies – mais ceux et celles des autres aussi bien que les leurs.

Si je restais à Ardua Hall – si j'accomplissais mon œuvre de Perle missionnaire et en revenais comme Tante à part entière –, c'était ce que je deviendrais. Tous les secrets que j'avais engrangés, et bien d'autres, c'était certain, m'appartiendraient, afin que j'en fasse l'usage qui me semblerait bon. Tout ce pouvoir. Tout ce potentiel pour juger les méchants sans rien dire et les punir sans qu'ils puissent anticiper par quels moyens je m'y prendrais. Toute cette vengeance.

Comme je l'ai dit, il y avait chez moi un côté vengeur que j'avais déploré par le passé. Déploré, mais dont je ne m'étais pas défaite.

Ce serait mentir que de dire que je n'étais pas tentée.

XIX.

Étude

Le Testament olographe d'Ardua Hall

52.

J'ai eu un choc désagréable hier soir, cher lecteur. Armée de mon stylo et de mon encre bleue, je griffonnais furieusement dans la bibliothèque désertée, la porte ouverte pour profiter d'un peu d'air, quand Tante Vidala a brusquement pointé la tête dans mon domaine réservé. Je n'ai pas sursauté – j'ai des nerfs en polymères durcissables, comme ceux d'un cadavre plastiné –, mais j'ai toussé, réflexe lié à ma nervosité, et poussé le *Apologia Pro Vita Sua* fermé sur la page que j'étais en train d'écrire.

« Ah, Tante Lydia, m'a lancé Tante Vidala. J'espère que vous n'avez pas un début de rhume. Vous ne devriez pas être au lit ? »

Le grand sommeil, ai-je songé : voilà ce que vous me souhaitez.

« Ce n'est qu'une allergie, ai-je répondu. À cette époque de l'année, de nombreuses personnes en souffrent. »

Elle ne peut le nier, elle-même en est sérieusement affectée.

« Je suis désolée de vous déranger », a-t-elle lancé avec fausseté.

Son regard s'est posé sur le titre du cardinal Newman.

« Toujours plongée dans vos recherches, à ce que je vois. Quel hérétique célèbre.

— Connais ton ennemi. En quoi puis-je vous aider ?

— J'aimerais discuter de quelque chose de capital. Puis-je vous offrir une tasse de lait chaud au Café Schlafly ? m'a-t-elle proposé.

— Que c'est gentil. »

J'ai replacé le cardinal Newman sur mon étagère en tournant le dos à Tante Vidala afin de glisser ma page couverte d'encre bleue à l'intérieur de l'ouvrage.

Peu après, nous étions toutes les deux assises à une table du café, moi avec mon lait chaud, Tante Vidala avec son infusion à la menthe.

« L'Action de Grâce des Perles avait quelque chose de bizarre, a-t-elle commencé.

— En quoi donc ? À mon sens, tout s'est déroulé comme d'habitude ou quasiment.

— Cette nouvelle, Jade. Je ne suis pas convaincue. Elle me paraît incongrue.

— Elles le paraissent toutes au départ. Mais elles veulent un abri sûr, où elles seront protégées de la pauvreté, de l'exploitation et des déprédations de la vie prétendument moderne. Elles veulent de la stabilité, de l'ordre, des directives claires. Elle aura besoin d'un petit peu de temps pour s'adapter.

— Tante Beatrice m'a parlé de ce tatouage ridicule sur son bras. Je suppose qu'elle vous en a parlé aussi. Franchement ! Dieu t'aime ! Comme si nous pouvions nous laisser berner par une initiative aussi grossière ! Quelle théologie hérétique ! Elle va chercher à nous rouler dans la farine, ça se sent. Comment pouvez-vous affirmer que ce n'est pas un agent de Mayday désireux de nous infiltrer ?

— Nous avons réussi à les repérer par le passé, ai-je répondu. Et pour ce qui est de la mutilation corporelle, ces jeunes Canadiens sont des païens ; ils marquent leur corps de toute sorte de symboles barbares. Je crois que ça part d'une bonne intention ; déjà, ce n'est ni une libellule, ni un crâne, ni autre chose du même style. Mais nous l'aurons à l'œil.

— Nous devrions lui enlever ce tatouage. C'est blasphématoire. Le nom de *Dieu* est sacré, il n'a pas sa place sur un bras.

— L'enlever serait trop douloureux pour elle en ce moment. Ça peut attendre. On ne veut pas décourager nos jeunes Suppliantes.

— Si c'en est vraiment une, ce dont je doute beaucoup. Ce serait typique de Mayday de recourir à ce genre de ruse. À mon avis, elle devrait être interrogée.»

Par ses soins, voilà ce qu'elle sous-entend. Franchement, elle apprécie un peu trop ces interrogatoires.

«Ne confondons pas vitesse et précipitation. Je préfère des méthodes plus subtiles.

— Ce n'était pas le cas dans les premiers temps, a répliqué Vidala. Vous étiez carrément pour les couleurs primaires. Un peu de sang ne vous dérangeait pas.»

Elle a éternué. On devrait peut-être faire quelque chose contre les moisissures dans ce café, ai-je songé. Ou peut-être pas.

En raison de l'heure tardive, j'ai appelé le Commandant Judd à son bureau privé pour solliciter un rendez-vous en catastrophe, ce qui m'a été accordé. J'ai prié mon chauffeur de m'attendre devant la résidence.

C'est Shunammite, l'Épouse de Judd, qui m'a ouvert. Elle n'avait pas du tout l'air en forme : amincie, le visage blafard, les yeux creusés. Comparée aux autres, elle tient depuis assez longtemps pour une Épouse de Judd ; au moins, elle a eu un bébé, même si c'était un Malbébé. Aujourd'hui, pourtant, ses jours semblent comptés. Je me suis demandé ce que Judd lui glissait dans sa soupe.

«Oh, Tante Lydia. Entrez, je vous prie. Le Commandant vous attend.»

Pourquoi a-t-elle ouvert la porte elle-même? C'est une tâche de Martha. Elle doit vouloir me demander quelque chose.

«Shunammite, mon petit, ai-je dit avec un sourire. Tu es malade?»

Cette jeune fille autrefois tellement pleine de vie, effrontée, agaçante même, ressemblait à présent à un triste spectre.

«Je ne devrais pas le dire, a-t-elle chuchoté. D'après le Commandant, ce n'est rien, j'invente des bobos. Mais il y a un truc qui ne va pas chez moi, je le sais.

— Je peux m'arranger pour qu'on te fasse un bilan à notre clinique d'Ardua Hall. Quelques examens.

— Il faudrait que j'aie sa permission. Il ne me laissera pas y aller.

— J'obtiendrai sa permission. N'aie crainte.»

Il y a eu des pleurs alors, et des mercis. En d'autres temps, elle se serait agenouillée pour m'embrasser la main.

Judd m'attendait dans son bureau. J'y suis déjà entrée, parfois en sa présence, parfois non. C'est un lieu extrêmement instructif. Judd ne devrait pas rapporter de travail chez lui et laisser les dossiers de l'Œil traîner aussi négligemment un peu partout.

Sur le mur de droite – celui qui n'est pas visible du seuil, car on ne doit pas choquer les prisonnières de la maison – est accrochée une peinture du XIXe siècle dépeignant une jeune fille à peine nubile et sans un fil sur elle. On lui a ajouté des ailes de libellule pour en faire une fée, les fées étant à l'époque connues pour leur hostilité à la vêture. Elle affiche un sourire malicieux, amoral et tournicote au-dessus d'un champignon. C'est ce qu'aime Judd – des jeunes filles qu'on peut voir comme pas totalement humaines, avec un fond coquin. Ça justifie les traitements qu'il leur fait subir.

La pièce est tapissée de livres, comme tous les bureaux des Commandants. Ils aiment accumuler et se rengorger de leurs acquisitions, puis se vanter devant les autres de ce qu'ils ont barboté. Judd possède une respectable collection de biographies et de récits historiques – Napoléon, Staline, Ceauşescu et nombre d'autres meneurs et manipulateurs d'hommes. Il a plusieurs éditions originales de grande valeur que je lui envie : *L'Enfer* illustré par Doré, *Les Aventures d'Alice au pays des merveilles* par Dalí, *Lysistrata* par Picasso. Il a un autre type d'ouvrages, moins respectables : de la pornographie vintage, je le sais pour m'être penchée dessus. À haute dose, c'est un genre qui lasse, le répertoire des sévices qu'on peut infliger au corps humain étant assez limité.

« Ah, Tante Lydia, s'est-il écrié en se levant à moitié de son fauteuil en un rappel de ce qui autrefois passait pour de la galanterie. Asseyez-vous et dites-moi ce qui vous amène à cette heure si tardive. »

Un sourire radieux, que l'expression de ses yeux inquiète et dure à la fois ne reflétait absolument pas.

« Nous avons un grave problème », ai-je dit en prenant place sur le siège en face de lui.

Son sourire s'est évanoui.

« Rien de critique, j'espère.

— Rien que nous ne puissions gérer. Tante Vidala soupçonne la supposée Jade d'être une infiltrée, envoyée pour collecter des informations et nous présenter sous un mauvais jour. Elle souhaite interroger la jeune fille. Cela porterait un coup fatal à toute possibilité d'utiliser Bébé Nicole de façon fructueuse.

— Je suis d'accord. Après cela, nous ne pourrions pas la faire passer à la TV. Que puis-je faire pour vous aider ?

— Pour *nous* aider », l'ai-je repris.

Il est toujours bon de lui rappeler qu'on est tous les deux dans le même bateau.

« Un ordre de l'Œil mettant la petite à l'abri de toute intervention jusqu'à ce que nous soyons sûrs de pouvoir la présenter comme Bébé Nicole sans que personne puisse en douter. Tante Vidala ne sait rien de l'identité de Jade. Et il ne faut pas l'en informer. Elle n'est plus totalement fiable.

— Pouvez-vous m'éclairer sur ce point ?

— Pour le moment, il faudra que vous me fassiez confiance. Et encore une chose. Votre Épouse, Shunammite, doit être envoyée à la clinique Douceur & Langueur d'Ardua Hall pour y suivre un traitement médical.»

Un long silence s'est installé pendant que nous nous regardions dans les yeux, de part et d'autre de son bureau.

«Tante Lydia, vous lisez en moi, a-t-il dit. Il serait en effet préférable qu'elle soit sous votre responsabilité plutôt que sous la mienne. Au cas où il arriverait quelque chose... au cas où elle souffrirait d'une maladie mortelle.»

Je te rappellerai ici qu'il n'y a pas de divorce à Galaad.

«Sage décision, ai-je déclaré. Vous devez rester au-dessus de tout soupçon.

— Je compte sur votre discrétion. Je suis entre vos mains, chère Tante Lydia», a-t-il conclu en se levant.

C'est bien vrai, ai-je songé. Et une main a tôt fait de devenir... un poing.

Mon lecteur, me voici sur le fil du rasoir. J'ai le choix entre deux options : soit je poursuis mon plan hasardeux, dangereux même, et je tente de transférer mon paquet d'explosifs par l'intermédiaire de la jeune Nicole, ce qui, en cas de succès, portera à Judd et à Galaad le premier coup qui les précipitera dans l'abîme. En cas d'échec, je serais naturellement considérée comme une traîtresse et vivrais – ou disons plutôt mourrais – dans l'infamie.

Soit je choisis une voie plus sûre en remettant Bébé Nicole au Commandant Judd, et elle brillera splendidement un bref moment avant d'être mouchée comme une chandelle du fait de son insubordination, vu qu'il n'y a pas la moindre chance qu'elle accepte sa position ici avec docilité. Je récolterais alors, à Galaad, les fruits de mes efforts, ce qui ne serait potentiellement pas négligeable. Tante Vidala serait réduite à néant ; peut-être même pourrais-je l'envoyer en institut psychiatrique. Mon pouvoir sur Ardua Hall serait total et mon honorable grand âge à l'abri des attaques.

Il me faudrait renoncer à me venger de Judd, car nos destins seraient alors liés à jamais. Shunammite, l'Épouse de Judd, serait une victime collatérale. J'ai installé Jade dans le même logement que Tante Immortelle et Tante Victoria, si bien que leur sort, une fois Jade éliminée, serait extrêmement incertain, la culpabilité par association s'appliquant à Galaad comme partout.

Suis-je capable de pareille duplicité ? Pourrais-je trahir autant ? Se pourrait-il que je faiblisse alors que, armée de ma réserve de cordite, j'ai tant sapé les fondations de Galaad ? Je suis humaine, c'est donc tout à fait possible.

En ce cas, je détruirais ces pages écrites si laborieusement ; et je te détruirais par la même occasion, toi, mon futur lecteur. Un flamboiement d'allumette et tu ne serais plus – éliminé comme si tu n'avais jamais existé, comme si tu ne devais jamais exister. Je te refuserais ce droit. Ô ce sentiment d'être un quasi-Dieu ! Même si c'est un Dieu de l'annihilation.

Je balance, je balance.

Mais demain est un autre jour.

XX.

FILIATIONS

Transcription des déclarations du témoin 369B

53.

J'avais réussi à entrer à Galaad. J'avais cru connaître un paquet de choses dessus, mais quand on est en situation, c'est différent et, avec Galaad, c'était très différent. Galaad était casse-gueule, comme quand on avance sur de la glace. Je me sentais constamment en déséquilibre. J'étais incapable de lire les visages des gens et, souvent, je ne comprenais pas ce qu'ils disaient. J'entendais les mots, je les identifiais, mais il m'était impossible de leur donner un sens.

Lors de cette première réunion dans la chapelle, après les machins à genoux et les chants, quand Tante Beatrice m'avait emmenée m'asseoir sur un banc, je m'étais retournée vers la salle bourrée de femmes. Elles me regardaient toutes fixement et souriaient d'une manière mi-amicale mi-vorace, comme dans une scène de film d'horreur où tu sais que les gens du village vont se métamorphoser en vampires.

Puis il y avait eu une veillée pour les nouvelles Perles : on était censées méditer en silence et à genoux. Personne ne m'en avait parlé : quelles étaient les règles ? Est-ce qu'il fallait lever la main pour aller au cabinet ? Si tu te poses la question, la réponse est oui. Après des heures de ce régime – je commençais à avoir de méchantes crampes dans les jambes –, une des nouvelles Perles, elle venait du Mexique, je crois, s'est mise à crier comme une hystérique, puis à hurler. Deux Tantes l'ont attrapée et sortie au pas de charge. Après, j'ai entendu dire qu'ils l'avaient recyclée en Servante, c'est donc une bonne chose que je me la sois bouclée.

Le lendemain, on nous a remis ces vilaines tenues marronnasses et tout de suite après on nous a conduites en troupeau à un stade où on nous a fait asseoir en rangs. Personne ne m'avait parlé de sports à Galaad – je pensais qu'ils n'en faisaient pas –, mais c'était pas ça. C'était une Dilacération. Les profs avaient mentionné ce truc à l'école, mais sans trop entrer dans les détails, je suppose qu'ils n'avaient pas envie de nous traumatiser. Là, j'ai pigé.

C'était une double exécution : deux hommes littéralement mis en pièces par une multitude de femmes déchaînées. Il y a eu des hurlements, des coups de pied, des morsures et du sang partout, sur les Servantes surtout : elles en étaient couvertes. Certaines d'entre elles brandissaient des touffes de cheveux, un machin qui ressemblait à un doigt, divers petits bouts, les autres braillaient et poussaient des acclamations.

C'était épouvantable ; c'était terrifiant. Cette scène a ajouté une dimension tout à fait nouvelle à l'image que je m'étais faite des Servantes. Peut-être que ma mère avait été comme ça, ai-je pensé : sauvage.

54.

Ainsi que Tante Lydia nous l'avait demandé, Becka et moi faisions de notre mieux pour éduquer Jade, la nouvelle Perle, mais c'était comme brasser du vent. Elle était incapable de rester patiemment assise, le dos bien droit et les mains jointes sur les genoux ; elle gigotait, se tortillait, remuait les pieds.

« Voici la manière dont les femmes s'asseyent, lui expliquait Becka en le lui montrant.

— Oui, Tante Immortelle », répondait-elle en faisant mine d'essayer.

Malheureusement, ses efforts ne duraient pas longtemps et très vite elle recommençait à ployer l'échine et à caler une de ses chevilles sur son genou opposé.

Lors du premier dîner de Jade à Ardua Hall, on l'a placée entre nous deux pour la protéger, parce qu'elle était trop irréfléchie. Malgré ça, elle a eu un comportement extrêmement imprudent. On avait du pain et une soupe quelconque – le lundi, ils mélangeaient souvent les restes et y ajoutaient quelques oignons –, ainsi qu'une salade de vesces et de navets blancs.

« La soupe, avait-elle grommelé. On dirait de l'eau de vaisselle moisie. Moi, je mange pas ça.

— Chuuuut… Montre-toi reconnaissante de ce qu'on te donne, lui avais-je soufflé à l'oreille. Je suis sûre que c'est nourrissant. »

En dessert, on avait eu encore une fois du tapioca.

« Ça, je peux pas. »

Elle avait lâché sa cuillère avec fracas.

« Des yeux de poisson dans de la colle.

— C'est un manque de respect de ne pas finir son assiette, avait dit Becka. Sauf si on jeûne.

— Tu peux avoir la mienne.

— On nous regarde », avais-je ajouté.

À son arrivée, elle avait les cheveux verdâtres – c'était apparemment le genre de mutilation qui se pratiquait au Canada –, cependant, comme dehors elle devait se couvrir la tête, la plupart des gens n'avaient rien remarqué. Ensuite, elle s'est mise à s'arracher des cheveux sur la nuque. Elle prétendait que ça l'aidait à réfléchir.

« Tu vas te faire une plaque chauve, si tu continues », l'a prévenue Becka.

Tante Estée nous avait appris ça à l'époque où on était en Préparation prémaritale à l'école des Rubis : si tu t'arraches les cheveux trop souvent, ils ne repoussent pas. Et pareil pour les cils et les sourcils.

« Je sais, a répondu Jade. De toute façon, ici, personne voit tes cheveux. »

Elle nous a lancé un sourire sûr d'elle-même.

« Un jour, je me raserai le crâne.

— Tu ne peux pas faire ça ! Les cheveux, c'est la gloire de la femme, a protesté Becka. Sa chevelure lui a été donnée en guise de voile. C'est dans les Corinthiens 1.

— C'est sa seule gloire ? Ses cheveux ? » a répliqué Jade.

Elle avait réagi avec brusquerie, pourtant je ne pense pas qu'elle cherchait à être grossière.

« Pourquoi voudrais-tu te déshonorer en te rasant la tête ? » lui ai-je demandé le plus gentiment possible.

Pour une femme, ne pas avoir de cheveux était une marque de disgrâce : parfois, quand un mari se plaignait, les Tantes coupaient les cheveux d'une Épouse Écono désobéissante ou chicaneuse avant de la mettre au pilori.

«Pour voir ce que ça fait d'être chauve, a répondu Jade. C'est sur ma *bucket list*.

— Fais attention à ce que tu dis aux autres, ai-je insisté. Becka – Tante Immortelle – et moi, on est indulgentes, et on comprend bien que tu arrives tout droit d'une culture dégénérée ; on essaie de t'aider. Mais il y a des Tantes – les plus vieilles en particulier, Tante Vidala par exemple – qui sont constamment à l'affût d'une faute.

— Oui, t'as raison, a dit Jade. Je veux dire, Oui, Tante Victoria.

— C'est quoi, une *bucket list* ? a demandé Becka.

— Les trucs que je veux faire avant de mourir.

— Pourquoi ça s'appelle comme ça ?

— Ça vient de *kick the bucket*, "donner un coup de pied dans un seau", c'est juste une expression.»

Devant notre air perplexe, elle a poursuivi :

«Je pense que ça vient de l'époque où on pendait les gens aux arbres. On les forçait à monter sur un seau, on les pendait et ils balançaient des coups de pied à droite et à gauche, et dans le seau aussi, naturellement. J'imagine.

— Ce n'est pas comme ça qu'on pend les gens ici», a dit Becka.

55.

J'ai vite réalisé que les deux jeunes Tantes de la Porte C ne m'appréciaient pas; or, moi, je n'avais qu'elles, vu que je parlais à personne d'autre. Tante Beatrice s'était montrée gentille à Toronto, quand elle voulait me convertir, mais maintenant que j'étais ici, je l'intéressais plus du tout. Elle m'adressait un sourire distant quand je passais à côté d'elle, mais ça n'allait pas plus loin.

Quand je prenais le temps d'y réfléchir, j'avais peur, mais j'essayais de pas me laisser embarquer par ce sentiment. Et je me sentais aussi très seule. Je n'avais aucune amie sur place, je ne pouvais pas contacter quelqu'un au Canada. Ada et Elijah étaient loin. Et je n'avais personne à qui demander conseil; j'étais livrée à moi-même, sans manuel d'instructions. Garth me manquait vraiment. Je rêvassais aux choses qu'on avait faites ensemble : dormir dans le cimetière, mendier dans la rue. Je regrettais même les cochonneries qu'on avait boulottées ensemble. Est-ce que je retournerais jamais là-bas et, si oui, que se passerait-il alors? Garth avait probablement une copine. Comment aurait-il pu ne pas en avoir une? Je ne le lui avais jamais demandé parce que je ne voulais pas connaître la réponse.

Mais une de mes plus grandes angoisses concernait la source, comme l'appelaient Ada et Elijah – leur contact à Galaad. Quand se manifesterait-elle ? Et si elle n'existait pas ? S'il n'y avait pas de « source », je resterais coincée à Galaad, sans personne pour me sortir de là.

56.

Jade était extrêmement désordonnée. Elle laissait traîner ses affaires dans notre pièce commune – ses bas, la ceinture de son uniforme de nouvelle Suppliante à l'essai, parfois même ses chaussures. Elle ne tirait pas toujours la chasse d'eau. On trouvait ses cheveux partout sur le sol de la salle de bains, son dentifrice dans le lavabo. Elle prenait des douches à des heures défendues et il a fallu qu'on le lui demande avec fermeté pour qu'elle arrête. Et à plusieurs reprises. Je sais que ce sont des questions triviales, mais quand on vit dans un espace exigu, ça peut faire beaucoup à la fin.

Il y avait aussi la question de son tatouage au bras gauche. DIEU T'AIME en forme de croix. Elle prétendait que c'était le gage de sa conversion à une croyance vraie, mais j'en doutais, vu qu'une fois elle avait lâché que, pour elle, Dieu était « un ami imaginaire ».

« Dieu est un véritable ami, pas un ami imaginaire », l'avait reprise Becka.

Sa voix exprimait autant de colère qu'elle se permettait d'en manifester.

« Désolée si j'ai insulté ton héritage culturel », a répondu Jade, ce qui n'a rien arrangé aux yeux de Becka : dire que Dieu appartenait à notre héritage culturel était encore pire que d'en faire un ami imaginaire. On avait bien conscience que Jade nous prenait pour des idiotes, ou du moins pour des filles superstitieuses.

« Tu devrais te faire enlever ce tatouage, lui a conseillé Becka. Il est blasphématoire.

— Ouais, t'as peut-être raison, a répondu Jade. Pardon, Oui, Tante Immortelle, merci de ta remarque. En plus, ça me démange d'enfer.

— L'enfer fait plus que démanger, a insisté Becka. Je vais prier pour ta rédemption. »

Lorsque Jade était à l'étage dans sa chambre, on entendait souvent des bruits sourds et des hurlements étouffés. Était-ce une forme de prière barbare ? J'ai fini par me sentir obligée de lui demander ce qu'elle fabriquait.

« De la muscu. C'est un genre d'exercice. Il faut garder sa force.

— Les hommes ont la force corporelle, a dit Becka. Et mentale. Les femmes ont de la volonté. Néanmoins, pratiqué avec modération, l'exercice est autorisé, la marche par exemple, si la femme est en âge de procréer.

— Pourquoi penses-tu avoir besoin d'être forte ? » lui ai-je demandé.

Ses croyances païennes m'intriguaient de plus en plus.

« Au cas où un mec t'agresserait. Il faut que tu saches comment lui enfoncer les pouces dans les yeux, lui flanquer un coup de genou dans les couilles, lui balancer un coup de poing phénoménal. Je vais te montrer. Tu fermes le poing comme ça, en cachant tes jointures avec ton pouce, le bras bien tendu. Et tu vises le cœur. »

Elle a flanqué un direct dans le canapé.

Becka en a été tellement étonnée qu'elle a dû s'asseoir.

« Les femmes ne frappent pas les hommes, a-t-elle bredouillé. Ni personne, sauf quand la loi l'exige, comme lors d'une Dilacération.

— Ah ben c'est pratique ! s'est exclamée Jade. Alors, t'es censée les laisser faire tout ce qu'ils veulent, et *basta* ?

— On ne doit pas séduire les hommes, a poursuivi Becka. Ce qui t'arrive sinon est en partie de ta faute.»

Jade nous a regardées tour à tour.

«On blâme la victime? Sérieusement?

— Pardon? a fait Becka.

— Pas grave. Donc t'es en train de me dire que c'est perdant-perdant, a résumé Jade. Quoi qu'on fasse, on est baisées.»

Becka et moi l'avons fixée en silence; pour reprendre la formule de Tante Lise, pas de réponse, c'est déjà une réponse.

«OK, a-t-elle conclu. Mais je vais m'entraîner quand même.»

Quatre jours après l'arrivée de Jade, Tante Lydia nous a convoquées, Becka et moi, dans son bureau.

«Comment se débrouille la nouvelle Perle?» nous a-t-elle demandé.

Devant mon hésitation, elle a insisté :

«Soyez franche!

— Elle ne sait pas se tenir.»

Tante Lydia a exhibé son sourire fripé de vieux radis.

«N'oubliez pas qu'elle nous vient tout droit du Canada. Elle ne connaît rien d'autre. Les converties étrangères sont souvent comme ça à leur arrivée. Il est de votre devoir, pour le moment, de lui apprendre à arrondir les angles.

— On essaie, Tante Lydia, a dit Becka. Mais elle est très…

— Têtue, a suggéré Tante Lydia. Ça ne me surprend pas. Le temps arrangera ça. Faites de votre mieux. Vous pouvez partir.»

On est sorties du bureau en reculant en crabe, comme on le faisait toutes en quittant le bureau de Tante Lydia : c'était impoli de lui tourner le dos.

À la bibliothèque Hildegard, les dossiers criminels continuaient à apparaître sur ma table. Que fallait-il en penser ? Je n'en savais trop rien : un jour, j'étais persuadée que ce serait une bénédiction d'être Tante à part entière – de connaître tous les secrets que les Tantes conservaient soigneusement, de disposer de pouvoirs cachés, de distribuer des punitions. Le lendemain, je songeais à mon âme – j'avais vraiment la conviction d'en avoir une –, condamnée à devenir tortueuse et corrompue si j'en venais un jour à me comporter ainsi. Mon cerveau doux et confus était-il en train de s'endurcir ? Étais-je en passe de me transformer en un être insensible, dur comme l'acier, impitoyable ? D'échanger ma nature féminine tendre et malléable contre l'imparfaite copie d'une nature masculine cruelle et tranchante ? Je ne le voulais pas, mais comment éviter cela si j'aspirais à devenir Tante ?

Puis il s'est passé quelque chose qui a changé la manière dont je me percevais dans l'univers et m'a poussée à remercier encore une fois la bienveillante Providence.

Même si j'avais eu accès à la Bible et si on m'avait communiqué un grand nombre de dangereux dossiers criminels, je n'avais toujours pas la permission de consulter les Archives généalogiques des filiations, qui étaient conservées dans une salle fermée à clé. Celles qui y étaient entrées disaient que la salle en question abritait des allées et des allées de dossiers, disposés sur des étagères selon le rang des hommes, et d'eux seuls : Hommes Écono, Gardiens, Anges, agents de l'Œil, Commandants. Au sein de ces catégories, les filiations se répartissaient en fonction du lieu, puis du patronyme. Les femmes étaient rangées dans les dossiers des hommes. Les Tantes n'avaient pas de dossiers ; leurs filiations n'étaient pas consignées, puisqu'elles n'auraient pas d'enfants. C'était d'ailleurs un secret motif de tristesse pour moi : j'aimais les enfants, j'avais toujours eu envie d'en avoir, c'est juste que je ne voulais pas de ce qui allait avec.

Toutes les Suppliantes avaient eu droit à un briefing sur l'existence et la raison d'être des Archives. Ces documents permettaient de savoir qui étaient les Servantes avant qu'elles ne deviennent Servantes, qui étaient leurs enfants et qui en étaient les pères : non seulement les pères déclarés, mais les pères illégaux aussi, étant donné que de nombreuses femmes au désespoir – Épouses et Servantes – voulaient un enfant à n'importe quel prix. Quel que soit le cas, les Tantes notaient les filiations : vu la multiplication des unions entre hommes âgés et toutes jeunes filles, Galaad ne pouvait risquer un croisement père-fille dangereux et impur, ce qui pouvait fort bien se produire si personne ne consignait les liens de parenté.

Pour ma part, ce ne serait qu'après avoir accompli mon œuvre de Perle missionnaire que j'aurais accès aux Archives. J'attendais impatiemment le moment où j'aurais enfin la possibilité de retrouver ma mère – pas Tabitha, mais la Servante. Dans ces fichiers secrets, je pourrais découvrir qui elle était, ou qui elle avait été – était-elle seulement encore vivante ? Je savais que c'était scabreux – ce que je découvrirais ne me plairait peut-être pas –, néanmoins il me faudrait quand même essayer. Peut-être parviendrais-je aussi à remonter à mon vrai père, encore que ce soit moins probable, puisqu'il n'avait pas été Commandant. Si déjà je localisais ma mère, j'aurais une histoire au lieu d'un blanc. J'aurais un passé au-delà de mon propre passé, même si je n'avais pas d'avenir avec cette mère inconnue.

Un matin, j'ai aperçu une chemise des Archives sur ma table. Dessus, attachée par un trombone, il y avait une petite note écrite à la main : *Filiation d'Agnes Jemima.* J'ai ouvert la chemise en retenant mon souffle. Elle renfermait le dossier du Commandant Kyle. Paula y était aussi, ainsi que Mark, leur fils. N'appartenant pas à cette filiation, je n'apparaissais pas comme la sœur de Mark. C'est cependant par la filiation du Commandant Kyle que j'ai appris le vrai nom de la pauvre Crystal – ou Dekyle, morte en couches –, puisque le petit Mark faisait partie de sa filiation. Je me suis demandé si ses parents lui parleraient jamais d'elle. À mon avis, non, s'ils pouvaient l'éviter.

J'ai fini par tomber sur la filiation me concernant. Elle n'était pas là où elle aurait dû être – dans le dossier du Commandant Kyle, pour la période relative à sa première Épouse, Tabitha. Au lieu de cela, elle se trouvait à la fin, dans un sous-dossier à part.

Il y avait une photo de ma mère, de face et de profil, comme sur les photos d'identité judiciaire qui illustrent les avis de recherche des Servantes en fuite. Elle avait des cheveux clairs, tirés en arrière ; elle était jeune. Elle me regardait droit dans les yeux : qu'essayait-elle de me dire ? Elle ne souriait pas, pourquoi l'aurait-elle fait ? C'est sans doute les Tantes, ou sinon l'Œil, qui avaient pris sa photo.

Le nom dessous avait été rayé à gros traits à l'encre bleue. Pourtant une note avait été ajoutée : *Mère d'Agnes Jemima, aujourd'hui Tante Victoria. Réfugiée au Canada. Travaille actuellement pour les renseignements terroristes de Mayday. Deux tentatives d'élimination (ratées). Adresse inconnue.*

En dessous, il était écrit *Père biologique*, mais son nom aussi avait été censuré. Il n'y avait pas de photo. La note disait : *Actuellement au Canada. Serait un agent Mayday. Adresse inconnue.*

Est-ce que je ressemblais à ma mère ? J'aurais aimé le penser.

Est-ce que je me souvenais d'elle ? J'ai essayé. Je savais que j'aurais dû pouvoir retrouver des souvenirs, mais le passé était trop sombre.

Quelle chose cruelle, la mémoire. On ne peut se rappeler ce qu'on a oublié. Ce qu'on nous a fait oublier. Ce qu'on a dû oublier pour feindre de vivre une sorte de normalité ici.

«Je suis désolée, ai-je murmuré. Je n'arrive pas à te faire revenir. Pas encore.»

J'ai posé la main sur sa photo. Est-ce qu'elle dégageait une certaine chaleur? Je l'aurais bien voulu. J'aurais voulu croire qu'elle irradiait amour et chaleur – ce n'était pas une photo flatteuse, mais peu importait. J'aurais voulu croire que cet amour coulait dans ma main. C'était un simulacre enfantin, je le sais. Malgré tout, c'était réconfortant.

J'ai tourné la page : il y avait un autre document. Ma mère avait eu une autre fille. Cette fille avait été emmenée clandestinement au Canada, tout bébé. Elle s'appelait Nicole. Il y avait une photo du bébé.

Bébé Nicole.

Bébé Nicole, pour qui, à Ardua Hall, nous priions à chaque occasion solennelle. Bébé Nicole, dont le radieux visage de chérubin, symbole du traitement injuste que la scène internationale infligeait à Galaad, apparaissait si souvent à la télévision. Bébé Nicole, qui était pratiquement une sainte et une martyre, et à coup sûr une icône – Bébé Nicole était ma sœur.

Sous le dernier paragraphe, une ligne écrite à l'encre bleue d'une main tremblotante ajoutait : *Top secret. Bébé Nicole est à Galaad.*

Ça m'a paru impossible.

Un élan de gratitude m'a saisie – j'avais une petite sœur ! Mais j'ai eu peur aussi : si Bébé Nicole était à Galaad, pourquoi n'en avions-nous pas tous été informés ? Il y aurait eu de grandes réjouissances, une fête formidable. Pourquoi me le disait-on à moi ? Je me suis sentie empêtrée, même si les filets qui m'entouraient étaient invisibles. Ma sœur était-elle en danger? Qui d'autre savait qu'elle était ici, et qu'allait-on lui faire?

J'avais désormais compris que c'était vraisemblablement Tante Lydia qui me laissait ces dossiers. Pourquoi agissait-elle ainsi? Comment voulait-elle que je réagisse? Ma mère était vivante, mais menacée de mort aussi. Elle avait été taxée de criminelle; pis, de terroriste. Quelle part d'elle portais-je en moi? Étais-je d'une certaine façon souillée? Était-ce ça, le message? Galaad avait vainement tenté d'assassiner ma mère renégate. Fallait-il que je m'en réjouisse ou que je m'en désole? Où devait aller ma loyauté?

Là-dessus, sur une impulsion, j'ai fait quelque chose de très dangereux. Après m'être assurée que personne ne m'observait, j'ai discrètement retiré du dossier Filiations les deux pages aux photos collées, les ai pliées plusieurs fois, puis cachées dans ma manche. Va savoir pourquoi, je ne supportais pas de m'en séparer. C'était stupide et borné, mais ce n'était pas la première fois que je faisais quelque chose de stupide et de borné.

Transcription des déclarations du témoin 369B

57.

On était mercredi, jour de malheur. Après le petit déjeuner dégueulasse habituel, j'ai reçu un message me priant de me présenter immédiatement au bureau de Tante Lydia.

«Qu'est-ce que ça veut dire ? ai-je demandé en me tournant vers Tante Victoria.

— Personne ne sait jamais ce que Tante Lydia peut avoir en tête.

— J'ai fait quelque chose de mal ?»

Le choix était vaste, c'était certain.

«Pas forcément. Tu as peut-être fait quelque chose de bien.»

Tante Lydia m'attendait dans son bureau. La porte était entrouverte, et elle m'a invitée à entrer avant même que j'aie frappé.

«Referme la porte et assieds-toi», m'a-t-elle ordonné.

J'ai obtempéré. Elle m'a regardée. Je l'ai regardée. C'est bizarre, je savais que c'était la puissante et méchante vieille patronne d'Ardua Hall, pourtant, là, je ne la trouvais pas du tout effrayante. Elle avait un gros grain de beauté sur le menton ; j'ai essayé de ne pas le fixer. Pourquoi elle se l'était pas fait retirer ?

«Comment te plais-tu ici, Jade ? Tu t'adaptes ?»

J'aurais dû répondre oui, bien ou autre chose, comme on me l'avait appris pendant ma formation. À la place, j'ai lâché : «Pas bien.»

Elle a souri en découvrant ses dents jaunes.

«Au début, beaucoup ont des regrets. Tu aimerais repartir ?

— Et comment ? À califourchon sur un singe ?

— Je te suggère de t'abstenir de ce genre de remarque provocante en public. Ça pourrait t'exposer à de douloureuses conséquences. As-tu quelque chose à me montrer ?

— Comme quoi ? j'ai fait, perplexe. Non, j'ai rien apporté…

— Sur ton bras, par exemple. Sous ta manche.

— Oh. Mon bras.»

J'ai remonté ma manche. DIEU T'AIME n'avait pas l'air jojo.

Elle s'est penchée dessus.

«Merci d'avoir fait ce que je t'avais demandé.»

C'était elle qui avait demandé ça ?

«C'est vous la source ? ai-je bredouillé.

— La quoi ?»

Est-ce que j'étais dans le pétrin ?

«Vous savez, la… je veux dire…»

Elle m'a coupée.

«Il faut que tu apprennes à amender tes pensées. Sors-les de ta tête. Maintenant, continuons. Tu es Bébé Nicole, on a dû te le dire au Canada.

— Oui, mais je préférerais ne pas l'être. Ça ne me fait pas plaisir.

— J'en suis sûre. Bon nombre d'entre nous préféreraient ne pas être ce que nous sommes. Dans ce domaine, nous ne disposons pas de choix illimités. À présent, es-tu prête à aider tes amis au Canada ?

— Qu'est-ce que je dois faire ?

— Viens ici et pose ton bras sur le bureau. Ça ne fera pas mal.»

Elle s'est saisie d'une fine lame et a pratiqué une mini-entaille dans mon tatouage, à la base du I. Puis, à l'aide d'une loupe et d'une minuscule pince à épiler, elle a inséré un truc minuscule dans mon bras. Mais, quand elle disait que ça ne ferait pas mal, elle se gourait.

« Personne ne penserait aller regarder à l'intérieur de DIEU. Maintenant, te voici devenue pigeon voyageur, nous n'avons plus qu'à te transporter. C'est plus difficile que ça n'a été, mais on y arrivera. Oh, et ne parle de ceci à personne tant que tu n'en auras pas eu la permission. Langue trop bien pendue, navire perdu. Et navire perdu signifie des morts en plus. D'accord ?

— D'accord. »

Voilà que j'avais une arme meurtrière dans le bras.

« D'accord, Tante Lydia. Ici, pas d'écarts en matière de politesse. Ça pourrait te valoir une dénonciation, même pour quelque chose d'aussi insignifiant. Tante Vidala adore ses Corrections. »

Transcription des déclarations du témoin 369A

58.

Un matin, deux jours après avoir lu le dossier sur ma filiation, j'ai été convoquée au bureau de Tante Lydia. Becka avait reçu le même ordre ; nous y sommes allées ensemble. On pensait qu'elle allait nous redemander comment Jade s'adaptait, si elle était heureuse avec nous, si elle était prête pour son test d'alphabétisation, si elle avait une foi inébranlable. Becka m'avait dit qu'elle allait demander à ce qu'elle déménage, parce que nous n'arrivions pas à lui apprendre quoi que ce soit. Elle n'écoutait rien.

Or Jade se trouvait déjà dans le bureau de Tante Lydia, installée sur une chaise. Elle nous a décoché un sourire craintif.

Tante Lydia nous a fait entrer, puis elle a balayé le couloir du regard avant de refermer la porte.

« Merci d'être venues. Vous pouvez vous asseoir. »

On a pris les deux sièges proposés, de part et d'autre de Jade. Quant à Tante Lydia, pour s'asseoir, elle a pris appui avec ses mains sur son bureau. Elles tremblotaient un peu. Je me suis surprise à penser : Elle vieillit. Mais ça m'a paru impossible : Tante Lydia n'avait pas d'âge, si ?

« J'ai des informations à partager avec vous qui vont concrètement affecter l'avenir de Galaad, a-t-elle déclaré.

Vous-mêmes y jouerez un rôle crucial. Êtes-vous suffisamment courageuses ? Êtes-vous prêtes ?

— Oui, Tante Lydia », ai-je répondu.

Et Becka a répété la même chose.

Les plus jeunes Suppliantes s'entendaient toujours dire qu'elles avaient un rôle crucial à jouer, qu'on attendait qu'elles fassent montre de courage. En général, ça signifiait qu'il fallait donner de son temps ou de sa nourriture, quelque chose.

« Bien, je serai brève. Premièrement, je dois t'apprendre, Tante Immortelle, une nouvelle qu'Agnes et Jade connaissent déjà. Bébé Nicole est ici à Galaad. »

Ça m'a plongée dans la confusion : pourquoi la jeune Jade avait-elle eu vent d'une information aussi importante ? Elle ne pouvait absolument pas mesurer l'impact que l'apparition d'un personnage aussi iconique aurait sur nous.

« Vraiment ? Oh, loué soit-Il, Tante Lydia, s'est exclamée Becka. Quelle nouvelle merveilleuse. Ici ? À Galaad ? Mais pourquoi n'avons-nous pas été toutes prévenues ? C'est de l'ordre du miracle !

— Contrôle-toi, s'il te plaît, Tante Immortelle. Je dois maintenant ajouter que Bébé Nicole est la demi-sœur de Tante Victoria.

— Putain ! s'est écriée Jade. J'y crois pas !

— Jade, je n'ai rien entendu, a protesté Tante Lydia. On se respecte, on se connaît, on se contrôle.

— Désolée, a marmonné Jade.

— Agnes ! Je veux dire, Tante Victoria ! a dit Becka. Tu as une sœur ! Quelle joie ! Et c'est Bébé Nicole ! Quelle chance tu as, Bébé Nicole est tellement adorable ! »

La photo habituelle de Bébé Nicole était accrochée au mur de Tante Lydia : elle était adorable en effet, mais bon, tous les bébés le sont.

« Puis-je te serrer dans mes bras ? » m'a demandé Becka.

Elle luttait pour se montrer positive. Ça devait l'attrister que j'aie une parente connue et pas elle : même son père présumé venait d'être honteusement exécuté.

« Du calme, je vous prie, a déclaré Tante Lydia. Le temps a passé depuis l'époque où Bébé Nicole était bébé. Elle est adulte aujourd'hui.

— Bien sûr, Tante Lydia », a murmuré Becka.

Elle s'est rassise et a joint les mains sur ses genoux.

« Tante Lydia, si elle est ici à Galaad, ai-je dit, où est-elle exactement ? »

Jade a éclaté de rire, on aurait cru un aboiement.

« À Ardua Hall », a répondu Tante Lydia en souriant.

Elle semblait bien s'amuser, comme si elle jouait aux devinettes. De notre côté, on devait avoir l'air perplexes – on connaissait tout le monde à Galaad, où était donc Bébé Nicole ?

« Elle est dans cette pièce, a annoncé Tante Lydia avec un geste de la main. Jade, ici présente, est Bébé Nicole.

— Ce n'est pas possible ! » me suis-je exclamée.

Jade était Bébé Nicole. Donc Jade était ma sœur.

Bouche bée, Becka a dévisagé Jade.

« Non », a-t-elle murmuré.

Elle semblait très malheureuse.

« Désolée de ne pas être adorable, a dit Jade. J'ai essayé, mais je suis pas douée pour ça. »

Je crois qu'elle voulait blaguer pour détendre l'atmosphère.

« Oh… ce n'est pas ce que je voulais dire, ai-je balbutié. C'est juste que… tu ne ressembles pas à Bébé Nicole.

— Non, a fait Tante Lydia, mais elle te ressemble bel et bien. »

C'était vrai, jusqu'à un certain point : les yeux, oui, mais pas le nez. J'ai porté mon regard vers les mains de Jade, jointes bien à plat sur ses genoux pour une fois. J'aurais aimé lui demander de tendre les doigts pour que je puisse les comparer aux miens, mais j'avais peur que ce soit insultant. Je n'avais pas envie qu'elle s'imagine que je voulais un maximum de preuves de nos liens de parenté et que sinon j'allais la rejeter.

«Je suis très heureuse d'avoir une sœur», lui ai-je dit poliment, à présent que je commençais à surmonter le choc.

Cette fille peu commode et moi partagions la même mère. Il allait falloir que je fasse des efforts.

«Quelle chance vous avez toutes les deux», a murmuré Becka.

Sa voix était teintée de mélancolie.

«Et toi, tu es comme ma sœur, me suis-je écriée. Donc Jade est comme ta sœur aussi.»

Je ne voulais pas que Becka se sente exclue.

«Puis-je t'embrasser?» a demandé Becka à Jade.

Ou à Nicole, car j'imagine que, dans ce récit, je dois maintenant l'appeler ainsi.

«Oui, je pense», a répondu Nicole.

Elle a alors reçu un petit baiser de Becka. Et j'ai fait pareil.

«Merci», a-t-elle dit.

«Merci, Tantes Immortelle et Victoria, a déclaré Tante Lydia. Vous faites montre d'un admirable esprit d'acceptation et d'inclusion. Maintenant, je vais vous embêter et vous demander toute votre attention.»

On a tourné la tête vers elle.

«Nicole ne va pas rester longtemps avec nous, a poursuivi Tante Lydia. Elle quittera Ardua Hall sous peu pour retourner au Canada. Elle emportera un message important avec elle. Je veux que vous l'aidiez toutes les deux.»

J'en ai été stupéfaite. Pourquoi Tante Lydia la laissait-elle repartir? Aucune convertie n'était jamais repartie – c'était une trahison –, et si cette convertie était Bébé Nicole, c'était une trahison à la puissance dix.

«Voyons, Tante Lydia, ai-je protesté, c'est contraire à la loi, et aussi contraire à la volonté de Dieu proclamée par les Commandants.

— En effet, Tante Victoria. Mais maintenant que vous avez lu, Tante Immortelle et toi, un grand nombre de dossiers secrets que je vous ai fournis, n'avez-vous pas conscience du déplorable niveau de corruption qui prévaut aujourd'hui à Galaad?

— Oui, Tante Lydia, mais… »

Je n'avais pas vraiment su si Becka avait eu droit aux dossiers criminels, elle aussi. L'une comme l'autre, on avait respecté la classification TOP SECRET, mais chacune avait avant tout cherché à protéger l'autre.

« Au début, Galaad avait des objectifs purs et nobles, nous sommes toutes d'accord là-dessus, a ajouté Tante Lydia. Malheureusement, comme bien souvent dans le cours de l'histoire, des égoïstes et des fous de pouvoir les ont pervertis et souillés. Vous souhaitez sûrement que l'ordre des choses soit rétabli.

— Oui, a dit Becka en hochant la tête. C'est vraiment ce que nous souhaitons.

— N'oubliez pas vos vœux non plus. Vous avez juré de venir en aide aux femmes et aux jeunes filles. J'espère que vous étiez sérieuses.

— Oui, Tante Lydia, ai-je dit à mon tour. Nous l'étions.

— Cette action les aidera. Maintenant, je ne veux pas vous forcer à faire quoi que ce soit contre votre volonté, mais je dois vous exposer clairement la situation. À présent que je vous ai confié ce secret – que Bébé Nicole est ici et qu'elle va bientôt me servir de coursier –, chaque minute qui passe sans que vous alliez trouver l'Œil pour lui révéler ce secret comptera comme trahison. Cependant, même si vous le révélez, vous serez peut-être sévèrement punies malgré tout, et peut-être exécutées pour avoir retenu des informations, ne serait-ce que brièvement. Inutile de préciser que je serai moi-même éliminée, et que Nicole sera vite réduite à un perroquet en cage. Si elle refuse de se soumettre, ils la tueront d'une manière ou d'une autre. Ils n'hésiteront pas : vous avez lu les dossiers criminels.

— Vous ne pouvez pas leur faire ça ! s'est insurgée Nicole. Ce n'est pas juste, c'est du chantage affectif !

— J'apprécie ton point de vue, Nicole, a riposté Tante Lydia, mais tes idées juvéniles sur ce qui est juste ou pas n'ont pas cours ici. Garde tes sentiments pour toi et, si tu souhaites revoir le Canada, il serait sage que tu prennes ça pour un ordre. »

Elle s'est tournée vers Becka et moi.

« Bien entendu, vous êtes libres de vos décisions. Je vais quitter cette pièce ; Nicole, viens avec moi. Nous voulons ménager, pour ta sœur et son amie, un peu d'intimité afin qu'elles réfléchissent aux différentes options. Nous reviendrons dans cinq minutes. À ce moment-là, je vous demanderai simplement un oui ou un non. Pour les détails supplémentaires concernant votre mission, ils suivront en temps et en heure. Viens, Nicole. »

Elle a pris Nicole par le bras et l'a entraînée à sa suite.

Becka ouvrait de grands yeux effrayés, comme les miens sans doute.

« Il faut qu'on le fasse, a bredouillé Becka. On ne peut pas les laisser mourir. Nicole est ta sœur et Tante Lydia...

— Qu'on fasse quoi ? me suis-je exclamée. On ne sait pas ce qu'elle demande.

— Elle demande obéissance et loyauté. Rappelle-toi la manière dont elle nous a sauvées – toutes les deux. On est obligées de dire oui. »

Après qu'on a eu quitté le bureau de Tante Lydia, Becka est allée assurer son service de jour à la bibliothèque, et Nicole et moi avons regagné notre appartement ensemble.

« Maintenant qu'on est sœurs, lui ai-je dit, tu peux m'appeler Agnes quand on est seules.

— D'accord, j'essaierai. »

On est entrées dans la pièce principale.

«J'ai quelque chose que j'aimerais partager avec toi», ai-je ajouté.

J'avais conservé sous mon matelas les deux pages du dossier de ma filiation pliées très petit. Je les ai soigneusement dépliées et les ai aplaties. Comme moi, Nicole n'a pas pu s'empêcher de poser la main sur la photo de notre mère.

«C'est stupéfiant», a-t-elle dit.

Elle a ôté sa main et étudié de nouveau la photo.

«Tu trouves qu'elle me ressemble?

— Je me suis demandé la même chose.

— Est-ce que tu te souviens un tant soit peu d'elle? Moi, je devais être trop petite.

— Je ne sais pas, ai-je avoué. Parfois, je pense que oui. Il me semble vraiment me rappeler quelque chose. Une autre maison? Un voyage? Mais je prends peut-être mes désirs pour la réalité.

— Et nos pères, alors? Et pourquoi elles ont barré tous les noms?

— Peut-être qu'en un sens elles cherchaient à nous protéger.

— Merci de me les avoir montrées, a dit Nicole. Mais je pense que tu ne devrais pas les garder. Si tu te faisais piquer?

— Je sais. J'ai essayé de les remettre à leur place, malheureusement le dossier avait disparu.»

En fin de compte, on a décidé de déchirer les pages en petits bouts et on les a jetés dans les toilettes.

Tante Lydia nous avait conseillé de renforcer notre mental en vue de la mission qui nous attendait. Entretemps, nous devions continuer à mener notre vie habituelle et ne rien faire qui puisse attirer l'attention sur Nicole ni susciter de soupçons. Comme nous étions anxieuses, c'était difficile; en ce qui me concerne, je vivais dans la terreur : si Nicole venait à être démasquée, nous accuserait-on, Becka et moi ?

Toutes les deux, nous devions entamer très prochainement notre mission de Perles. Allions-nous seulement partir au Canada, ou Tante Lydia avait-elle une autre destination en tête ? Nous n'avions qu'une option : attendre et voir venir. Becka avait potassé le guide standard des Perles sur le Canada, sa monnaie, ses coutumes, la manière d'y régler ses achats, y compris avec des cartes de crédit. Elle était bien mieux préparée que moi.

Nous étions à moins d'une semaine de la cérémonie d'Action de Grâce quand Tante Lydia nous a re-convoquées dans son bureau.

« Voici ce que vous allez faire, nous a-t-elle expliqué. J'ai réservé une chambre pour Nicole dans une de nos maisons de retraite à la campagne. Les papiers sont en ordre. Mais c'est toi, Tante Immortelle, qui prendra sa place. Et elle, elle endossera ton identité et se rendra au Canada en tant que Perle.

— Alors, je n'irai pas ? a balbutié Becka, consternée.

— Tu iras plus tard. »

Déjà à ce moment-là, j'ai pensé que c'était un mensonge.

XXI.

À tout rompre

Le Testament olographe d'Ardua Hall

59.

Je pensais avoir tout prévu, mais souvent ce sont les plans les mieux pensés qui capotent, et une mauvaise nouvelle n'arrive jamais seule. J'écris ceci en hâte après une journée extrêmement éprouvante. Mon bureau a pris un faux air de Grand Central – avant que la guerre de Manhattan ne réduise la vénérable gare ferroviaire à l'état de ruines – tant ça a défilé.

La première à faire son apparition a été Tante Vidala, qui a déboulé tout de suite après le petit déjeuner. Vidala et un porridge indigeste : quelle combinaison difficile ! Je me suis promis de m'offrir une infusion à la menthe dès que j'en aurais le loisir.

«Tante Lydia, il y a une question sur laquelle j'aimerais attirer votre attention de toute urgence», a-t-elle dit.

J'ai soupiré intérieurement.

«Bien sûr, Tante Vidala. Asseyez-vous donc.

— Je ne vous prendrai pas beaucoup de temps, a-t-elle poursuivi en se carrant sur son siège, histoire de faire le contraire. Ça concerne Tante Victoria.

— Oui ? Tante Immortelle et elle vont bientôt partir au Canada pour leur mission de Perles.

— C'est la raison pour laquelle je souhaite vous consulter. Êtes-vous sûre qu'elles sont prêtes ? Elles sont jeunes pour leur âge – encore plus que les autres

Suppliantes de leur génération. Ni l'une ni l'autre n'a la moindre expérience du vaste monde, alors que d'autres possèdent au moins une force de caractère que n'ont pas ces deux-là. Elles sont, pourrait-on dire, malléables ; elles seront beaucoup trop vulnérables aux tentations matérielles qu'offre le Canada. Par ailleurs, Tante Victoria risque, selon moi, de faire défection. Elle lit des documents au contenu douteux.

— Je veux croire que le contenu de la Bible n'a rien de douteux, à vos yeux.

— Certainement pas. Je fais allusion à son dossier de filiations des Archives généalogiques. Il lui aura donné des idées dangereuses.

— Elle n'a pas accès aux Archives généalogiques des filiations.

— Quelqu'un a dû lui procurer son dossier. Je l'ai vu par hasard sur son bureau.

— Qui aurait fait ça sans mon autorisation ? Je dois ouvrir une enquête ; qu'est-ce que cette insubordination ? Je ne peux l'accepter. Néanmoins, je suis sûre que Tante Victoria possède aujourd'hui les moyens de résister à des idées dangereuses. Même si elle vous paraît très juvénile, je pense qu'elle a acquis une maturité et une force mentale admirables.

— En façade seulement. Sa théologie est très aléatoire. Sa conception de la prière aberrante. Enfant, elle était frivole et récalcitrante pour ce qui touchait à ses devoirs scolaires, surtout pour les travaux manuels. En plus, sa mère était…

— Je sais qui était sa mère. On peut en dire autant d'un grand nombre de nos très respectées jeunes Épouses, descendantes biologiques de Servantes. Or on n'hérite pas nécessairement de ce type de dégénérescence. Sa mère adoptive était un modèle de droiture et de patiente souffrance.

— C'est vrai de Tabitha, a reconnu Tante Vidala. Toutefois, la mère de naissance de Tante Victoria constitue un cas particulièrement flagrant, nous le savons. Non seulement elle a négligé ses devoirs, abandonné son affectation et défié ceux qui détenaient une Autorité divine sur elle, mais c'est elle la principale responsable de l'enlèvement de Bébé Nicole.

— C'est de l'histoire ancienne, Vidala. Notre mission est de racheter, pas de condamner sur des bases purement contingentes.

— Pour ce qui est de Victoria, certainement ; il n'empêche que sa mère devrait être découpée en douze morceaux.

— Sans aucun doute.

— D'après une rumeur crédible, elle travaillerait pour les services de renseignements de Mayday au Canada, en plus de toutes ses trahisons.

— On ne gagne pas à tous les coups.

— Quelle drôle de façon de formuler les choses, a protesté Tante Vidala. On ne parle pas de sport.

— Que vous êtes gentille de me soumettre votre conception de ce qu'est un discours acceptable. Quant à votre perception de Victoria, c'est à l'usage que nous en jugerons. Je suis sûre qu'elle accomplira sa mission de Perle de façon très satisfaisante.

— Nous verrons, m'a répondu Tante Vidala avec un demi-sourire. Maintenant, si elle fait défection, rappelez-vous, je vous prie, que je vous avais alertée. »

La suivante à débarquer a été Tante Helena, haletante d'avoir fait le trajet de la bibliothèque à mon bureau en boitillant. Ses pieds la tourmentent de plus en plus.

« Tante Lydia, m'a-t-elle dit. J'estime que vous devriez savoir que Tante Victoria a lu son dossier de filiations des Archives généalogiques sans autorisation. Compte tenu de sa mère biologique, c'est terriblement imprudent.

— Tante Vidala vient de m'en informer, ai-je répondu. Elle partage votre point de vue sur la fragilité morale de Tante Victoria. Mais Tante Victoria a été bien élevée et a bénéficié de la meilleure éducation qui soit dans une de nos excellentes Écoles Vidala. Souscrivez-vous à la théorie selon laquelle l'inné l'emporte sur l'acquis ? Auquel cas, la faute originelle d'Adam s'impo-sera en chacun de nous quels que soient les efforts rigoureux que nous pourrons déployer pour l'éradiquer et notre projet Galaad sera alors voué à l'échec, hélas !

— Oh, sûrement pas ! Ce n'est pas ce que je voulais insinuer, s'est écriée Helena, inquiète.

— Vous-même avez lu le dossier de filiations d'Agnes Jemima ?

— Oui, il y a des années. À l'époque, cette lecture était réservée aux Tantes Fondatrices.

— Nous avions pris la décision qui convenait. S'il avait été de notoriété publique que Bébé Nicole était la demi-sœur de Tante Victoria, celle-ci en aurait beaucoup souffert dans son développement. Je crois aujourd'hui que, s'ils avaient été au courant de ce lien de parenté, cer-tains des éléments les moins scrupuleux de Galaad auraient pu se servir d'elle comme monnaie d'échange pour tenter de remettre la main sur Bébé Nicole.

— Je n'avais pas pensé à ça, a avoué Tante Helena. Vous avez raison, bien sûr.

— Peut-être cela vous intéressera-t-il d'apprendre que Mayday est au courant de leur relation familiale ; il y a un moment que Bébé Nicole est entre leurs pattes. Étant donné la mort brutale de ses parents adoptifs, dans une explosion, ai-je précisé, on pense qu'ils cherchent peut-être à la réunir à sa dégénérée de mère.

Tante Helena a tordu ses petites mains griffues.

« Mayday est sans pitié, ils n'hésiteraient pas à la confier à une personne capable de n'importe quelle tur-pitude, ni même à sacrifier une jeune vie innocente.

— Bébé Nicole ne risque rien.

— Loué soit-Il !

— Même si elle ignore toujours qu'elle est Bébé Nicole. Nous espérons néanmoins la voir bientôt prendre la place qui lui revient de droit à Galaad. Une possibilité se dessine à présent.

— Je me réjouis d'entendre ça. Mais, si vraiment elle arrivait parmi nous, il nous faudrait procéder prudemment quant à sa véritable identité, a ajouté Tante Helena. Et la lui annoncer avec ménagement. De telles révélations sont à même de déstabiliser un esprit vulnérable.

— C'est exactement ce que je pense. D'ici là, j'aimerais que vous observiez les mouvements de Tante Vidala. Je crains que ce ne soit elle qui ait placé le dossier de filiations entre les mains de Tante Victoria; dans quel but, je ne peux l'imaginer. Peut-être espère-t-elle que Tante Victoria cède au désespoir après avoir découvert sa parenté dégénérée, qu'elle sombre dans un état spirituel instable et commette une fâcheuse imprudence.

— Vidala ne l'a jamais aimée, a déclaré Tante Helena. Même quand elle était à l'école. »

Elle s'est éloignée en boitant, heureuse de s'être vu attribuer une mission.

J'étais au Café Schlafly, en train de prendre mon infusion à la menthe de fin d'après-midi, quand Tante Elizabeth a déboulé précipitamment.

« Tante Lydia ! a-t-elle gémi. Des agents de l'Œil et des Anges sont entrés à Ardua Hall ! On aurait juré une invasion ! Vous n'avez pas validé cette démarche ?

— Calmez-vous, lui ai-je ordonné alors que mon propre cœur battait à tout rompre. Où sont-ils allés exactement ?

— À l'imprimerie. Ils ont confisqué toutes les brochures de nos Perles. Tante Wendy a protesté, et je suis au regret de vous annoncer qu'elle a été arrêtée. Ils ont même posé les mains sur elle ! a-t-elle précisé en frissonnant.

— C'est du jamais-vu ! me suis-je exclamée en me relevant. Je vais immédiatement demander un rendez-vous au Commandant Judd.»

J'ai filé à mon bureau avec l'intention d'utiliser la ligne rouge, mais je n'en ai pas eu besoin : Judd y était arrivé avant moi. Il avait simplement dû débarquer en prétextant une urgence. Autant pour le sacro-saint respect de la séparation de nos sphères dont nous étions convenus.

«Tante Lydia. J'ai eu le sentiment que je vous devais d'expliquer mon intervention.»

Il ne souriait pas.

«Je suis sûre que vous avez une excellente raison, ai-je dit en m'autorisant un peu de froideur dans la voix. L'Œil et les Anges ont sérieusement dépassé les limites de la décence, sans parler de celles de l'usage et de la loi.

— Tout cela pour préserver votre réputation, Tante Lydia. Puis-je m'asseoir ?»

Je lui ai désigné le siège. Nous nous sommes assis.

«Après de nombreuses impasses, nous sommes arrivés à la conclusion que les micropoints dont je vous avais parlé avaient dû circuler entre Mayday et un contact inconnu ici à Ardua Hall par le biais involontaire des brochures des Perles.»

Il s'est interrompu pour observer ma réaction.

«Vous me stupéfiez ! me suis-je exclamée. Quelle effronterie !»

Comment se fait-il qu'il leur ait fallu si longtemps ? me demandais-je en moi-même. Mais, bon, les micropoints sont extrêmement petits, et qui aurait l'idée de soupçonner notre matériel de recrutement, si séduisant, si orthodoxe ? À n'en pas douter, l'Œil a perdu beaucoup de temps à contrôler chaussures et sous-vêtements.

«Vous avez des preuves ? Et, en ce cas, quelle est la brebis galeuse de notre bergerie ?

— Nous avons fait une descente à l'imprimerie d'Ardua Hall et arrêté Tante Wendy pour l'interroger.

Ça paraissait être la voie la plus directe pour arriver à la vérité.

— Je ne peux pas croire que Tante Wendy soit impliquée. Cette femme est incapable de concevoir pareil scénario. Mentalement, c'est une gamine. Je vous conseille de la relâcher sur-le-champ.

— C'est la conclusion à laquelle nous sommes arrivés. Elle se remettra du choc à la clinique Douceur & Langueur.»

Quel soulagement pour moi. Pas de douleur, sauf s'il le faut. Mais s'il le faut, douleur. Tante Wendy est une idiote utile, au demeurant aussi inoffensive qu'un petit pois.

«Qu'avez-vous découvert? ai-je demandé. Y avait-il des micropoints, comme vous les appelez, sur les brochures qui viennent d'être imprimées?

— Non, en revanche une inspection des brochures récemment revenues du Canada nous a fourni plusieurs micropoints renfermant des cartes et d'autres éléments que Mayday avait dû leur annexer. Le traître, qui se cache parmi nous, s'est sûrement rendu compte, après l'élimination du Chien habillé à l'autre bout de la chaîne, que la filière était obsolète, et il a cessé d'orner les brochures des Perles avec des informations classifiées sur Galaad.

— Il y a longtemps que j'ai des doutes sur Tante Vidala, ai-je déclaré. Tante Helena et Tante Elizabeth ont, elles aussi, l'autorisation d'accéder à l'imprimerie, et c'est toujours moi qui remettais les nouvelles brochures aux Perles en partance. Je devrais donc faire partie des suspects, moi aussi.»

Le Commandant Judd a souri.

«Tante Lydia, même en un moment pareil, il faut que vous placiez vos petites blagues. D'autres aussi y ont eu accès: il y a eu plusieurs apprentis imprimeurs. Mais nous n'avons trouvé aucune preuve de malfaisance de leur part et, pour le cas qui nous occupe, un succédané de coupable ne suffira pas. Pas question que nous laissions courir le véritable responsable.

— Donc nous restons dans le noir.

— Malheureusement. Très malheureusement pour moi et par conséquent pour vous aussi, Tante Lydia. Ma cote auprès du Conseil s'effondre rapidement : je leur avais promis des résultats. Je sens qu'on me bat froid, qu'on me salue sèchement. Je détecte les symptômes d'une purge imminente : vous et moi serons accusés d'un laxisme frisant la trahison pour avoir laissé Mayday nous damer le pion sous notre nez, ici à Ardua Hall.

— La situation est critique, ai-je reconnu.

— Il y a un moyen de nous sauver. Nous devons présenter Bébé Nicole au plus vite et l'exposer largement. Télévision, affiches, grand rassemblement populaire.

— Je vois les avantages de la chose.

— Ce serait même encore plus percutant si je pouvais annoncer ses fiançailles avec moi, et diffuser la cérémonie de mariage qui s'ensuivrait. Nous en deviendrions intouchables, vous et moi.

— Génial, comme toujours. Néanmoins vous êtes marié.

— Comment va la santé de mon Épouse ? m'a-t-il demandé en haussant les sourcils en une mimique de reproche.

— Mieux que ça n'allait, mais pas aussi bien que ça pourrait l'être. »

Comment a-t-il pu avoir le toupet d'utiliser de la mort-aux-rats ? Même en petite quantité, c'est tellement facile à déceler. Et Shunammite a beau avoir été une écolière bien désagréable, je n'ai pas envie qu'elle rejoigne la chambre mortuaire des défuntes femmes de Judd-Barbe Bleue. Elle va mieux, c'est vrai ; cependant, la terreur qu'elle éprouve à l'idée de retourner dans les bras aimants de Judd freine ses progrès.

« Je crains qu'elle ne fasse une rechute. »

Il a soupiré.

«Je vais prier pour qu'elle soit enfin libérée de ses souffrances.

— Et je suis sûre que vos prières seront bientôt entendues.»

Nous nous sommes regardés, de part et d'autre de mon bureau.

«D'ici combien de temps? n'a-t-il pu s'empêcher de demander.

— Très bientôt.»

XXII.

UNE PEUR BLEUE

Transcription des déclarations du témoin 369A

60.

Deux jours avant que Becka et moi recevions nos colliers de Perles, Tante Lydia est passée à l'improviste alors que nous faisions nos prières du soir. Becka a ouvert la porte.

« Oh, Tante Lydia, a-t-elle balbutié, un peu désemparée. Loué soit-Il.

— Aie la gentillesse de te reculer et de refermer la porte derrière moi. Je suis pressée. Où est Nicole ?

— À l'étage, Tante Lydia », ai-je répondu.

Nicole avait l'habitude de quitter la pièce pour faire ses exercices physiques pendant que Becka et moi récitions nos prières.

« Appelle-la, s'il te plaît. Il y a urgence. »

Tante Lydia avait une respiration plus rapide que d'ordinaire.

« Vous allez bien, Tante Lydia ? a demandé Becka avec inquiétude. Voulez-vous un verre d'eau ?

— Ne t'en fais pas. »

Nicole est entrée dans la pièce.

« Tout va bien ? a-t-elle lancé.

— En fait, non. Nous sommes dans une très mauvaise passe. Le Commandant Judd vient de faire une descente dans notre imprimerie pour y rechercher des preuves de trahison. Bien qu'il ait énormément tourmenté

Tante Wendy, il n'a rien trouvé de compromettant, mais il a, hélas ! appris que Jade n'était pas le vrai prénom de Nicole. Il a découvert qu'elle était Bébé Nicole et compte l'épouser dès que possible afin d'accroître son prestige personnel. Il veut que le mariage soit retransmis en direct à la télévision de Galaad.

— Merde, merde et merde, a protesté Nicole.

— Surveille ton langage, s'il te plaît, lui a ordonné Tante Lydia.

— Ils ne peuvent pas m'obliger à l'épouser, a gémi Nicole.

— D'une manière ou d'une autre, ils le feront, a dit Becka, soudain très pâle.

— C'est terrible », ai-je murmuré.

Vu le dossier que j'avais lu sur le Commandant Judd, c'était pire que ça : c'était une condamnation à mort.

« Qu'est-ce qu'on peut faire ?

— Il faut que vous partiez demain, Nicole et toi. Le plus tôt possible. Il ne sera pas possible d'emprunter un avion diplomatique de Galaad ; Judd l'apprendrait et le stopperait. Vous devrez prendre un autre moyen de transport.

— Mais on n'est pas prêtes, ai-je protesté. On n'a ni nos perles ni nos robes, pas d'argent canadien ni de brochures, et pas de sacs à dos argent.

— Je vous apporterai les affaires nécessaires plus tard dans la nuit. J'ai déjà fait établir un laissez-passer où Nicole apparaît sous l'identité de Tante Immortelle. Malheureusement, je n'aurai pas le temps de reprogrammer le séjour de Tante Immortelle à la maison de retraite. De toute façon, cette supercherie n'aurait peut-être pas tenu bien longtemps.

— Tante Helena va remarquer l'absence de Nicole, ai-je déclaré. Elle compte toujours le nombre de présents. Et elles vont se demander pourquoi Becka – pourquoi Tante Immortelle – est toujours ici.

— En effet, a reconnu Tante Lydia. Je dois donc te demander un service particulier, Tante Immortelle. S'il te plaît, cache-toi pendant quarante-huit heures au moins après le départ des deux autres. Dans la bibliothèque, peut-être ?

— Non, pas là. Il y a trop de livres et pas assez de place pour une personne.

— Je suis sûre que tu auras une idée, a poursuivi Tante Lydia. Toute notre mission, sans parler de la sécurité de Tante Victoria et de Nicole, repose sur toi. C'est une énorme responsabilité – un Galaad nouveau ne sera possible que grâce à ton entremise ; et tu ne voudrais pas que les autres soient prises et pendues.

— Non, Tante Lydia, a murmuré Becka.

— Fais travailler tes méninges, a continué Tante Lydia d'un ton enjoué. Utilise ton intelligence !

— Vous lui en collez trop sur les épaules, a lancé Nicole à Tante Lydia. Pourquoi je ne partirais pas toute seule ? Comme ça, Tante Immortelle et Agnes – Tante Victoria – pourront entamer leur voyage ensemble au moment voulu.

— Ne sois pas stupide, ai-je protesté. C'est impossible. Tu serais immédiatement arrêtée. Les Perles vont toujours par deux et, même si tu n'as pas l'uniforme, une fille de ton âge ne circulerait jamais seule.

— Il faudrait qu'on fasse croire que Nicole a fait le Mur, a suggéré Becka. Du coup, elles ne chercheront pas dans Ardua Hall. De mon côté, je me cacherai quelque part à l'intérieur.

— Quelle brillante idée, Tante Immortelle, s'est écriée Tante Lydia. Peut-être Nicole consentira-t-elle à écrire un mot pour dire qu'elle n'est pas faite pour devenir Tante, personne n'aura de mal à la croire. Puis elle peut prétendre s'être enfuie avec un homme Écono – un employé de bas niveau qui se serait chargé de réparations pour nous –, lui ayant promis le mariage et une famille. Une telle intention témoignerait au moins d'un admirable désir de procréer.

— Tu parles! Mais pas de problème, a répondu Nicole.

— Pas de problème, qui? l'a reprise Tante Lydia d'un ton acerbe.

— Pas de problème, Tante Lydia. Je vais écrire ce mot.»

À dix heures du soir, une fois la nuit tombée, Tante Lydia a réapparu à la porte, chargée d'un gros sac en tissu noir. Becka l'a fait entrer.

«Soyez bénie, Tante Lydia.»

Tante Lydia n'a même pas pris la peine de la saluer courtoisement.

«J'ai apporté tout ce qu'il vous faut. Vous sortirez par la porte Est à 6 h 30 précises demain matin. Une voiture noire vous attendra à droite du portail. Elle vous mènera à Portsmouth, dans le New Hampshire, où vous prendrez un car. Voici une carte, votre itinéraire est marqué dessus. Descendez au X. Les mots de passe sur place sont "jour de mai" et "lune de juin". Votre contact vous conduira à votre prochaine destination. Nicole, si vous réussissez cette mission, tu sauras qui a assassiné tes parents adoptifs, même si les coupables risquent de ne pas être incriminés tout de suite. Je peux aussi vous dire maintenant que, si vous parvenez à rejoindre le Canada en dépit des obstacles que nous connaissons, il se peut fort que vous retrouviez votre mère. Elle est au courant de cette possibilité depuis un moment.

— Oh, Agnes. Loué soit-Il – ce serait merveilleux, a balbutié Becka d'une petite voix. Pour vous deux.

— Je vous suis vraiment reconnaissante, Tante Lydia, ai-je dit à mon tour. Il y a si longtemps que je prie pour un tel dénouement.

— J'ai dit "si vous réussissez". C'est un grand *si*, a rétorqué Tante Lydia. Ce n'est pas gagné d'avance. Excusez-moi.»

Elle a jeté un coup d'œil autour d'elle, puis s'est laissée choir lourdement sur le canapé.

« Je vais vous embêter et vous demander ce fameux verre d'eau que vous m'aviez proposé. »

Becka est allée le lui chercher.

« Vous allez bien, Tante Lydia ? ai-je demandé.

— Ce sont les petites infirmités de l'âge. J'espère que vous vivrez suffisamment longtemps pour en profiter. Encore une chose. Le matin, Tante Vidala a l'habitude de s'offrir une promenade du côté de ma statue. Si elle vous surprend – habillées en Perles, comme vous le serez –, elle essaiera de vous arrêter. Il vous faudra agir vite, avant qu'elle n'ait le temps de faire du tapage.

— Mais que faudrait-il qu'on fasse ? me suis-je écriée.

— Vous êtes fortes, a dit Tante Lydia, les yeux rivés sur Nicole. La force est un don. Il faut se servir de ses dons.

— Vous voulez dire que je dois la frapper ? a suggéré Nicole.

— C'est une façon extrêmement directe de formuler la chose », a résumé Tante Lydia.

Après le départ de Tante Lydia, nous avons ouvert le sac en tissu noir. Il contenait les deux robes, les deux colliers de perles, les deux chapeaux blancs, les deux sacs à dos argent ; ainsi qu'un paquet de brochures, une enveloppe avec quelques tickets alimentaires de Galaad, une liasse de billets de banque canadiens et deux cartes de crédit ; plus deux laissez-passer pour nous permettre de franchir portails et checkpoints. Et aussi deux billets d'autocar.

« Je crois que je vais scribouiller mon petit mot et aller me coucher, nous a annoncé Nicole. À demain. »

Elle faisait la fière, l'insouciante, mais j'ai bien vu qu'elle était nerveuse.

Une fois Nicole éloignée, Becka m'a dit :

« J'aimerais tellement partir avec vous.

— Moi aussi, j'aimerais que tu viennes. Mais tu vas nous aider. Tu vas nous protéger. Et je trouverai un moyen de te faire sortir après, je te le promets.

— Je ne pense pas qu'il y en ait, m'a répondu Becka. Mais je prie pour que tu aies raison.

— Tante Lydia a dit quarante-huit heures. Soit deux jours seulement. Si tu arrives à te cacher aussi longtemps...

— Je sais où. Sur le toit. Dans le réservoir.

— Non, Becka ! C'est trop dangereux !

— Oh, je ferai couler l'eau d'abord. Dans la baignoire de la Porte C.

— Elles vont s'en apercevoir, Becka. Aux Portes A et B. S'il n'y a plus d'eau. On partage le même réservoir.

— Au début, elles ne s'apercevront de rien. Normalement, on ne prend pas de bains ni de douches de si bonne heure.

— Ne fais pas ça, ai-je insisté. Je pourrais ne pas partir, hein, pourquoi pas ?

— Tu n'as pas le choix. Si tu restes ici, que deviendra Nicole ? Et Tante Lydia n'aimerait pas qu'ils t'interrogent et te forcent à révéler son plan. Sinon Tante Vidala voudrait t'interroger, et ce serait la fin.

— Tu veux dire qu'elle me tuerait ?

— Au bout du compte, oui. Ou quelqu'un d'autre s'en chargerait. C'est ce qu'ils font.

— Il doit bien y avoir un moyen de t'emmener avec nous, ai-je insisté. On pourrait te dissimuler dans la voiture ou...

— Les Perles ne voyagent qu'à deux. Sans exception. On n'irait pas loin. Je t'accompagnerai par la pensée.

— Merci, Becka. Tu es une sœur pour moi.

— Je penserai à vous comme à deux oiseaux qui s'enfuient à tire-d'aile. " Un oiseau emportera la voix. "

— Je prierai pour toi. »

Ça m'a paru bien mince.

«Et moi pour toi.»

Elle a eu un vague sourire.

«Je n'ai jamais aimé personne d'autre que toi.

— Moi aussi, je t'aime.»

Puis on s'est enlacées et on a un peu pleuré.

«Repose-toi, m'a conseillé Becka. Tu auras besoin de forces demain.

— Toi aussi.

— Je ne me coucherai pas. Je vais passer la nuit en prières pour toi.»

Elle est allée à sa chambre et a refermé doucement la porte.

61.

Le lendemain matin, Nicole et moi sommes sorties discrètement par la Porte C. Les nuages à l'est affichaient des nuances roses et or, les oiseaux pépiaient, l'atmosphère matinale était encore très fraîche. Il n'y avait personne alentour. On a remonté sans bruit et d'un pas vif l'allée qui passait devant Ardua Hall en direction de la statue de Tante Lydia. Juste comme on y arrivait, Tante Vidala a surgi, d'un pas résolu, au coin du bâtiment adjacent.

«Tante Victoria! s'est-elle écriée. Pourquoi as-tu mis cette robe? La prochaine Action de Grâce n'aura lieu que dimanche!»

Elle a jeté un regard aiguisé sur Nicole.

«Et qui donc t'accompagne? C'est la nouvelle! Jade! Elle n'est pas censée...»

Elle a tendu le bras et tiré sur le rang de perles de Nicole, qui a cassé.

Nicole a fait quelque chose avec son poing. Ça s'est passé si vite que je n'ai quasiment rien vu, mais elle a frappé Tante Vidala à la poitrine. Tante Vidala s'est écroulée. Elle avait le visage terreux, les yeux clos.

«Oh non..., j'ai bredouillé.

— Aide-moi», m'a ordonné Nicole.

Elle a saisi Tante Vidala par les pieds, l'a traînée jusqu'à la statue, puis elle l'a cachée derrière le piédestal.

« Croisons les doigts, a-t-elle marmonné. Allons-y. »

Et elle m'a attrapée par le bras.

Il y avait une orange par terre. Nicole l'a ramassée et l'a fourrée dans la poche de sa robe de Perle.

« Elle est morte ? ai-je chuchoté. Tante Vidala ?

— Sais pas. Allez, il faut se magner. »

Arrivées au portail, on a présenté nos laissez-passer, et les Anges nous ont autorisées à sortir.

De la main, Nicole serrait le col de son manteau afin que personne ne remarque qu'elle n'avait pas ses perles. Un peu plus loin dans la rue, sur la droite, une voiture noire attendait, conformément à ce que nous avait annoncé Tante Lydia. Le chauffeur n'a pas tourné la tête lorsque nous sommes montées.

« Prêtes, mesdames ? »

J'ai répondu : « Oui, merci », mais Nicole a ajouté : « On n'est pas des dames. »

Je lui ai flanqué un coup de coude.

« Ne lui parle pas comme ça, ai-je chuchoté.

— C'est pas un vrai Gardien, a-t-elle protesté. Tante Lydia n'est pas crétine. »

Elle a sorti l'orange de sa poche et s'est mise à la peler. L'odeur fraîche du fruit a embaumé l'air.

« T'en veux ? m'a-t-elle proposé. Je t'en donne la moitié.

— Non, merci. Ce n'est pas bien de la manger. »

Après tout, c'était une sorte d'offrande. Elle a mangé toute l'orange.

Elle va faire une bourde, ai-je pensé. Quelqu'un s'en apercevra. Elle va nous faire arrêter.

62.

.

Je regrettais d'avoir flanqué un coup de poing à Tante Vidala ; cela dit, pas tant que ça : si je l'avais pas cognée, elle aurait braillé et on nous aurait interceptées. Malgré tout, mon cœur battait méchamment. Et si je l'avais tuée pour de bon ? En tout cas, dès qu'ils l'auraient trouvée, morte ou vive, ils se lanceraient à notre poursuite. On était dans la mouise jusqu'au cou, comme aurait dit Ada.

Pendant ce temps, Agnes jouait les offensées, elle ne disait rien mais pinçait la bouche à la façon des Tantes quand elles veulent te faire comprendre que tu as franchi une limite. Ça devait être l'orange. Peut-être que je n'aurais pas dû la ramasser. Puis une pensée désagréable m'a traversé l'esprit : les chiens. Les oranges, ça sent vraiment fort. J'ai commencé à me demander ce que j'allais faire des peaux. Ça m'a tracassée.

Mon bras gauche me démangeait de nouveau, autour du *i* de DIEU. Pourquoi ça mettait autant de temps à cicatriser ?

Quand Tante Lydia m'avait collé le micropoint dans le bras, je m'étais dit que son plan était génial, mais maintenant je ne trouvais plus l'idée aussi bonne. Si mon corps et le message ne faisaient qu'un, que se passerait-il si mon corps ne réintégrait pas le Canada ? Difficile de me couper le bras pour l'envoyer par la poste.

Notre voiture a franchi plusieurs contrôles routiers – passeports, Anges nous scrutant à travers la vitre pour s'assurer que c'était bien nous –, mais Agnes m'avait priée de laisser le chauffeur parler, ce qu'il a fait : les Perles blablabla, qu'on était héroïques, et quels sacrifices on accomplissait. À un des postes de contrôle, l'Ange nous a lancé : « Bonne chance pour votre mission. » À un autre – un peu plus loin en dehors de la ville –, ils ont blagué entre eux.

« Espérons qu'elles ramènent pas des boudins ou des putes.

— C'est fromage ou dessert. »

Rires des deux Anges de service.

Agnes a posé la main sur mon bras.

« Ne dis rien. »

Quand on s'est retrouvées dans la campagne et qu'on a pris l'autoroute, le chauffeur nous a remis deux sandwiches au simili-fromage de Galaad.

« Je présume que c'est le petit déjeuner, j'ai lancé à Agnes. Un toast au caca de doigts de pied.

— Nous devrions remercier le Seigneur », a déclaré Agnes de sa pieuse voix de Tante.

Elle devait donc être encore énervée. Ça me faisait toujours bizarre de penser que c'était ma sœur ; on était tellement différentes. Mais j'avais pas vraiment eu l'occasion de réfléchir à tout ça.

« Je suis heureuse d'avoir une sœur, ai-je dit pour faire la paix.

— Moi aussi. Et je remercie le Seigneur. »

Elle m'a pas paru si ravie que ça.

« Je remercie le Seigneur aussi », ai-je ajouté.

Et ça a été la fin de cette conversation. J'ai envisagé de lui demander combien de temps on allait devoir continuer comme ça, avec cette façon de parler à la

Galaad – est-ce qu'on pouvait pas arrêter et se comporter avec naturel maintenant qu'on s'était tirées ? Mais, bon, peut-être que pour elle c'était naturel. Peut-être qu'elle connaissait rien d'autre.

À Portsmouth, dans le New Hampshire, notre chauffeur nous a déposées à la gare routière.

« Bonne chance, les filles, nous a-t-il dit. Faites-leur vivre l'enfer ! »

« Tu vois ? C'est pas un vrai Gardien, ai-je remarqué en espérant pousser Agnes à sortir de son silence.

— Bien sûr que non. Un vrai Gardien n'évoquerait jamais l'enfer. »

La gare routière était vieille et en ruine, les toilettes pour femmes une vraie usine à bactéries, et il n'y avait pas d'endroit où échanger nos tickets alimentaires de Galaad contre un truc mangeable. Je me suis félicitée d'avoir ramassé l'orange. Habituée aux cochonneries qui passaient pour de la nourriture à Galaad, Agnes n'était en revanche pas chochotte, elle a donc acheté un truc qui ressemblait vaguement à un beignet avec deux de nos tickets.

Les minutes s'écoulaient, et le stress me gagnait. On a attendu et attendu, puis finalement un car s'est pointé. Quand on est montées, des gens à bord nous ont adressé un signe de tête, comme ils auraient fait devant des militaires : un petit salut du chef. Une Épouse Écono plus âgée nous a même dit : « Que Dieu vous bénisse. »

Une quinzaine de kilomètres plus loin, on est tombées sur un nouveau poste de contrôle, mais là, les Anges se sont montrés super polis avec nous. L'un d'eux a déclaré : « Vous êtes très courageuses d'aller à Sodome. » Si j'avais été moins terrifiée, j'aurais peut-être pouffé de rire – vu combien le Canada était rasoir et banal, l'idée qu'on puisse le comparer à Sodome était tordante. Tu parles qu'on se tapait une orgie nationale non-stop !

Agnes m'a pressé la main pour m'indiquer qu'elle se chargeait de lui répondre. Elle avait l'art, acquis à Ardua Hall, de garder un visage neutre et impassible.

« Nous ne faisons que servir Galaad », a-t-elle déclaré dans le style d'automate prude typique des Tantes, et l'Ange a répliqué : « Loué soit-Il. »

La route était maintenant plus accidentée. Ils avaient dû réserver leur budget entretien à des voies plus fréquentées : étant donné que les échanges avec le Canada étaient pratiquement interrompus, qui aurait voulu se rendre dans le nord de Galaad à part les gens qui y vivaient ?

Le car n'était pas plein ; tous les passagers étaient des Écono. On suivait la route touristique, celle qui longeait la côte en serpentant, mais elle n'était pas si touristique que ça. Il y avait des tas de motels et de restaurants fermés, et plus d'un grand homard cramoisi et souriant à moitié décati.

À mesure qu'on progressait vers le nord, la gentillesse s'est dissipée : nous avons eu droit à des regards mauvais et j'ai eu le sentiment que la popularité de notre mission de Perles, et même de tout le fourbi Galaad, battait de l'aile. Personne nous a craché dessus, mais à en juger par les mines renfrognées autour de nous, il aurait pu y avoir des amateurs.

Je m'interrogeais sur la distance qu'on avait couverte. Agnes avait la carte où Tante Lydia avait marqué notre itinéraire, mais j'avais pas envie de lui demander de la sortir : si on la consultait toutes les deux, ça ferait louche. Le car roulait lentement et mon inquiétude grandissait : dans combien de temps allait-on remarquer qu'on n'était plus à Ardua Hall ? Allait-on gober mon mot bidon ? Lanceraient-ils une alerte en amont de notre trajet afin d'installer un barrage routier et d'arrêter le car ? On attirait tellement l'attention.

Puis on a pris une déviation et on s'est retrouvées sur une route à une voie, et Agnes a commencé à se tordre les mains. Je lui ai collé un coup de coude.

« Il faut qu'on ait l'air sereines, d'accord ? »

Elle m'a lancé un sourire malheureux et a posé ses mains jointes sur ses genoux ; je l'ai sentie inspirer à fond, puis expirer lentement. On t'enseignait un certain nombre de techniques utiles à Ardua Hall, dont la maîtrise de soi. *Celle qui ne peut se maîtriser ne peut maîtriser le chemin du devoir. Ne luttez pas contre les vagues de colère. Mais utilisez votre colère pour alimenter votre énergie. Inspirez. Soufflez. Évitez. Contournez. Déviez.*

J'aurais jamais été fichue de devenir une vraie Tante.

Il était à peu près cinq heures de l'après-midi quand Agnes m'a annoncé :

« On descend ici.

— C'est la frontière ? »

Elle a répondu que non, c'était là qu'on devait rencontrer notre prochain contact. On a récupéré nos sacs à dos dans le compartiment à bagages et on est descendues du car. Malgré les devantures barricadées et les fenêtres pulvérisées partout, la ville comptait une station-service et une supérette miteuse.

« C'est encourageant, ai-je marmonné sombrement.

— Suis-moi et tais-toi », m'a demandé Agnes.

L'intérieur de la supérette sentait le toast brûlé et les pieds. Il n'y avait pratiquement rien sur les étagères, à part une rangée d'aliments non périssables dont on avait barré les noms : conserves, biscuits salés ou gâteaux secs. Agnes s'est approchée du comptoir à café – rouge, équipé de tabourets de bar – et s'est assise, alors j'ai fait pareil. Le serveur était un homme Écono d'âge mûr, court sur pattes et boulot. Au Canada, ç'aurait été une femme d'âge mûr, courte sur pattes et boulotte.

« Oui ? » a fait le type.

À l'évidence, nos tenues de Perles ne l'impressionnaient pas.

« Deux cafés, s'il vous plaît », a dit Agnes.

Il a rempli deux tasses et les a poussées sur le comptoir. Le café avait dû mitonner toute la journée, parce que c'était le pire que j'avais jamais bu, pire même qu'à Tapiz. J'ai pas voulu vexer le gars en le buvant pas, alors j'ai versé un paquet de sucre dedans. Ça n'a rien arrangé.

« Il fait chaud pour un jour de mai, a fait Agnes.

— On n'est pas en mai.

— Bien sûr que non. Je me suis trompée. On a une lune de juin. »

Le gars s'est mis à sourire.

« Il faut que vous alliez aux toilettes. Toutes les deux. Passez par cette porte. Je vous la déverrouille. »

On a franchi la fameuse porte. C'étaient pas des toilettes, mais un appentis avec des filets à poissons, une hache cassée, un amoncellement de seaux et une porte de service.

« Comprends pas pourquoi il vous a fallu tout ce temps, a marmonné le type. Ce putain de car, il est toujours en retard. Tenez, vos nouvelles fringues. Il y a des torches. Fourrez vos robes dans ces sacs à dos. Je les balancerai plus tard. Je vous attends dehors. Faut se grouiller. »

Les vêtements comprenaient des jeans, des T-shirts longs, des chaussettes en laine et des chaussures de marche. Vestes écossaises, bonnets polaires, vestes imperméables. J'ai eu un peu de problèmes avec la manche gauche du T-shirt – un truc s'est pris dans le *i* de DIEU. J'ai lâché un « Bordel de merde », puis un « Désolée ». Je pense pas m'être jamais changée aussi vite, mais une fois débarrassée de ma robe argent et vêtue de ma nouvelle tenue, j'ai commencé à me sentir davantage moi-même.

63.

Les vêtements qu'on nous avait fournis m'ont paru extrêmement désagréables. Les sous-vêtements, très différents des modèles simples et résistants d'Ardua Hall, étaient à mon sens dépravés et glissaient trop sur la peau. Par-dessus, on avait des habits d'homme. Ça m'a dérangée de sentir ce tissu me râper la peau des cuisses sans qu'il y ait de jupon entre les deux. Porter ce type d'habits était un acte contre-nature et bafouait la loi de Dieu : l'an d'avant, un homme avait été pendu au Mur pour avoir mis les sous-vêtements de son Épouse. Elle l'avait pris sur le fait et dénoncé, conformément à son devoir.

« Il faut que je retire ça, ai-je confié à Nicole. Ce sont des habits d'homme.

— Pas du tout. C'est des jeans de femme. Ils ont pas la même coupe, et regarde les petits cupidons argent. C'est pour femme, il y a pas de doute.

— Ils ne croiraient jamais ça à Galaad. Je serais fouettée ou pire.

— Galaad, c'est pas là qu'on va. On a deux minutes pour rejoindre notre copain dehors. Alors serre les fesses.

— Pardon ? »

Par moments, je ne comprenais pas ce que disait ma sœur.

Elle a un peu rigolé.

«Ça veut dire : "sois courageuse".»

On va vers un pays où elle comprendra la langue, ai-je songé. Et moi pas.

L'homme avait un pick-up cabossé. On s'est serrés tous les trois sur la banquette avant. Il commençait à pleuvioter.

«Merci de tout ce que vous faites pour nous», ai-je dit.

Il a grogné.

«Je suis payé pour. Pour passer ma tête dans un nœud coulant. Je suis trop vieux pour ça.»

Le chauffeur avait dû boire pendant qu'on se changeait : je percevais une odeur d'alcool, qui m'a rappelé les dîners chez le Commandant Kyle quand j'étais petite. Rosa et Vera finissaient ce qui restait parfois dans les verres. Zilla, moins souvent.

Maintenant que je m'apprêtais à quitter Galaad pour toujours, Zilla, Rosa et Vera me manquaient, mon ancienne maison aussi, et Tabitha. Au cours de ces premières années, je n'avais pas été orpheline de mère, or j'avais à présent le sentiment de l'avoir été. Malgré sa dureté, Tante Lydia avait incarné une sorte de mère. Et je ne la reverrais plus. Elle nous avait dit, à Nicole et à moi, que notre vraie mère était vivante et qu'elle nous attendait au Canada, mais je me demandais si je n'allais pas mourir en route. Si c'était le cas, je ne la reverrais jamais dans cette vie. Pour l'instant, elle se résumait à une photo déchirée. Elle représentait une absence, une brèche en moi.

Malgré l'alcool, l'homme conduisait vite et bien. La route était sinueuse et glissante à cause de la bruine. Les kilomètres défilaient ; la lune était montée au-dessus des nuages et léchait d'argent la découpe noire de la cime des arbres. À l'occasion, il y avait une maison, soit plongée dans l'obscurité, soit un peu éclairée. J'ai fait un effort conscient pour réprimer mes inquiétudes ; puis je me suis endormie.

J'ai rêvé de Becka. Elle était là, à côté de moi à l'avant du pick-up. Je ne la voyais pas, et pourtant je savais qu'elle était là. Dans mon rêve, je lui ai dit : « Alors, tu es venue avec nous, finalement. Quel bonheur. » Mais elle ne m'a pas répondu.

64.

La nuit avançait en silence. Agnes dormait et le gars qui conduisait n'était pas, comme qui dirait, du genre bavard. Je suppose qu'il nous voyait comme une marchandise à livrer, et qui fait la causette à la marchandise ?

Au bout d'un moment, on s'est engagés sur une petite route étroite ; au loin, l'eau luisait. On s'est arrêtés à côté d'une sorte d'embarcadère privé. Là, dans un canot à moteur, quelqu'un était assis.

« Réveille-la, m'a lancé le chauffeur. Prenez vos affaires, c'est votre bateau. »

J'ai donné un petit coup dans les côtes à Agnes, qui s'est réveillée en sursaut.

« Debout là-dedans.

— Il est quelle heure ?

— L'heure du bateau. On y va.

— Bon voyage », a dit notre chauffeur.

Agnes a commencé à le remercier un peu plus, mais il l'a coupée. Il a ramassé nos nouveaux sacs à dos dans le pick-up, les a balancés dehors, et on n'était pas à mi-distance du canot qu'il avait déjà mis les bouts. Je nous éclairais le chemin avec ma lampe torche.

« Éteignez », m'a ordonné à mi-voix la personne dans le bateau.

C'était un homme, habillé d'une veste imperméable à capuche, mais il avait une voix jeune.

«On y voit sans problème. Faites doucement. Asseyez-vous sur le siège du milieu.

— C'est l'océan?» a demandé Agnes.

Il s'est marré.

«Pas encore. C'est le Penobscot. Vous arriverez à l'océan dans pas longtemps.»

C'était un moteur électrique très silencieux, et le canot s'est collé direct en plein milieu du fleuve; un croissant de lune se reflétait dans l'eau.

«Regarde, a chuchoté Agnes. Je n'ai jamais rien vu d'aussi beau! On dirait une traînée lumineuse!»

Là, je me suis sentie plus vieille qu'elle. On avait presque quitté Galaad maintenant, et les règles changeaient. Elle allait dans un endroit nouveau dont elle ignorait tout, alors que moi, je rentrais au pays.

«On est à découvert. Et si quelqu'un nous voit? j'ai demandé au pilote. Et si des gens les préviennent? L'Œil?

— Les gens du coin ne parlent pas aux agents de l'Œil. On n'aime pas les fouineurs.

— Vous êtes un contrebandier?» ai-je enchaîné en repensant à ce qu'Ada m'avait dit.

Ma sœur m'a balancé un coup de coude : ma grossièreté encore une fois. À Galaad, on évitait de poser des questions aussi directes.

«Les frontières…, m'a-t-il répondu dans un rire, ce sont des lignes sur une carte. Les choses circulent d'un endroit à l'autre, les gens aussi. Moi, je suis le livreur, point barre.»

Le fleuve s'élargissait de plus en plus. La brume montait; les berges devenaient floues.

«Le voilà», a enfin dit le pilote.

J'ai aperçu une ombre plus foncée, loin sur l'eau.

«Le *Nellie J. Banks*. Votre billet pour le paradis.»

XXIII.

Mur

Le Testament olographe d'Ardua Hall

65.

C'est la vieille Tante Clover et deux de ses jardinières septuagénaires qui ont découvert Tante Vidala, gisant dans un état comateux derrière ma statue. Les secours ont diagnostiqué un accident vasculaire cérébral, ce qu'ont confirmé nos médecins. La rumeur a vite fait le tour d'Ardua Hall, assortie d'échanges de hochements de tête affligés et de promesses de prières pour la guérison de Tante Vidala. Un collier de perles cassé a été récupéré à proximité : quelqu'un avait dû le laisser tomber, négligence déraisonnable. Je vais faire un mémo sur la nécessité d'observer la plus grande vigilance quant aux objets matériels que nous avons le devoir de préserver. Les perles, même artificielles, ne tombent pas du ciel, je dirai. Et elles ne sont pas faites pour les cochons non plus. Encore qu'il n'y ait pas de cochons à Ardua Halla, ajouterai-je d'un ton faussement pudique.

Je suis allée voir Tante Vidala en soins intensifs. Elle était couchée sur le dos, les yeux clos, un tuyau dans le nez, un autre dans le bras.

« Comment va notre chère Tante Vidala ? ai-je demandé à la Tante infirmière de service.

— Je prie pour elle, m'a répondu Tante Machinchose. (Je ne me rappelle jamais le nom des infirmières : c'est leur destinée.) Elle est dans le coma ; cela peut contribuer au processus de guérison. Il y a peut-être une paralysie. On craint que son élocution ne soit affectée.

— Si elle se remet, ai-je précisé.

— Lorsqu'elle sera remise, m'a reprise l'infirmière d'un ton lourd de reproche. Nous n'aimons pas formuler de remarques négatives lorsque nos patients sont à portée de voix. Ils peuvent paraître endormis, mais il est fréquent qu'ils soient pleinement conscients.»

Je suis restée assise à côté de Vidala jusqu'à ce que l'infirmière s'éloigne. Puis j'ai procédé à une rapide inspection du matériel pharmaceutique disponible. Fallait-il que j'augmente la dose d'anesthésiants? Que je trafique la tubulure alimentant son bras? Que je coupe son alimentation en oxygène? Je n'ai rien fait de tout ça. Je crois à l'effort, mais pas à l'effort inutile : Tante Vidala était très vraisemblablement en train de négocier elle-même son départ de ce monde. Avant de quitter les soins intensifs, j'ai néanmoins empoché un petit flacon de morphine, la prévoyance étant une vertu cardinale.

Nous nous installions à nos places pour déjeuner dans le réfectoire quand Tante Helena a fait remarquer l'absence de Tante Victoria et de Tante Immortelle.

«Je crois qu'elles jeûnent, ai-je dit. Je les ai aperçues hier, qui étudiaient la Bible dans la Salle de Lecture de la bibliothèque Hildegard. Elles espèrent y glaner des conseils pour leur prochaine mission.

— Méritoire, a déclaré Tante Helena sans pour autant cesser de compter discrètement les têtes présentes. Où est Jade, notre nouvelle convertie?

— Elle est peut-être souffrante? ai-je suggéré. Un souci féminin.

— Je vais voir, a décrété Tante Helena. Elle a peut-être besoin d'une bouillotte. Porte C, c'est ça?

— Que c'est gentil à vous! Oui. Je pense qu'elle occupe la chambre sous les combles, au troisième.»

Pourvu que Nicole ait laissé son mot d'explication bien en évidence, ai-je songé.

Tante Helena est revenue en grande hâte de sa visite à la Porte C, tout étourdie par la surexcitation que sa découverte lui avait causée : la jeune Jade avait fugué.

«Avec un plombier nommé Garth, nous a-t-elle confié. Elle prétend être amoureuse.

— Voilà qui est fâcheux, ai-je déclaré. Nous allons devoir retrouver le couple, le réprimander et nous assurer que le mariage a été correctement célébré. Cela étant, Jade est très rustre ; elle n'aurait pas fait une Tante respectable. Voyons les choses du bon côté : peut-être cette union contribuera-t-elle à l'accroissement de la population de Galaad.

— Mais comment a-t-elle pu rencontrer ce plombier ? s'est enquise Tante Elizabeth.

— La Porte A s'est plainte ce matin de manquer d'eau pour ses douches et baignoires, ai-je expliqué. Elles ont dû appeler ce monsieur. Manifestement, ça a été un coup de foudre. Les jeunes sont impulsifs.

— Personne à Ardua Hall n'est censé se doucher ou se baigner le matin, a protesté Tante Elizabeth. À moins que quelqu'un n'ait pas respecté le règlement.

— Ce n'est pas inenvisageable, malheureusement, ai-je dit. La chair est faible.

— Oh, oui, très faible, a renchéri Tante Helena. Mais comment a-t-elle franchi le portail ? Elle n'a pas de laissez-passer, elle n'aurait pas eu le droit.

— Les jeunes filles de cet âge sont très agiles, ai-je suggéré. Je suppose qu'elle a escaladé le Mur.»

On a poursuivi notre déjeuner – des sandwiches secs, un truc désastreux à base de tomates et un dessert de blanc-manger glaireux – et à la fin de notre humble repas, plus personne n'ignorait la fuite prématurée de la jeune Jade, ses prouesses acrobatiques dans l'escalade du Mur et le choix impétueux qui l'avait poussée à accomplir son destin de femme dans les bras d'un plombier Écono entreprenant.

XXIV.

LE *NELLIE J. BANKS*

66.

On a accosté le bateau. Il y avait trois silhouettes sombres sur le pont ; une lampe torche a brillé un bref instant. On a escaladé l'échelle de corde.

« Asseyez-vous sur le bastingage, balancez les pieds par-dessus », nous a ordonné une voix.

Quelqu'un m'a prise par le bras. Puis on s'est retrouvées debout sur le pont.

« Capitaine Mishimengo, a ajouté la voix. Entrez donc à l'intérieur. »

Un ronronnement discret s'est élevé et j'ai senti bouger le bateau.

On a pénétré dans une petite cabine avec des rideaux occultants aux fenêtres, des commandes et ce qui devait sans doute être un radar de navigation, même si je n'ai pas eu l'occasion de le regarder de près.

« Heureux que vous ayez réussi », a poursuivi le capitaine Mishimengo.

Il nous a serré la main ; il lui manquait deux doigts. Râblé, la soixantaine, il avait la peau tannée et une courte barbe brune.

« Bon, voici notre histoire, en supposant qu'on vous interroge : nous sommes à bord d'une goélette de pêche morutière, hybride solaire et mazout en secours. Pavillon de complaisance libanais. Nous venons de livrer une cargaison de morues et de citrons en vertu d'une licence spéciale, c'est-à-dire pour le marché gris, et maintenant nous repartons. Dans la journée, il faudra que vous restiez à l'abri des regards : mon contact m'a appris, par l'intermédiaire de Bert qui vous a déposées à l'embarcadère, qu'ils allaient forcément se lancer à votre recherche très bientôt. Vous avez un endroit où dormir dans la cale. En cas d'inspection, ce ne sera pas méchant, on connaît les gardes-côtes.»

Il s'est frotté deux doigts l'un contre l'autre, pour signifier, ce que je savais, qu'il y avait de l'argent en jeu.

«Vous avez quelque chose à manger ? j'ai demandé. On a pas avalé grand-chose de toute la journée.

— Entendu.»

Il nous a priées d'attendre, puis il est revenu avec deux tasses de thé et des sandwiches. Ils étaient au fromage, mais ce n'était pas le fromage de Galaad, c'était du vrai : du fromage de chèvre avec de la ciboulette, une variété que Melanie aimait bien.

«Merci», a murmuré Agnes.

J'avais déjà commencé à manger, mais j'ai marmonné des remerciements, la bouche pleine.

«Votre amie Ada vous passe le bonjour et vous dit à bientôt», m'a lancé le capitaine Mishimengo.

J'ai dégluti.

«Vous connaissez Ada ? Comment ça ?»

Il a éclaté de rire.

«Tout le monde est lié. En tout cas, par ici. Dans le temps, on allait chasser le chevreuil ensemble en Nouvelle-Écosse.»

On a descendu une échelle pour accéder à l'endroit où on devait dormir. Le capitaine Mishimengo nous précédait et allumait les lumières. Dans la cale, il y avait des congélateurs et de grosses boîtes oblongues en métal. Sur le côté d'une des boîtes, un crochet à levier et, à l'intérieur, deux sacs de couchage qui n'avaient pas l'air très propres : à mon avis, on était pas les premières à s'en servir. L'odeur de poisson était omniprésente.

« Tant qu'il n'y a pas de problèmes, vous pouvez laisser la boîte ouverte, nous a expliqué le capitaine Mishimengo. Dormez bien et faites de beaux rêves. »

On a entendu ses pas s'éloigner.

« C'est horrible, ai-je chuchoté à Agnes. La puanteur du poisson. Et ces sacs de couchage. Je te parie qu'ils sont pleins de poux.

— Nous devrions remercier le Seigneur, m'a-t-elle répondu. Dormons. »

Mon tatouage DIEU T'AIME m'asticotait, et j'ai été obligée de m'allonger sur le côté droit pour pas appuyer dessus. Je me suis demandé si j'avais pas un début de septicémie. Si c'était le cas, j'étais dans le pétrin, parce qu'il n'y avait pas de docteur à bord, c'était sûr et certain.

On s'est réveillées alors qu'il faisait encore noir, mais le bateau tanguait. Agnes est sortie de notre boîte en métal et a grimpé l'échelle pour voir ce qui se passait. J'avais envie d'y aller aussi, mais je ne me sentais vraiment pas bien.

Elle est revenue avec une Thermos de thé et deux œufs durs. On avait rejoint l'océan, m'a-t-elle dit, et c'étaient les vagues qui secouaient le bateau. Elle n'aurait jamais imaginé que des vagues puissent être aussi grosses, pourtant, d'après le capitaine Mishimengo, elles n'étaient pas méchantes.

« Oh, bon Dieu ! j'ai dit. J'espère qu'elles vont pas forcir davantage. J'aime pas du tout dégobiller.

— S'il te plaît, ne te sers pas du nom de Dieu quand tu jures, m'a demandé Agnes.

— Désolée. Mais si tu me permets, Dieu, à supposer qu'il y en ait un, a complètement bousillé ma vie. »

Je pensais qu'elle allait s'énerver, mais elle s'est contentée de dire :

«Tu n'es pas seule sur terre. Tout le monde connaît des moments difficiles. Mais peut-être que si Dieu a bousillé – comme tu dis – ta vie, c'est qu'Il a une raison.

— Et je suis foutument impatiente de la découvrir», ai-je répondu.

La douleur qui me lançait le bras me rendait extrêmement irritable. Je n'aurais pas dû me montrer aussi sarcastique, et je n'aurais pas dû jurer.

«Mais je croyais que tu avais compris le véritable but de notre mission, a-t-elle repris. Le salut de Galaad. Sa purification. Sa renaissance. La voilà, la raison.

— Tu penses que ce tas de merde purulent peut se réformer ? Réduis-moi tout ça en cendres !

— Pourquoi voudrais-tu faire du mal à tant de gens ? m'a-t-elle demandé avec douceur. C'est mon pays. C'est là que j'ai grandi. Ce sont les dirigeants qui le sabotent. Moi, je veux qu'il s'améliore.

— Oui, d'accord. Je pige. Désolée. Je parlais pas de toi. Tu es ma sœur.

— J'accepte tes excuses. Merci de ta compréhension.»

On est restées assises dans l'obscurité silencieuse pendant quelques minutes. J'ai entendu sa respiration, et quelques soupirs.

«Tu crois que ça va marcher, notre affaire ? ai-je fini par demander. On va y arriver ?

— Ça ne dépend pas de nous», a-t-elle répondu.

67.

Au début du deuxième jour, j'ai commencé à m'inquiéter terriblement pour Nicole. Elle avait beau clamer que ça allait, elle avait de la fièvre. J'ai repensé à ce qu'on nous avait appris à Ardua Hall pour soigner les malades et j'ai veillé à ce qu'elle ne se déshydrate pas. Il y avait des citrons à bord, j'ai réussi à mélanger un peu de jus de citron avec du thé, du sel et une pincée de sucre. J'avais moins de mal à monter et descendre l'échelle menant à notre couchage et je me disais que ça aurait été autrement plus difficile avec une jupe longue.

Il y avait du brouillard. Nous étions toujours dans les eaux de Galaad et, aux alentours de midi, nous avons eu droit à une inspection des gardes-côtes. Nicole et moi avons fermé le couvercle de notre boîte en métal de l'intérieur. Elle m'a pris la main, je l'ai pressée fort et on a observé un silence total. On a entendu des pas lourds tout près, et des voix, puis les bruits se sont estompés et mon cœur a cessé de battre à toute vitesse.

Plus tard dans la journée, le moteur a eu des problèmes, ce que j'ai découvert quand je suis montée pour avoir un autre jus de citron. Le capitaine Mishimengo paraissait soucieux : dans cette zone, les déferlantes étaient violentes et, sans moteur, nous serions poussés soit vers la haute mer, soit dans la baie de Fundy où nous nous échouerions sur la rive canadienne : dans ce dernier cas, le navire serait confisqué et l'équipage arrêté. Pour le moment, le courant nous faisait dériver vers le sud ; est-ce que ça voulait dire qu'on repartait vers Galaad ?

Je me suis demandé si le capitaine Mishimengo ne regrettait pas de nous avoir prises à son bord. Il m'avait confié que si le navire était pris en chasse et capturé, et qu'on nous découvrait, il serait accusé de trafic de femmes. Son bateau serait saisi et, comme il était originaire de Galaad et qu'il avait fui les Patries nationales de Galaad par la frontière canadienne, les autorités le réclameraient au prétexte qu'il était un de leurs citoyens et le jugeraient pour contrebande. C'en serait fini de lui.

« Nous vous faisons courir trop de risques, avais-je dit alors. Vous n'avez pas d'arrangement avec les gardes-côtes ? Pour le marché gris ?

— Ils le nieraient, il n'y a rien d'écrit. Qui voudrait se faire flinguer pour avoir accepté un pot-de-vin ? »

Pour le souper, on a eu des sandwiches au poulet, mais Nicole n'avait pas faim, elle voulait dormir.

« Tu es très malade ? Je peux toucher ton front ? lui ai-je demandé, en constatant par la même occasion qu'elle était brûlante. J'aimerais juste te dire que je suis très contente de t'avoir dans ma vie. Je suis heureuse que tu sois ma sœur.

— Moi aussi. »

Une minute plus tard, elle m'a lancé :

« Tu penses qu'on verra notre mère un jour ?

— Oui, je crois.

— Tu penses qu'elle nous aimera ?

— Elle nous adorera, lui ai-je répondu pour l'apaiser. Et nous l'adorerons aussi.

— C'est pas parce que les gens ont des liens de parenté avec toi que tu les adores, a-t-elle murmuré.

« — L'amour est une discipline, comme la prière. Je souhaiterais prier pour toi afin que tu te sentes mieux. Ça ne te dérange pas ?

— Ça marchera pas. Je me sentirai pas mieux du tout.

— Mais moi, si. »

Alors, elle a accepté.

« Seigneur, ai-je dit, faites que nous acceptions le passé avec toutes ses failles, que nous découvrions un meilleur futur dans le pardon et la bienveillance désintéressée. Faites que nous vous soyons l'une et l'autre reconnaissantes pour la sœur que vous nous avez donnée, que nous revoyions notre mère et aussi nos deux pères. Faites que nous n'oubliions pas Tante Lydia, qu'elle soit pardonnée de ses fautes et de ses péchés, comme nous espérons que les nôtres nous seront pardonnés. Faites que nous éprouvions toujours de la gratitude pour notre sœur Becka, où qu'elle soit. Je vous en prie, bénissez-les tous. Amen. »

Quand j'ai terminé, Nicole dormait.

J'ai essayé de dormir, moi aussi, mais la cale était plus étouffante que jamais. Puis j'ai entendu des pas descendre l'échelle métallique. C'était le capitaine Mishimengo.

« Désolé, il faut qu'on vous débarque.

— Maintenant ? Il fait nuit, voyons !

— Désolé, a-t-il répété. Le moteur est reparti, malheureusement nous n'avons plus beaucoup d'énergie. Et on est dans les eaux canadiennes, mais très loin de l'endroit où on devait vous débarquer. Impossible de rejoindre un port, c'est trop dangereux. Le courant est contre nous. »

Il m'a expliqué que nous étions proches de la rive est de la baie de Fundy. Tout ce qu'on avait à faire, Nicole et moi, c'était d'atteindre cette rive et tout irait bien ; alors que, lui, il ne pouvait pas risquer son bateau et son équipage.

Nicole dormait comme une souche ; j'ai dû la secouer.

« C'est moi. Ta sœur. »

Le capitaine Mishimengo lui a redit la même histoire : il fallait que nous quittions le *Nellie J. Banks* immédiatement.

« Donc vous voulez qu'on nage ? a résumé Nicole.

— On va vous installer dans un canot pneumatique. J'ai prévenu, on va vous attendre.

— Elle ne va pas bien, ai-je dit. On ne peut pas remettre à demain ?

— Non. La marée descend. Si vous ratez ce créneau, vous serez repoussées vers le large. Prenez les vêtements les plus chauds que vous avez et soyez sur le pont dans dix minutes.

— Les vêtements les plus chauds qu'on a ? a protesté Nicole. Tu parles qu'on a apporté une garde-robe pour l'Arctique ! »

On a enfilé tous les vêtements qu'on avait. Bottes, bonnets polaires, imperméables. Nicole a grimpé l'échelle la première ; elle n'était pas trop solide et ne se servait que de son bras droit.

Sur le pont, le capitaine Mishimengo nous attendait avec un des membres de l'équipage. Ils avaient des gilets de sauvetage et une Thermos pour nous. Sur le côté gauche du bateau, un mur de brouillard avançait sur nous.

« Merci, ai-je dit au capitaine Mishimengo, de tout ce que vous avez fait pour nous.

— Désolé que ça ne se passe pas comme prévu, a-t-il répondu. Bonne route.

— Merci, ai-je répété. Et bonne route à vous aussi.

— Évitez le brouillard si vous pouvez.

— Génial, a marmonné Nicole. Du brouillard. Il manquait plus que ça.

— Peut-être que ce sera une bonne chose », ai-je remarqué.

On s'est installées dans le pneumatique et ils nous ont descendues. Cette annexe était équipée d'un petit moteur solaire, et elle était très simple à manœuvrer, nous a assuré le capitaine Mishimengo : contact, ralenti, marche avant, marche arrière. Il y avait deux rames.

«Dégage, m'a lancé Nicole.

— Pardon?

— Écarte l'annexe du *Nellie*. Pas avec les mains! Tiens – sers-toi d'une rame.»

J'ai réussi à nous écarter, mais pas trop bien. C'était la première fois que je tenais une rame. Je me sentais très maladroite.

«Au revoir, *Nellie J. Banks*, ai-je dit. Dieu te bénisse!

— T'embête pas à agiter la main, ils peuvent pas te voir, a protesté Nicole. Ils doivent être contents de nous avoir larguées. On est toxiques, comme cargaison.

— Ils ont été gentils avec nous.

— Tu crois peut-être qu'ils ne se font pas des paquets de blé avec nous?»

Le *Nellie J. Banks* s'éloignait. J'ai fait le vœu que la chance les accompagne.

Je sentais les courants prendre le pneumatique en otage. Attaquez les vagues par le travers, avait dit le capitaine Mishimengo : de front, c'était trop dangereux, on risquait de chavirer.

«Tiens ma torche», m'a ordonné Nicole.

De sa main droite, elle a tripoté les boutons sur le moteur, qui a fini par démarrer.

«Avec ce courant, on se croirait sur un fleuve.»

En effet, on avançait très vite. Très loin, sur la berge à notre gauche, il y avait des lumières. Il faisait froid, de ce froid qui te pénètre jusqu'aux os.

«On approche? ai-je demandé au bout d'un moment. De la côte?

— Je l'espère. Sinon, on sera vite de retour à Galaad.

— On pourrait sauter par-dessus bord.»

Quoi qu'il arrive, on ne pouvait pas retourner à Galaad : à l'heure qu'il était, ils avaient dû découvrir que Nicole avait disparu et qu'elle ne s'était pas enfuie avec un Écono. On ne pouvait pas trahir Becka et tout ce qu'elle avait fait pour nous. Plutôt mourir.

« Putain de saleté, a grogné Nicole. Le moteur a lâché.

— Oh non. Est-ce que tu peux…

— J'essaie. Bordel de merde !

— Quoi ? Qu'est-ce qu'il y a ? »

J'ai dû élever la voix : le brouillard nous enveloppait, et il y avait le bruit de l'eau.

« Un court-circuit, je pense, m'a dit Nicole. Ou bien la batterie est à plat.

— Est-ce qu'ils ont fait ça exprès ? Ils veulent peut-être qu'on meure.

— Impossible ! Pourquoi ils élimineraient des clients ? Maintenant, faut qu'on rame.

— Qu'on rame ?

— Oui, avec les rames. Je peux me servir que de mon bon bras, l'autre est comme un jambon et, putain, me demande pas ce que c'est !

— Ce n'est pas de ma faute si je ne connais pas ce genre de chose.

— Tu veux qu'on ait cette discussion maintenant ? Je suis foutument désolée, mais on a une méchante urgence sur le poil ! Attrape la rame.

— Très bien. Là. Je l'ai.

— Mets-la dans la dame de nage. La dame de nage ! Ce truc-là ! À présent, sers-toi de tes deux mains. Bon, regarde-moi faire ! Quand je dis "Vas-y", plonge ta rame dans l'eau et tire. »

Elle hurlait.

« Je ne sais pas comment faire. Je me sens tellement inutile.

— Arrête de chialer. Je me fous de comment tu te sens. Fais-le, un point, c'est tout ! Maintenant ! Quand

je dis "Vas-y", tire la rame vers toi ! Tu vois la lumière ?
On s'est rapprochées.

— Je ne pense pas, ai-je gémi. On est tellement loin.
Le courant va nous déporter.

— Non, a dit Nicole. Pas si tu essaies. Là, vas-y ! Et,
vas-y ! Voilà ! Allez ! Allez ! Allez ! »

XXV.

Réveil

Le Testament olographe d'Ardua Hall

68.

Tante Vidala a ouvert les yeux. Elle n'a encore rien dit. Est-ce qu'il lui reste un peu de matière grise là-haut ? Est-ce qu'elle se rappelle avoir vu Jade revêtue d'une robe de Perle argent ? Est-ce qu'elle se rappelle le coup qui a dû la mettre K.-O. ? Le dira-t-elle ? Si c'est oui à la première question, ce sera oui à la seconde. Elle additionnera deux et deux – qui, sinon moi, aurait pu monter ce scénario ? Toute dénonciation qu'elle pourra faire contre moi et soumettre à une infirmière ira directement à l'Œil ; et après, les pendules s'arrêteront. Il faut que je prenne des précautions. Mais lesquelles et comment ?

D'après la rumeur qui circule à Ardua Hall, son accident vasculaire cérébral n'a rien eu de spontané, il serait dû à un choc, ou même à une agression. À en juger par les traces sur le sol, il semblerait qu'on l'ait tirée et cachée derrière ma statue. Elle est maintenant sortie des soins intensifs et en salle de réveil ; Tante Elizabeth et Tante Helena, méfiantes l'une de l'autre, se relaient à son chevet, dans l'attente de ses premiers mots. Il m'est donc impossible de rester seule avec elle.

Le mot sur la fugue a suscité beaucoup de spéculations. Le plombier était un détail excellent, tellement convaincant. Je suis fière de l'inventivité de Nicole, et je suis sûre qu'elle lui sera très utile à court terme. Il ne faut pas sous-estimer l'aptitude à concocter des mensonges plausibles : c'est un vrai talent.

Naturellement, on m'a consultée sur la procédure à suivre. Ne fallait-il pas entamer des recherches ? La localisation actuelle de la jeune fille n'importait guère, ai-je répondu, tant qu'on avait pour objectifs un mariage et une progéniture. Mais Tante Elizabeth a déclaré que l'homme était peut-être un imposteur libidineux, ou même un agent de Mayday déguisé pour infiltrer le terrain d'Ardua Hall ; dans un cas comme dans l'autre, il profiterait de la jeune Jade, puis l'abandonnerait, à la suite de quoi elle ne serait plus bonne qu'à mener une existence de Servante ; il fallait donc qu'on la retrouve immédiatement et qu'on arrête l'individu en question pour l'interroger.

S'il s'était vraiment agi d'un homme, ça aurait été la meilleure conduite à tenir : à Galaad, les jeunes filles raisonnables ne se sauvent pas avec un galant, ni les hommes bien intentionnés avec elles. J'ai donc dû acquiescer, et une équipe d'Anges a été dépêchée pour fouiller rues et maisons du voisinage. Ils étaient tout sauf enthousiastes : poursuivre une jeune fille pleine d'illusions ne correspondait pas trop à leur conception de l'héroïsme. Inutile de dire qu'ils n'ont pas retrouvé la jeune Jade ; pas plus qu'ils n'ont déterré le moindre pseudo-plombier de Mayday.

Tante Elizabeth a fait savoir que, selon elle, toute cette affaire avait quelque chose de très louche. J'en suis convenue et lui ai dit que j'étais aussi perplexe qu'elle. Mais, lui ai-je demandé, que faire ? Quand on est dans une impasse, on est dans une impasse. Il faut attendre un rebondissement.

Le Commandant Judd ne s'est pas laissé circonscrire aussi facilement. Il m'a convoquée à son bureau pour une réunion de crise.

«Vous avez perdu Bébé Nicole.»

Il tremblait de fureur contenue, et aussi de peur : avoir eu Bébé Nicole à portée de main, et l'avoir laissée filer – le Conseil ne le lui pardonnerait pas.

«Qui d'autre connaît son identité ?

— Personne. Vous. Moi. Et Nicole elle-même, bien sûr – j'ai cru bon de partager cette information avec elle, afin de la convaincre du grand destin qui l'attendait. Personne d'autre.

— Il ne faut pas que ça se sache ! Comment avez-vous pu permettre ça ? L'amener à Galaad, puis vous la laisser souffler à votre nez et à... La réputation de l'Œil va en souffrir, sans parler de celle des Tantes.»

Voir Judd trépigner ainsi était plus distrayant que je ne peux l'exprimer, mais j'ai affiché une mine lugubre.

«Nous prenons toutes les précautions possibles, ai-je dit. Soit elle a vraiment fugué, soit elle a été enlevée. Dans ce dernier cas, les responsables doivent travailler avec Mayday.»

Je cherchais à gagner du temps. Tout le monde cherche toujours à gagner quelque chose.

Je comptais les heures qui passaient. Les heures, les minutes, les secondes. J'avais de bonnes raisons d'espérer que mes messagères, qui emportaient avec elles les graines de l'effondrement de Galaad, ne soient pas trop loin de leur but. Ce n'était pas pour rien que j'avais passé tant d'années à photographier les dossiers criminels ultraconfidentiels d'Ardua Hall.

Deux sacs à dos de Perle ont été découverts à côté d'un accès à un chemin de randonnée désaffecté dans le Vermont. Ils contenaient deux robes de Perle, des peaux d'orange et un collier de perles. On a lancé une recherche dans cette zone, avec des chiens renifleurs. Sans résultat.

Ces fausses pistes... quelle distraction.

Le Service des Travaux publics a enquêté sur le manque d'eau dont se plaignaient les Tantes des Portes A et B et a découvert la pauvre Tante Immortelle dans le réservoir : elle bloquait la sortie d'eau. La petite, économe, avait ôté ses vêtements de dessus afin qu'une autre puisse en avoir l'usage ultérieurement ; on les a trouvés, bien pliés, sur le barreau supérieur de l'échelle. Par pudeur, elle avait gardé ses sous-vêtements. C'est bien ainsi que j'avais compté qu'elle se comporterait. Ne crois pas que sa mort ne m'attriste pas ; mais je me redis que c'était un sacrifice consenti.

La nouvelle a déclenché un regain de spéculations : selon la rumeur, Tante Immortelle avait été assassinée, et vraisemblablement par la recrue canadienne disparue du nom de Jade. Un grand nombre de Tantes – dont celles qui avaient salué son arrivée avec tant de joie et de satisfaction – affirmaient à présent qu'elles lui avaient toujours trouvé un je-ne-sais-quoi de fourbe.

«C'est un scandale épouvantable, a gémi tante Elizabeth. Quelle mauvaise image ça donne de nous !

— Nous étoufferons cela, ai-je dit. Je ferai savoir qu'à mon avis Tante Immortelle a simplement tenté d'examiner le réservoir défectueux, afin d'épargner cette corvée à une main-d'œuvre précieuse. Elle a dû glisser, ou s'évanouir. Il s'agit d'un accident survenu alors qu'elle accomplissait son devoir avec un total désintéressement. C'est ce que je dirai durant les funérailles dignes et élogieuses que nous allons lui organiser.

— Voilà un trait de génie, a déclaré Tante Helena d'un ton dubitatif.

— Vous pensez que quelqu'un le croira ? s'est enquise Tante Elizabeth.

— Ils croiront tout ce qui est dans l'intérêt d'Ardua Hall, ai-je décrété avec fermeté. Il se confond avec leurs propres intérêts.»

Mais les spéculations ont continué à aller bon train. Deux Perles avaient franchi le portail – les Anges de garde le juraient – et leurs papiers étaient en ordre. L'une d'elles n'était-elle pas Tante Victoria, qui n'avait toujours pas apparu aux repas? Sinon, où était-elle? Et si c'était le cas, pourquoi avait-elle entamé sa mission prématurément, avant l'Action de Grâce? Tante Immortelle ne l'accompagnait pas, donc qui était la seconde Perle? Se pouvait-il que Tante Victoria soit complice d'une double évasion? Car ça ressemblait de plus en plus à une évasion. On en a conclu que la note justifiant la fugue en faisait partie : elle avait visé à tromper son monde et à retarder les recherches. Que les jeunes filles pouvaient être rouées et fourbes, chuchotaient les Tantes – surtout les étrangères.

Puis on a appris que deux Perles avaient été vues à la gare routière de Portsmouth dans le New Hampshire. Le Commandant Judd a ordonné des recherches : il fallait capturer ces imposteures – c'est le terme qu'il a utilisé – et les ramener pour les interroger. Elles ne devaient parler à quiconque à part lui. Dans le cas probable où elles chercheraient à fuir, les ordres étaient de tirer à vue et de les abattre.

«C'est assez dur, ai-je dit. Elles n'ont aucune expérience de la vie. On a dû les induire en erreur.

— Compte tenu des circonstances, Bébé Nicole nous sera beaucoup plus utile morte que vivante. Vous devez bien vous en rendre compte, Tante Lydia.

— Je vous présente des excuses pour ma stupidité. J'ai cru Nicole sincère – je veux dire sincère dans son désir de nous rejoindre. Ç'aurait un coup extraordinaire, si ça avait été le cas.

— Il est clair qu'elle a été mise là exprès, qu'on l'a infiltrée dans Galaad sous de fallacieux prétextes. Vivante, elle risquerait de nous entraîner par le fond, vous comme moi. Ne voyez-vous pas combien nous serions vulnérables si quelqu'un la récupérait et la faisait parler?

Je perdrais toute crédibilité. Les longs couteaux seraient de sortie, et pas que pour moi : votre règne à Ardua Hall serait fini et, très franchement, vous aussi. »

À la folie, pas du tout : j'assume un statut de simple outil, dont on se sert et qu'on jette. Mais il faut être deux pour jouer à ça.

« Très juste, ai-je répondu. Dans notre pays, il y a des gens qui ont malheureusement l'obsession du retour de bâton vengeur. Ils ne croient pas que vous ayez toujours agi au mieux, en particulier dans vos opérations d'élagage. Mais, pour la question qui nous occupe, vous avez choisi l'option la plus sage, comme toujours. »

Cela lui a arraché un sourire, crispé néanmoins. J'ai eu un flash-back, et ce n'était pas la première fois. Vêtue de ma tenue en toile marron, je lève mon arme, je vise, je tire. Une balle, pas de balle ?

Une balle.

Je suis retournée voir Tante Vidala. Tante Elizabeth était de garde, elle tricotait un de ces petits bonnets pour prématurés en vogue à l'heure actuelle. Je me réjouis toujours énormément de n'avoir jamais appris à tricoter.

Vidala avait les yeux fermés. Sa respiration était régulière : vraiment pas de chance.

« Elle a recommencé à parler ? ai-je demandé.

— Non, pas un mot, m'a répondu Tante Elizabeth. Pas pendant que j'étais là.

— Que vous êtes gentille de vous monter si attentive, mais vous devez être fatiguée. Je vais vous remplacer. Allez vous chercher une tasse de thé. »

Elle m'a décoché un coup d'œil soupçonneux, mais elle est sortie.

Une fois qu'elle a eu quitté la pièce, je me suis penchée et j'ai dit bien fort à l'oreille de Vidala :

« Réveillez-vous ! »

Ses yeux se sont ouverts et se sont focalisés sur moi. Puis, sans manger un seul mot, elle a murmuré :

«C'est vous qui avez fait ça, Lydia. Vous serez pendue.»

Elle avait un air à la fois vengeur et triomphant : elle détenait enfin une accusation solide et n'allait pas tarder à me remplacer.

«Vous êtes fatiguée, lui ai-je lancé. Rendormez-vous.»

Elle a refermé les yeux.

Je farfouillais dans ma poche à la recherche du flacon de morphine dont je m'étais munie lorsque Tante Elizabeth est revenue.

«J'ai oublié mon tricot, a-t-elle dit.

— Vidala a parlé. Pendant que vous étiez sortie.

— Qu'est-ce qu'elle a dit ?

— Elle doit avoir des lésions cérébrales. Elle vous accuse de l'avoir frappée. Elle prétend que vous étiez de mèche avec Mayday.

— Mais personne ne la croira, a protesté Elizabeth, soudain très blême. Si quelqu'un l'a frappée, c'est sûrement la petite Jade !

— Difficile de prédire ce que les gens vont croire ou pas. Il y en a qui jugeront commode de vous voir dénoncée. Certains Commandants n'ont pas apprécié la fin ignominieuse du Dr Grove. J'ai entendu dire que vous n'étiez pas fiable – si vous avez accusé le Dr Grove, qui d'autre pourriez-vous accuser ? –, auquel cas ils accepteront le témoignage de Vidala contre vous. Les gens aiment avoir un bouc émissaire.»

Elle s'est assise.

«C'est une catastrophe, a-t-elle marmonné.

— Nous avons déjà été dans la mouise, Elizabeth, lui ai-je soufflé avec douceur. Rappelez-vous le Débourroir. On s'en est sorties, l'une comme l'autre. Depuis, nous avons fait ce qu'il fallait.

— Comme vous me remontez le moral, Lydia !

— Quel dommage que Vidala ait tant d'allergies, ai-je poursuivi. J'espère qu'elle ne fera pas de crise d'asthme dans son sommeil. Bon, maintenant, il faut que je me sauve, j'ai une réunion. Je laisse Vidala entre vos mains expertes. À ce que je vois, son oreiller a besoin d'être retapé.»

D'une pierre deux coups : si tel est le cas, quelle satisfaction tant au plan esthétique qu'au plan pratique, et ce sera une diversion qui créera davantage d'échappatoires encore. Mais au final pas pour moi, car il n'y a guère de chances que je m'en sorte indemne après les révélations qui suivront à coup sûr dès que Nicole apparaîtra sur les écrans de télévision du Canada et qu'elle divulguera le monceau de preuves qu'elle s'est chargée de transporter pour moi.

L'horloge fait *tic tac*, les minutes passent. J'attends. J'attends.

Bon vol, mes messagères, mes colombes argent, mes anges exterminateurs.

Posez-vous bien.

XXVI.

TERRE ! TERRE !

Transcription des déclarations du témoin 369A

69.

Je n'ai aucune idée du temps qu'on a passé dans le canot pneumatique. Ça m'a paru des heures. Désolée de ne pouvoir être plus précise.

Il y avait du brouillard. Les creux étaient très impressionnants, et on recevait des paquets d'eau et des embruns. Il faisait froid comme la mort. Le courant, très fort, nous poussait vers le large. J'étais terrifiée : j'ai bien cru qu'on allait mourir. L'annexe allait prendre l'eau, on verserait dans l'océan et on s'enfoncerait de plus en plus profondément. Le message de Tante Lydia serait perdu, et tous ces sacrifices auraient été vains.

Seigneur, priais-je en silence, *aidez-nous à gagner la terre, saines et sauves.* Et : *Si quelqu'un doit mourir, faites que ce soit moi, et moi seule.*

On ramait, on ramait. On avait chacune une rame. Je n'étais encore jamais montée dans un bateau, je ne savais donc pas bien me débrouiller. Je me sentais faible, épuisée, et la douleur me déclenchait des crampes dans les bras.

« Je ne peux pas, ai-je bredouillé.

— Continue ! a crié Nicole. Tout va bien ! »

Le bruit du ressac contre la grève était proche, mais l'obscurité si profonde que je ne voyais pas le rivage.

Puis une très grosse vague s'est écrasée dans le bateau et Nicole a hurlé :

«Rame ! Rame, si tu ne veux pas y laisser ta peau !»

Il y a eu un crissement, du gravier sans doute, puis une autre grosse vague s'est abattue sur nous, le pneumatique a chaviré et on a été projetées à terre. Je me suis retrouvée à genoux dans l'eau et une autre vague m'a frappée, mais j'ai réussi à me redresser ; puis la main de Nicole a émergé des ténèbres et m'a tirée vers un large rocher. Là, on s'est mises debout, hors d'atteinte de l'océan. Je grelottais, je claquais des dents, j'avais les mains et les pieds gourds. Nicole m'a prise dans ses bras.

«On a réussi ! On a réussi ! J'ai bien cru qu'on allait clamser ! a-t-elle hurlé. Bon sang, j'espère bien qu'on est sur la bonne côte !»

Elle riait, mais elle haletait aussi.

Dans mon cœur, j'ai dit : *Cher Seigneur. Merci.*

70.

Il s'en était fallu de peu. On avait vraiment failli y rester. Le courant aurait pu nous pousser vers l'Amérique du Sud, sauf que c'est plus probablement Galaad qui nous aurait récupérées et pendues au Mur. Qu'est-ce que je suis fière d'Agnes – depuis cette nuit-là, elle est vraiment devenue ma sœur. Elle était laminée, mais elle a quand même continué. Toute seule, je n'aurais absolument pas pu manœuvrer le canot.

Les rochers étaient traîtres. Il y avait des masses d'algues et ça glissait. Je n'y voyais pas trop, parce qu'il faisait très noir. Agnes était à côté de moi, ce qui était une bonne chose, vu qu'à ce stade je délirais. J'avais l'impression que mon bras gauche ne m'appartenait pas – c'était comme s'il était détaché de moi et que seule ma manche le reliait à mon corps.

On a escaladé de gros rochers et pataugé dans des mares où on arrêtait pas de glisser. Je ne savais pas où on allait, mais du moment qu'on montait une colline, on s'éloignait des vagues. J'étais si fatiguée que je dormais quasiment debout. Je pensais : J'ai réussi à aller jusque-là mais maintenant, je vais craquer et m'assommer. Becka m'a dit : *Ce n'est plus très loin.* Je ne me rappelais pas qu'elle ait été dans le pneumatique, mais, sur la plage, elle était avec nous, même si je ne la voyais pas parce qu'il faisait trop noir. Puis elle a ajouté : *Levez la tête. Suivez les lumières.*

D'une falaise au-dessus de nos têtes, quelqu'un a poussé un cri. Des lumières avançaient le long de la crête et une voix a braillé : «Les voilà!» Et une autre a hurlé : «Là!» J'étais trop fatiguée pour répondre par un autre hurlement. Puis le sol est devenu plus sablonneux tandis que les lumières descendaient une colline à notre droite pour venir sur nous.

L'une d'elles était entre les mains d'Ada.

«Tu as réussi, m'a-t-elle dit.

— Oui», j'ai répondu.

Et je me suis effondrée. Quelqu'un m'a ramassée et emportée. C'était Garth.

«Qu'est-ce que je t'avais dit? Félicitations! Je savais que tu y arriverais.»

Ça m'a fait sourire.

On a grimpé une colline, et après il y a eu des projecteurs, des gens avec des caméras de télévision et une voix a lancé : «Faites-nous un sourire.» Là, je suis tombée dans les pommes.

On nous a évacuées par avion vers le centre d'assistance médicale aux réfugiés de Campobello où on m'a bourrée d'antibiotiques, de sorte qu'au réveil mon bras n'était plus si enflé ni douloureux.

Ma sœur, Agnes, était là à côté du lit; elle portait un jean et un sweatshirt avec, marqué dessus, COURIR CONTRE LE CANCER DU FOIE. J'ai trouvé ça marrant, vu que c'était ce qu'on venait de faire : on avait couru pour fuir le cancer Galaad. Elle me tenait la main. Ada était à côté d'elle, ainsi qu'Elijah et Garth. Ils souriaient tous comme des malades.

Ma sœur m'a glissé :

«C'est un miracle. Tu nous as sauvé la vie.

— On est vraiment fiers de vous deux, a ajouté Elijah. Mais je suis désolé pour le pneumatique – en principe, ils devaient vous déposer au port.

— Tous les médias parlent de vous, a dit Ada. "Des sœurs défient le destin." "Bébé Nicole et son audacieuse évasion de Galaad. "

— Et le document secret aussi, a précisé Elijah. Il fait l'actualité pareil. Il est explosif. Que de crimes parmi les gros bonnets de Galaad – ça dépasse largement tout ce qu'on avait pu espérer. Les médias canadiens balancent un scandale après l'autre, les têtes ne vont pas tarder à tomber. Notre source à Galaad nous a vraiment filé un sacré coup de main.

— Galaad est mort ? » j'ai demandé.

J'étais heureuse, mais tout me paraissait irréel, comme si ce n'était pas moi qui avais fait ce qu'on avait fait. Comment avions-nous pu prendre pareils risques ? Qu'est-ce qui nous avait poussées à aller jusqu'au bout ?

« Pas encore, m'a répondu Elijah. Mais c'est le début de la fin.

— Galaad News prétend que tout est truqué, a ajouté Garth. Que c'est un complot de Mayday.

— Ils ne peuvent pas dire autre chose, c'est sûr, a lâché Ada dans un petit rire guttural.

— Où est Becka ? »

Les vertiges m'avaient reprise, alors j'ai fermé les yeux.

« Becka n'est pas là, m'a dit Agnes avec douceur. Elle n'est pas venue avec nous. Tu te souviens ?

— Non, elle est venue. Elle était sur la plage, ai-je chuchoté. Je l'ai entendue. »

Je crois que je me suis endormie, puis je me suis réveillée.

« Elle a toujours de la fièvre ? a demandé une voix.

— Qu'est-ce qui s'est passé ? j'ai bredouillé.

— Chut, a dit ma sœur. Tout va bien. Notre mère est ici. Elle s'est beaucoup inquiétée pour toi. Regarde, elle est juste à ton côté. »

J'ai ouvert les yeux, la lumière était très vive, mais une femme était là, debout. Elle avait l'air triste et heureuse à la fois ; elle pleurait un peu. Elle était presque pareille à la photo du dossier de filiations, juste en plus vieille.

J'ai senti que ça devait être elle, alors j'ai tendu les bras, le bon et celui qui commençait à guérir, notre mère s'est penchée vers mon lit d'hôpital et on s'est enlacées avec un bras. Elle ne s'est servie que d'un, parce qu'elle avait l'autre autour d'Agnes, et elle a dit :

« Mes filles chéries. »

Son odeur m'a paru juste. C'était comme un écho, l'écho d'une voix qu'on n'entend pas vraiment.

Elle a un peu souri et dit :

« Naturellement, vous ne vous souvenez pas de moi. Vous étiez trop petites.

— Non, j'ai dit. Mais ça va. »

Et ma sœur a ajouté :

« Pas encore. Mais bientôt, si. »

Là, je me suis rendormie.

XXVII.

Adieux

Le Testament olographe d'Ardua Hall

71.

Il ne nous reste plus beaucoup de temps à passer ensemble, mon cher lecteur. Il se peut que tu voies ces pages écrites de ma main comme une fragile boîte à trésors à ouvrir avec les plus grandes précautions. Il se peut que tu les déchires, que tu les brûles : c'est souvent le sort des mots.

Peut-être seras-tu un étudiant en histoire, auquel cas j'espère te servir à quelque chose d'utile : portrait sans concession, compte rendu exhaustif de ma vie et de mon époque, assorti de notes en bas de page, comme il se doit ; encore que je serais surprise si tu ne me taxais pas de mauvaise foi. Ou, à dire vrai, pas surprise : je serai morte, et il est difficile de surprendre un mort.

Je t'imagine sous les traits d'une jeune femme intelligente, ambitieuse. Tu chercheras à te ménager une niche dans quelque antre obscur et sonore qui pourrait encore exister à ton époque dans le milieu universitaire. Je te situe derrière ton bureau, les cheveux retenus derrière les oreilles, le vernis à ongles écaillé – car le vernis à ongles aura fait son retour, comme toujours. Tu fronces légèrement les sourcils, habitude qui s'accentuera avec l'âge. Je tourne autour de toi, je me penche par-dessus ton épaule : ta muse, ton inspiration invisible, te pressant de poursuivre.

Tu travailleras dur sur mon manuscrit, lisant et relisant, relevant des bricoles à mesure, alimentant cette fascination autant que cette lassitude haineuses que les biographes en viennent souvent à éprouver pour leurs sujets. Comment ai-je pu me comporter aussi mal, aussi cruellement, aussi stupidement ? te demanderas-tu. Toi, tu n'aurais jamais fait ça ! Mais toi, tu n'auras jamais à le faire.

Nous en arrivons donc à ma fin. Il est tard : trop tard pour que Galaad puisse empêcher sa destruction proche. Je regrette de ne pas vivre assez longtemps pour en être témoin – la conflagration, l'effondrement. Et il est déjà tard dans ma vie. Et il est tard cette nuit : une nuit sans nuages, ainsi que je l'ai noté en marchant. C'est la pleine lune, qui projette sur tout une bioluminescence ambiguë de cadavre. Trois agents de l'Œil m'ont saluée à mon passage : au clair de lune, leurs visages ressemblaient à des têtes de mort, comme le mien devait le leur paraître.

Il se présentera trop tard, l'Œil. Mes messagères se sont envolées. Quand viendra le pire du pire – ce qui ne tardera pas –, j'aurai tôt fait de tirer le rideau. Une aiguille de morphine ou deux y pourvoiront. C'est préférable : si je m'autorisais à vivre, je cracherais trop de vérités. La torture, c'est comme la danse : je suis trop vieille. Laissons les plus jeunes tester leur courage. Cela dit, eux n'auront peut-être pas le choix, vu qu'ils ne disposent pas des privilèges qui sont les miens.

Mais je dois à présent mettre un terme à notre conversation. Adieu, mon cher lecteur. Essaie de ne pas penser trop de mal de moi, ou pas plus que moi.

Dans un moment, je glisserai ces pages dans le cardinal Newman et remettrai le tout sur mon étagère. En ma fin gît mon commencement, comme l'a dit quelqu'un. De qui s'agissait-il ? De Marie Stuart, reine d'Écosse, si l'histoire ne ment pas. C'est sa devise, accompagnée d'un phénix renaissant de ses cendres, brodée sur une tenture murale. Quelles brodeuses, les femmes !

Les pas se rapprochent, une botte après l'autre. Entre une inspiration et une autre, le coup viendra.

Le treizième colloque

Le treizième colloque

NOTES HISTORIQUES

Transcription partielle des procès-verbaux du treizième colloque sur les études galaadiennes, Congrès de l'association internationale des sciences historiques, Passamaquoddy, Maine, du 29 au 30 juin 2197.

PRÉSIDENTE : *Professeur MaryAnn Crescent Moon, Université d'Anishinaabe, Cobalt, Ontario.*

INTERVENANT PRINCIPAL : *Professeur James Darcy Pieixoto, Directeur des Archives des XXe et XXIe siècles, Université de Cambridge, Angleterre.*

CRESCENT MOON : Tout d'abord, j'aimerais souligner que cet événement se déroule sur le territoire ancestral de la nation Penobscot et remercier anciens et ancêtres d'avoir accepté notre présence en ces lieux aujourd'hui. J'aimerais aussi faire remarquer que notre lieu de rencontre – Passamaquoddy, anciennement Bangor – a non seulement été un point de départ de toute première importance pour les réfugiés fuyant Galaad, mais aussi un centre majeur du *Underground Railroad*, le chemin de fer clandestin, entre la seconde guerre d'Indépendance et la guerre de Sécession, il y a maintenant plus de trois cents ans. L'histoire ne se répète pas, dit-on, il n'empêche qu'elle rime.

Quel plaisir de vous accueillir tous ici à ce treizième colloque sur les Études galaadiennes ! Que notre organisation s'est développée, et ce à bon droit. Il nous faut garder présentes à l'esprit les pages noires du passé afin de ne plus jamais les revivre.

Quelques informations pratiques : pour ceux qui aimeraient pêcher dans le fleuve Penobscot, deux excursions sont prévues ; pensez à votre écran solaire et à votre répulsif anti-moustiques. Vous trouverez dans votre pochette les détails de ces sorties, ainsi que des visites des monuments de la ville à l'époque galaadienne. Nous avons ajouté des Chants de Cantiques galaadiens à l'église Saint-Jude, en présence de trois chorales scolaires de la ville. Demain, nous aurons une journée de Reconstitution en costume d'époque, pour ceux qui sont venus avec leur tenue. Je vous recommande vivement de ne pas laisser l'enthousiasme vous emporter, comme lors du dixième colloque.

Veuillez maintenant accueillir un conférencier que nous connaissons tous fort bien, tant par ses publications que par sa toute récente et fascinante série télévisée, *À l'intérieur de Galaad. La vie quotidienne dans une théocratie puritaine.* Sa présentation d'objets appartenant à des collections muséales du monde entier – en particulier les textiles artisanaux – est un véritable enchantement. Voici donc le professeur Pieixoto.

PIEIXOTO : Merci, professeur Crescent Moon, ou faut-il que je dise Madame la Présidente ? Toutes nos félicitations pour votre promotion, distinction inconcevable du temps de Galaad. (*Applaudissements.*) Aujourd'hui que les femmes usurpent les positions de leadership à un point réellement phénoménal, j'espère que vous ne vous montrerez pas trop sévère à mon égard. J'ai vraiment pris à cœur vos commentaires sur les petites blagues que j'ai pu faire lors du douzième colloque –, je reconnais que certaines n'étaient pas du meilleur goût – et je vais m'efforcer cette fois-ci de ne pas vous heurter. (*Applaudissements, différents.*)

Qu'il est flatteur de voir une assistance aussi fournie. Qui aurait pensé que les Études galaadiennes – négligées durant tant de décennies – auraient subitement bénéficié d'un tel regain de popularité? Ceux d'entre nous qui ont si longtemps peiné dans les sombres et obscurs recoins du monde universitaire n'ont pas l'habitude d'être exposés aux feux ô combien déconcertants de la rampe. (*Rires.*)

Vous vous souvenez tous de l'enthousiasme qui a été le nôtre il y a quelques années, lors de la découverte, dans une cantine, d'une série d'enregistrements attribuées à la Servante de Galaad connue sous le nom de «Defred». Cette trouvaille a eu lieu ici même à Passamaquoddy, derrière un faux mur. Les recherches et les conclusions provisoires que nous avons présentées à notre dernier colloque ont déjà généré un nombre impressionnant d'articles évalués par des pairs.

À ceux qui ont douté de ces documents et de leur datation, je peux dire aujourd'hui avec certitude, même si je dois néanmoins nuancer quelque peu, qu'une demi-douzaine d'études indépendantes ont validé nos hypothèses initiales. Le Trou noir numérique du XXIe siècle, qui a entraîné la disparition d'une énorme quantité d'informations en raison de la dégradation fulgurante des données stockées – conjugué, d'une part, au sabotage d'une multitude de grappes de serveurs et de bibliothèques par des agents de Galaad déterminés à détruire tout document susceptible de contester leurs propres archives et, d'autre part, aux révoltes populistes contre la surveillance numérique répressive en vigueur dans bien des pays –, nous a empêchés de dater avec précision de nombreux documents de Galaad. Nous devons envisager une marge d'erreur de dix à trente ans. Dans cette fourchette, nous sommes cependant aussi confiants que peut l'être n'importe quel historien. (*Rires.*)

Depuis la découverte de ces enregistrements d'une importance capitale, nous avons fait deux autres trouvailles incroyables, qui, si leur authenticité se confirme, contribueront considérablement à notre compréhension de cette période révolue de notre histoire collective.

En premier lieu, le manuscrit connu sous le nom du *Testament olographe d'Ardua Hall*. Cet ensemble de pages manuscrites a été découvert dans une édition du XIXᵉ siècle de l'*Apologia Pro Vita Sua* du cardinal Newman. L'ouvrage a été acheté à une vente aux enchères par J. Grimsby Dodge, ancien résident de Cambridge, Massachusetts. Son neveu a hérité du lot et l'a vendu à un antiquaire qui en a saisi l'importance ; c'est ainsi que ces pages ont été portées à notre attention.

Voici une image de la première page. L'écriture est lisible pour ceux qui ont été formés à la cursive ancienne ; les pages ont été rognées pour tenir dans le compartiment ménagé dans le texte du cardinal Newman. La datation au carbone du papier n'exclut pas la période tardive de Galaad, et l'encre utilisée sur les premières pages est une encre noire standard de ladite période, même si, après un certain nombre de pages, une bleue a été employée. Écrire était interdit aux femmes et aux jeunes filles, à l'exception des Tantes, mais les filles des familles de l'élite apprenaient le dessin en classe, de sorte qu'il était possible de se procurer ce type d'encres.

Le Testament olographe d'Ardua Hall se targue d'avoir été rédigé par une certaine «Tante Lydia», qui apparaît sous un jour assez peu flatteur dans la série d'enregistrements retrouvés dans la cantine. Certains indices suggèrent qu'elle pourrait être aussi la «Tante Lydia» que les archéologues ont identifiée dans le personnage principal d'un énorme groupe statuaire de facture maladroite, retrouvé dans un élevage abandonné de poulets en batterie soixante-dix ans après la chute de

Galaad. La figure centrale a le nez cassé et une autre statue n'a plus de tête, ce qui suggère un acte de vandalisme. En voici une photo; je vous prie de m'excuser pour la luminosité. Je l'ai prise moi-même, et je ne suis pas le meilleur photographe qui soit. Des contraintes budgétaires m'ont empêché de recourir aux services d'un professionnel. (*Rires*.)

Dans plusieurs débriefings, des agents Mayday infiltrés décrivent «Lydia» comme un personnage à la fois impitoyable et rusé. Il nous a été impossible de la découvrir dans le rare matériel télévisé qui a survécu à cette période, mais on a néanmoins déterré, dans les décombres d'une école de filles bombardée durant l'effondrement de Galaad, une photographie encadrée au dos de laquelle était écrit «Tante Lydia».

Bien des éléments nous donnent à penser qu'il s'agit de la même «Tante Lydia» que notre testateur. Mais, comme toujours, il importe de nous montrer prudents. Imaginons que le manuscrit soit un faux – pas une grossière copie contemporaine visant à escroquer son monde – l'encre et le papier auraient tôt fait de dénoncer l'artifice –, mais une falsification émanant de Galaad même, d'Ardua Hall plus précisément.

Et si notre manuscrit avait été conçu comme un piège, destiné à incriminer son objet, à l'image des lettres des tonneaux qui ont entraîné la mort de Marie Stuart, reine d'Écosse? Ne serait-il pas possible qu'une des ennemies présumées de «Tante Lydia», citées dans le testament olographe même – Tante Elizabeth, par exemple, ou Tante Vidala –, jalouse du pouvoir de Lydia, brûlant d'envie d'assumer sa fonction et au fait de son écriture et de sa façon de parler, se soit lancée dans la rédaction de ce document compromettant, avec l'espoir que l'Œil le découvre?

Ce n'est pas totalement inenvisageable. Mais, dans l'ensemble, j'ai tendance à penser que notre testament olographe est authentique. Il est indéniable que quelqu'un au sein d'Ardua Hall a fourni les micropoints cruciaux aux deux demi-sœurs qui ont fui Galaad et sur le voyage desquelles nous allons bientôt nous pencher. Elles-mêmes affirment que ce personnage était bien Tante Lydia : pourquoi ne pas les croire sur parole ?

À moins, bien entendu, que la «Tante Lydia» des jeunes filles ne soit en réalité une ruse destinée à protéger l'identité du véritable agent double de Mayday au cas où il y aurait eu un traître au sein de Mayday. C'est aussi une option. Dans notre profession, il est fréquent qu'une boîte à secrets, une fois ouverte, en révèle une autre.

Ce qui nous mène à deux documents qui sont presque certainement authentiques. Ils sont catalogués comme une transcription des témoignages de deux jeunes femmes qui, de leur propre aveu, ont appris, par les Archives généalogiques des filiations dont les Tantes avaient la responsabilité, qu'elles étaient demi-sœurs. La narratrice qui dit s'appeler «Agnes Jemima» prétend avoir grandi à Galaad. Celle qui se présente en tant que «Nicole» semble avoir huit ou neuf ans de moins que son aînée. Dans son témoignage, elle décrit la manière dont deux agents de Mayday lui ont relaté sa sortie clandestine de Galaad dans sa toute petite enfance.

«Nicole» pourrait paraître trop jeune, de par son âge mais également de par son expérience, pour qu'on lui ait confié la mission risquée que toutes deux ont apparemment exécutée avec tant de brio, mais elle n'était pas plus jeune que des tas de gens impliqués, au cours des siècles, dans des opérations de résistance et d'espionnage. Certains historiens soutiennent même que les personnes de cet âge sont particulièrement aptes à ce type d'équipée, car les jeunes sont idéalistes, pas encore pleinement conscients de leur propre mortalité et dotés en revanche d'une soif de justice exacerbée.

On estime que la mission décrite a joué un rôle fondamental dans la chute de Galaad, dans la mesure où le matériel que la plus jeune sœur a sorti en contrebande

– micropoints insérés dans une scarification, ce qui, je dois dire, représente un mode original de transmission de l'information (*rires*) – a révélé un grand nombre des secrets honteux touchant divers responsables de haut niveau. Signalons en particulier plusieurs complots ourdis par certains Commandants pour en éliminer d'autres.

La diffusion de ces informations a déclenché la Purge dite de Ba'al qui a éclairci les rangs de l'élite, affaibli le régime et provoqué un putsch militaire ainsi qu'une révolte populaire. Les conflits internes et le chaos qui en ont résulté ont été propices à une campagne de sabotages coordonnés par la Résistance de Mayday et à une série de ripostes fructueuses de la part de certaines régions des anciens États-Unis, telle la partie montagneuse du Missouri, les zones dans et autour de Chicago et de Detroit, l'Utah, qui n'avait pas pardonné le massacre des mormons sur ses terres, la république du Texas, l'Alaska et la majeure partie de la côte Ouest. Mais, ça, c'est une autre histoire – que les historiens militaires s'emploient toujours à reconstituer.

C'est sur les témoignages eux-mêmes, sans doute enregistrés et transcrits pour le mouvement de résistance de Mayday, que je vais me concentrer. Ces documents se trouvaient dans la bibliothèque de l'Université innu à Sheshatshiu, dans le Labrador. Personne n'était encore tombé dessus – peut-être parce que le dossier n'était pas clairement référencé, dans la mesure où il s'intitulait « Annales du *Nellie J. Banks* : deux aventurières ». Devant ce groupe de signifiants, tout le monde aurait cru avoir affaire au récit d'un lointain épisode de contrebande de liqueur, étant donné que la goélette *Nellie J. Banks* est célèbre pour avoir participé à des trafics de rhum au début du XXe siècle.

Il a fallu que Mia Smith, une de nos étudiantes de troisième cycle en quête d'un sujet de thèse, ouvre ledit dossier pour que nous saisissions la vraie nature de son contenu. Quand elle m'a passé le matériel afin que je l'évalue, j'ai éprouvé un enthousiasme formidable, car les récits de première main de Galaad sont de plus en plus rares – surtout ceux qui concernent la vie des femmes et des jeunes filles. Il est difficile à ceux qui n'ont pas eu accès à l'alphabétisation de laisser de tels témoignages.

Mais nous autres, historiens, avons appris à questionner nos premières hypothèses. Cette narration à deux voix était-elle une habile contrefaçon ? Un groupe de nos étudiants de troisième cycle a entrepris de suivre la route décrite par nos supposés témoins – tout d'abord en déterminant sur cartes terrestres et maritimes leur trajet probable, puis en empruntant eux-mêmes l'itinéraire en question dans l'espoir d'y découvrir des indices encore valides. Aussi exaspérant que cela puisse être, les textes ne sont pas datés. J'espère que, s'il vous arrivait un jour d'être embarqué dans pareille équipée, vous vous montreriez plus serviable à l'endroit des futurs historiens et incluriez le mois et l'année. (*Rires*.)

Après de multiples impasses et une infestation de rats une nuit dans une conserverie de homards délabrée du New Hampshire, le groupe a interviewé une femme âgée résidant ici, à Passamaquoddy. Selon elle, son arrière-grand-père racontait qu'il faisait passer des gens au Canada – des femmes principalement – à bord d'un bateau de pêche. Il avait même gardé une carte de la région que l'arrière-petite-fille nous a offerte, en nous expliquant qu'elle s'apprêtait à la jeter pour que personne n'ait à débarrasser ses cochonneries après sa mort.

Je vais vous montrer une image de cette carte.

Et, à l'aide du pointeur laser, je vais maintenant tracer la route que nos deux jeunes réfugiées ont vraisemblablement suivie : en voiture jusqu'ici, en car jusqu'ici, en pick-up jusqu'ici, en canot à moteur jusqu'ici et enfin à bord du *Nellie J. Banks* jusqu'à cette plage proche d'Harbourville, en Nouvelle-Écosse. À partir de là, elles semblent avoir été évacuées par avion vers un centre médical spécialisé dans le traitement des réfugiés sur l'île de Campobello, dans le Nouveau-Brunswick.

Notre équipe d'étudiants s'est ensuite rendue à Campobello, dans le centre de réfugiés provisoirement installé dans la résidence d'été de la famille de Franklin D. Roosevelt, qui l'avait fait construire au XIXe siècle. Désireux de rompre tout lien avec cet édifice, Galaad avait dynamité la chaussée reliant l'île au continent pour interdire aux aspirants à plus de démocratie de s'enfuir par voie de terre. À cette époque, la demeure a traversé quelques moments difficiles, mais elle a été restaurée depuis et elle est gérée comme un musée ; malheureusement, une grande partie du mobilier d'origine a disparu.

Il est possible que nos deux jeunes femmes aient passé au moins une semaine dans cette maison, puisque, d'après leurs témoignages, toutes deux ont eu besoin d'être traitées contre l'hypothermie et l'exposition au froid et, pour la plus jeune, contre une septicémie causée par une infection. En passant la bâtisse au peigne fin, notre jeune équipe dynamique a remarqué de surprenantes incisions dans le rebord d'une fenêtre en bois du premier étage.

Les voici sur cette image – recouvertes de peinture, mais toujours visibles.

Nous voyons ici un *N*, pour « Nicole » peut-être – suivez ici le haut du tracé vertical – et un *A*, ainsi qu'un *G* : se pourrait-il que ces lettres fassent référence à « Ada » et à « Garth » ? Ou le *A* renvoie-t-il à « Agnes » ? Il y a un *V* – pour « Victoria » ? – légèrement en dessous, ici. Par là, il est possible que les lettres *TL* renvoient à la « Tante Lydia » de leurs témoignages.

Qui était la mère de ces deux demi-sœurs ? Nous savons qu'une Servante fugitive a été un agent de terrain de Mayday, très actif durant plusieurs années. Après avoir échappé à au moins deux tentatives d'assassinat, elle a travaillé pendant quelques années sous une triple protection dans leur centre de renseignements près de Barrie, en Ontario, qui passait pour une ferme de produits à base de chanvre biologique. Nous n'avons pas définitivement écarté la possibilité que cet individu soit la « Servante écarlate » des enregistrements retrouvés dans la cantine ; or, d'après ce récit, cette personne avait au moins deux enfants. Mais ne tirons pas de conclusions trop hâtives qui risqueraient de nous égarer, je m'en remettrai donc à de futurs chercheurs pour qu'ils examinent la question de plus près, si possible.

Pour les parties intéressées – cette opportunité n'est actuellement disponible qu'aux seuls participants au colloque, même si, selon les fonds dont nous disposerons, nous espérons l'élargir à un plus vaste lectorat –, mon collègue, le professeur Knotly Wade, et moi avons préparé un fac-similé de ces trois lots de documents, que nous avons intercalés selon un ordre offrant, à nos yeux, un sens approximatif au récit. On peut éliminer l'historien chez le conteur, mais on ne peut éliminer le conteur chez l'historien ! (*Rires, applaudissements.*) Nous avons numéroté les parties en question afin de faciliter recherches et références : inutile de préciser que ces chiffres n'apparaissent pas sur les originaux. Vous pouvez demander des exemplaires du fac-similé au guichet des inscriptions ; pas plus d'un par personne, s'il vous plaît, nos stocks sont limités.

Profitez bien de votre périple dans le passé ; et, pendant que vous y serez, réfléchissez à la signification des marques cryptiques sur le rebord de la fenêtre. Personnellement, je me bornerai à suggérer que les correspondances entre les lettres initiales et plusieurs noms-clés dans nos transcriptions sont pour le moins évocatrices.

Je vais conclure sur un autre élément fascinant de ce puzzle.

La série d'images que je m'apprête à vous montrer représente une statue qui se dresse actuellement dans le vieux parc de Boston, le Boston Common. Sa provenance donne à penser qu'elle n'appartient pas à la période Galaad : le nom du sculpteur correspond à celui d'un artiste ayant travaillé à Montréal plusieurs décennies après la chute de Galaad, et sans doute la statue a-t-elle été transférée à son emplacement actuel quelques années après le chaos qui a suivi la fin de Galaad et la subséquente restauration des États-Unis d'Amérique.

L'inscription paraît mentionner les principaux acteurs cités dans nos documents. Si c'est le cas, nos deux jeunes messagères ont vraisemblablement dû survivre non seulement pour partager leur histoire, mais aussi pour retrouver leur mère et leurs pères respectifs et avoir des enfants et des petits-enfants.

Pour ma part, je vois dans cette inscription un témoignage convaincant de l'authenticité des transcriptions de nos deux témoins. La mémoire collective est notoirement défaillante, et une grande part du passé sombre dans l'océan du temps pour y être à jamais perdu ; mais il arrive que les eaux s'entrouvrent et nous offrent, ne serait-ce que l'espace d'un instant, un bref coup d'œil sur un trésor caché. Même si l'histoire fourmille de nuances et que nous autres, historiens, ne puissions jamais rêver faire l'unanimité, j'espère qu'il vous sera possible de souscrire à mon point de vue, du moins pour le cas qui nous intéresse.

Comme vous pouvez le voir, la statue représente une jeune femme revêtue du costume des Perles : remarquez la coiffe caractéristique, le collier de perles et le sac à dos. Elle tient un bouquet de petites fleurs que notre consultant en ethnobotanique a identifiées comme étant des myosotis ; sur son épaule droite, deux oiseaux de la famille des pigeons ou des tourterelles, semble-t-il.

Voici l'inscription. Les caractères sont érodés et difficiles à lire sur l'image, de sorte que j'ai pris la liberté de les transcrire sur la suivante, ici. Et c'est sur cette dernière remarque que je m'arrêterai.

À LA MÉMOIRE DE
BECKA, TANTE IMMORTELLE
CE MONUMENT COMMÉMORATIF A ÉTÉ ÉRIGÉ PAR SES
SŒURS
AGNES ET NICOLE,
AINSI QUE PAR LEUR MÈRE, LEURS DEUX PÈRES,
LEURS ENFANTS ET LEURS PETITS-ENFANTS.
ET EN RECONNAISSANCE DES PRÉCIEUX SERVICES
DE T. L.
UN OISEAU EMPORTERA LA VOIX
ET L'INDISCRÉTION TROUVERA DES AILES.
L'AMOUR EST FORT COMME LA MORT.

Remerciements

Les Testaments ont été écrits en divers lieux : dans la voiture panoramique d'un train qu'un glissement de terrain avait bloqué sur une voie de garage, à bord de deux bateaux, dans d'innombrables chambres d'hôtel, au cœur d'une forêt, en plein centre-ville, sur les bancs d'un parc et dans des cafés, à noter des mots sur les proverbiales serviettes en papier, sur des carnets, un portable. Le glissement de terrain n'était pas de mon fait, pas plus que certains autres événements qui ont influé sur ces lieux d'écriture. Pour les autres, c'est ma responsabilité pleine et entière.

Mais avant même que je commence à coucher des mots sur le papier, *Les Testaments* ont été en partie écrits dans l'esprit des lecteurs du livre qui les a précédés, *La Servante écarlate*, lecteurs qui ne cessaient de m'interroger sur ce qui se passait après la dernière page du roman. Trente-cinq ans laissent largement le temps de réfléchir aux réponses possibles, lesquelles ont évolué à mesure que la société elle-même évoluait et que les hypothèses devenaient réalité. Les citoyens de nombreux pays, y compris ceux des États-Unis, subissent aujourd'hui des tensions bien plus fortes qu'il y a trois décennies.

L'une des questions récurrentes que l'on m'a posées au sujet de *La Servante écarlate* est : comment Galaad s'est-il disloqué ? J'ai écrit *Les Testaments* pour y apporter une réponse. Il arrive que les totalitarismes s'effondrent, minés de l'intérieur, parce qu'ils n'ont pas réussi à tenir les promesses qui les avaient portés au pouvoir ; il se peut aussi qu'ils subissent des attaques venues de l'extérieur ; ou les deux. Il n'existe pas de recette infaillible, étant donné que très peu de choses dans l'histoire sont inéluctables.

Mes remerciements vont tout d'abord aux lecteurs de *La Servante écarlate* : leur intérêt et leur curiosité m'ont stimulée. J'adresse également mes plus vifs remerciements aux équipes de MGM et de Hulu qui ont adapté le livre en une captivante série télévisée, magnifiquement réalisée et maintes fois primée : à Steve Stark, Warren Littlefield et Daniel Wilson du côté de la production ; à Bruce Miller, producteur exécutif, et à sa brillante équipe de scénaristes ; aux réalisateurs talentueux ; et à l'éblouissante distribution, dont l'engagement a été total : Elisabeth Moss, Ann Dowd, Samira Wiley, Joseph Fiennes, Yvonne Strahovski, Alexis Bledel, Amanda Brugel, Max Minghella et tant d'autres. La série télévisée a respecté l'un des axiomes du livre : tout événement qui y survient doit impérativement avoir eu un précédent dans l'histoire des hommes.

La publication d'un livre est une aventure collective, aussi mes remerciements vont-ils à la joyeuse bande d'éditeurs et de premiers lecteurs de part et d'autre de l'Atlantique : ils ont contribué de mille façons à cette expérience de pensée à coups de «J'adore !», «Avec ça, vous ne vous en tirerez pas !» et de «Je ne comprends pas, il faut développer». Ce groupe inclut, mais ne se limite pas à Becky Hardie de chez Chatto/Penguin Random House UK ; Louise Dennys et Martha Kanya-Forstner de chez Penguin Random House Canada ; Nan Talese et LuAnn Walther de Penguin Random House US ; l'impitoyable Jess Atwood Gibson ; et

Heather Sangster de chez Strong Finish, relectrice diabolique qui traque férocement la petite bête, parfois avant même que ladite petite bête ait pointé le bout de son nez. Et merci aux équipes de correction et de production sous la direction de Lydia Buechler et Lorraine Hyland chez Penguin Random House US, ainsi qu'à Kimberlee Hesas chez Penguin Random House Canada.

Mes remerciements aussi à Todd Doughty et Suzanne Herz chez Penguin Random House US ; à Jared Bland et Ashley Dunn de Penguin Random House Canada ; et à Fran Owen, Mari Yamazaki et Chloe Healy chez Penguin Random House UK.

À mes agents Phoebe Larmore et Vivienne Schuster, aujourd'hui retraitées ; à Karolina Sutton et Caitlin Leydon, Claire Nozieres, Sophie Baker et Jodi Fabbri de chez Curtis Brown ; à Alex Fane, David Sabel, et à l'équipe de Fane Productions ; et à Ron Bernstein chez ICM.

Dans le domaine des services sur mesure : merci à Scott Griffin, mon conseil en matière de navigation ; à Oberon Zell Ravenheart et Kirsten Johnsen ; à Mia Smith, dont le nom apparaît dans le texte à la suite d'une vente aux enchères organisée au bénéfice de l'association caritative Freedom from Torture ; et à plusieurs anciens résistants français, polonais et néerlandais de la Seconde Guerre mondiale, que j'ai rencontrés au fils des ans. Le personnage d'Ada porte le prénom de ma tante par alliance, Ada Bower Atwood Brannen, l'une des premières femmes de Nouvelle-Écosse guide de chasse et de pêche.

À ceux qui me poussent à avancer vaille que vaille et me rappellent mes délais, dont Lucia Cino de O. W. Toad Limited et Penny Kavanaugh ; à V. J. Bauer, qui a conçu et gère le site Internet ; à Ruth Atwood et Ralph Siferd ; à Evelyn Heskin ; et à Mike Stoyan et Sheldon Shoib, à Donald Bennett, Bob Clark et Dave Cole.

À Coleen Quinn, qui s'assure que l'écrivain sort de sa tanière et profite du grand air; à Xiaolan Zhao et Vicky Dong; à Matthew Gibson, le réparateur universel; et à Terry Carman et aux Shock Doctors, pour garder les lumières allumées.

Et comme toujours, à Graeme Gibson, mon compagnon de bien des aventures curieuses et merveilleuses depuis près de cinquante ans.

Table

La photocomposition de cet ouvrage
a été réalisée par
GRAPHIC HAINAUT
30, rue Pierre Mathieu
59410 Anzin

MARQUIS

Québec, Canada

Imprimé au Canada